双葉文庫

ダッシュ！

五十嵐貴久

ダッシュ！

目次

Vol.1

Where is she?

1

アップのためにグラウンドに出たとき、声がした。

「イーノケン」

はい、と反射的に答えてから振り向いた。われらがねーさんこと菅野桃子《かんのももこ》先輩が、校舎の三階の窓枠に腰掛けたまま、ぼくの方を見下ろしていた。

「ねーさん！」

家族旅行でしばらく留守にしていた飼い主が帰ってきたときのスピッツのような勢いで、ぼくはスパイクを肩からぶら下げたまま窓の下に駆け寄った。

「ねーさんはやめなさい」

ねーさんが怖い顔でぼくを睨《にら》んだ。はい、ドモスミマセン。

「どうしたんすか、桃子先輩」

ぼくたちは彼女のことを、仲間内では〝ねーさん〟と呼んでいる。ただし面と向かっては〝桃子先輩〟であり、オフィシャルな場に出れば〝菅野さん〟と、その呼称は変わる。なぜならねーさんは、ぼくたちが〝ねーさん〟と呼ぶと烈火のごとく怒るからだ。

「あたしは極道の妻じゃない」

ねーさんはいつもそう言う。いやそりゃそうですけど。ぼくは窓を見上げた。

「何してるんすか、そんなとこで」

「見ればわかるっしょ。掃除当番」

ガラスを雑巾で拭《ふ》きながら答えた。ねーさんは働き者だ。

「危ないっすよ」

あとパンツも見えるし、と校舎の壁に手を掛けたままぼくは言った。見るな、とひと声叫んだねーさんが空いていた左手でスカートを押さえた。

「そこまでしなくてもいいんじゃないすかね」

一階の窓ガラスはともかく、二階と三階の窓については定期的に業者が入っている。わざわざ生徒がやることじゃないだろう。だいたい、危ないじゃないの。

「まあね、そりゃそうなんだけど」窓を拭くねーさんの手つきは妙に丁寧だった。「やっぱ、きれいな方が気持ちいいでしょ」

そりゃそうすけど、とうなずいた。きれい好きはねーさんの基本的なスタンスで、ぼくもそれはよく心得ていた。

「心配してたんすよ、おれら」

四月に新学期が始まったその日から、ねーさんは学校に来ていなかった。今日は四月十四日、始業式から一週間が経っている。

たかが一週間と言うかもしれないが、この人は早い話が健康優良児で、いったい何があったのか、とみんなが思うのは自然な話だろう。

「風邪、こじらせちゃってさ。そりゃあたしだって女の子だもん、そんな時もあるって」

あまり女の子らしさを感じさせない声でそう言った。そりゃ失礼いたしました。

「そんなことよりイノケン、ちゃんと練習してんの？」

イノケンというのはぼくの呼び名だ。県立春日部《かすかべ》学園高校二年Ｃ組井上健一《いのうえけんいち》、略してイノケン。だいたい、名前にケンが入ってるとこんなあだ名がつく。

うちのクラスには佐藤健次《さとうけんじ》、網野憲也《あみのけんや》、田中謙三《たなかけんぞう》といるが、みんな似たようなものだ。

サトケン、アミケン、Ｂケン。

なぜ田中謙三だけＢケンかといえば、別のクラスに棚橋研二郎《たなはしけんじろう》という奴がいて、同じタナケンだとまぎらわしいのでいつの頃からかＡ、Ｂと頭につけて呼ぶことになったのだ。今年の新入生に、田名蔵憲《たなくらけん》という生徒がいるそうだが、そのうちそいつがＣケンを襲名するだろう。

「ぼちぼちって感じすかね」

スパイクの泥をはたいた。どうだか、と疑いの眼《まなこ》でねーさんがぼくを見た。

「ちゃんとやらなきゃダメだよ。それでなくても二年生は少ないんだし。廃部になっちゃったらどうすんの」

そうかもしんない。正直、部活の中でも陸上部の人気は毎年低くなっている。二年生はぼくを含めて四人しかいなかった。

「それに、イノケンは結構素質あると思うんだよね、あたし」

「そうすか？」

ねーさんは人を誉《ほ》めるのがうまい。お世辞とわかっていても、嬉しくなる。

「桃子先輩こそ、たまには部活出てきてくださいよ」

「無理」

苦笑いしたねーさんが雑巾を絞った。泥水が落ちてくる。飛び下がってよけたが、間に合わなかった。ぼくの〝KGKのイモジャー〟にしぶきがかかった。

ちなみにKGKは春日部学園高校の略だ。それにしてもこの色、何とかならないかな。今どきエンジって。

「ひでえ」

「悪い悪い」

明るく笑ったねーさんが、また雑巾をぼくの方に向けて絞った。やりそうなことだ。ぼくは自転車置き場のトタン屋根の下に避難した。

「無理って、何すかそれ」

「もう三年だもん。引退しちゃったからね」

そうなのだ。春日部学園高校創立以来の天才アスリート、陸上部きってのエース菅野桃子ねーさんはこの春三年生になった。三年になると部活から引退しなければならないというのが、なぜかうちの学校の校則だった。

埼玉県東部地区でも一、二を争うスピードを誇り、県大会の常連であるねーさんを退部させるのはいかがなものかと職員会議まで開かれたらしいが、当の本人がスポーツ推薦は狙わないからと、あっさり引退を表明したということだった。

「いや、そりゃそうかもしんないすけど、でもたまにはおれらと走ったりしましょうよ。急に運動やめると体に悪いっていうじゃないすか」

「まあねえ。ちょっと太ったからね」

そうすか、とぼくはねーさんを見つめた。とにかくねーさんはスタイルがいい。百七十センチ近い長身、グラマーというわけではないが、それなりに確かな存在感を伝える胸と、蜂《はち》みたいに細いウエスト。八頭身の小さな顔は、丁寧に作られた子猫の人形のようだ。

「なんか、逆に痩《や》せたように見えますけど」

痩せたいねえ、と大きくため息をついたねーさんが顔を伏せた。この人に限った話ではないが、女子というものはどうしてダイエットに対して飽くなき欲望を抱き続けるのだろう。ましてやねーさんに至っては、CanCam《キャンキャン》のモデルだって裸足で逃げ出すほどナイスなプロポーションなのに。

「いつでも来てくださいよ。待ってますから」

「イノケンだけだよ、あたしに優しいのは」

顔を上げたねーさんが、照れたように笑った。ちょっとだけ心臓がドキドキした。冗談とわかっていても、そんな笑顔を見せられたらこっちだってどうしていいのかわからなくなるじゃないの。

「だれもあたしのこと、女の子扱いしてくれないからさあ」

そんなことないっすよ、と叫びそうになってぼくは慌てて口を閉じた。

「いやいや。ラブレター、たくさんもらってるって聞いてますよ」

「相手がねえ」

本気で哀しそうにねーさんがぼやいた。ねーさんは、ぼくたちが言うところの〝ねーさん〟とは違う〝お姉さま〟的存在として校内に君臨している。それは、ねーさんがあまりにもカッコ良すぎて、とてもじゃないけどぼくたち高校生レベルでは太刀打ちできない、とわかっているからだ。

その気になれば、ねーさんならいくらでも彼氏ができるだろう。たとえばだけど、ぼくはあなたに恋してますから。いやマジで。

2

〝ねーさん〟という呼び名が定着したのは去年の夏だ。初めてそう呼んだのはぼくの同級生で陸上部の部員、メタボンこと門倉猛《かどくらたけし》だった。

たけし、というのが本名だけど、誰もメタボンのことをそうは呼ばない。上級生はもちろんのこと、たぶんもうすぐ下級生からもメタボンと呼ばれることになるだろう。メタボンはそういう奴だ。

あだ名の由来は簡単だ。メタボンは身長百七十センチ、体重百二十五キロ、堂々と突き出たその腹は、明らかなメタボリック症候群であることを示していた。メタボンはその省略形だ。

高校に入った時、メタボンを陸上部に引き入れたのはぼくだ。メタボンとぼくは中学校が同じだったのだけれど、そんなに仲がいいわけじゃなかった。なにしろメタボンは体重百二十五キロのデブだ。そんな暑苦しい奴と仲良くなって、どんな得があるというのだろう。

おまけにメタボンはいわゆるオタク、しかも重度のテツだった。テツというのは、つまり鉄道オタクということだ。メタボンはありとあらゆる路線の時刻表を暗記し、日本中の駅名を北海道の北の端から九州南端まで全部言えるという特技を持っている。

そんなメタボンを無理やり陸上部に入れたのはわけがある。ぼくの叔父さんは浦和で内科医をやっているのだが、ついでにぼくの中学校の健康診断の担当医でもあった。叔父さんによれば、メタボンは小児糖尿病で、このまま放っておくととんでもないことになってしまうという。

叔父さんの受け売りだけど、このタイプの糖尿病というのは要するに贅沢病で、食べ過ぎがその原因だ。逆にいえば、改善するには食べた量より多くのカロリーを消費すればいい。そのためには運動をしなければならないわけだけれど、一番いいのは走ることだそうだ。

ぼくは中学校の時も陸上部だったし、運動会のリレーとかでアンカーを任される程度には足が速かった。高校に入っても陸上を続けてもいいかな、と思っていた。それを知った叔父さんは、とにかくメタボンも陸上部に入れろ、と強要した。厳命といってもいい。

無茶な話だったが、断れない理由があった。ぼくは叔父さんの会員証を無断で借りて、何度かレンタルビデオ屋でいわゆるアダルトビデオを借りたことがあったのだ。

叔父さんはぼくがそんなことをしてるのを知っていたのだが、まあ黙認してくれていた。だが、これからはそうはいかない、と悪魔的な笑みを浮かべた叔父さんが言った。

「猛くんを陸上部に入れなかったら、お前がアダルトビデオを見ていたのをパパとママにバラすぞ」

そんなことをされたらぼくの人生は破滅してしまう。やむなく、ぼくは強引にメタボンを陸上部へ引っ張り込んだ。

もちろん本人は徹底的に拒否したけど、叔父さんはメタボンの親に息子の病状を伝え、今から運動しておかないと大変なことになりますと忠告をしていた。その脅しが利いたのだろう。両親の説得もあり、メタボンはやむなく陸上部へ入部することになったのだ。

とはいえ、百二十五キロの体重を持つ男を、いきなり全力で走らせるわけにもいかない。そんなことをしたら糖尿がどうのとかいう前に、膝関節が破壊されてしまう。

陸上部の部長のゲンカクこと桜井《さくらい》先生は、とりあえずジョギングから始めるようにと命じたけれど、それは全然意味がなかった。なにしろ、約四百メートルのグラウンドを走っているんだか歩いているんだかわからないスピードで一周すると、メタボンは二リットルのコーラを一気に飲み干してしまうのだ。それじゃ何のために走っているのかわからないだろう。

そんなわけで、結局ゲンカクはメタボンを砲丸投げの選手として登録することにした。テツということもあってか、鉄の球とは相性もよかったのだろう。一年間続けて、少し記録が伸びたこともあり、けっこうマジメにやっている。もっとも、体重が減る気配はまったくなかったが。

3

メタボンの話が長くなりすぎた。なぜメタボンが桃子先輩のことを〝ねーさん〟と呼ぶようになったのか、それを説明しなければならないんだった。

うちの高校の近くに〝おかって屋〟という定食屋がある。ぼくたちも学校帰りに寄るような、普通の定食屋なのだけれど、ひとつだけ変わったところがあった。メニューの中に超大盛りカレーと超大盛りラーメンがあり、この二つを三十分以内に完食すると料金はタダになり、おまけに五千円の賞金がもらえるのだ。

カレーは三キロ、ラーメンは二キロ、合計五キロという量だけど、メタボンなら絶対いける、というのがぼくたち陸上部員の一致した意見だった。本人も自信があったのだろう。去年の一学期のとある日、ぼくたちの勧めに従って、メタボンがついにチャレンジをすることになった。

二年の先輩たちも含め、全陸上部員が見守る中、挑戦が始まった。メタボンはまずカレーに取りかかり、十分足らずですべてを食べきった。いけるいける、と歓声が沸き起こった。

それからメタボンはラーメンを食べ始めた。もしかしたら、その作戦は失敗だったのかもしれない。メタボンはラーメンから食べるべきだった。カレーを食べている間に、ラーメンはすっかり汁を吸い、麺がのびきってしまっていたのだ。

それでもメタボンは果敢に勝負に挑んだ。勝てば名誉と五千円の賞金が手に入るが、負けたら実費として三千円を払わなければならない。高校生の身にとって、三千円というのはなかなか厳しい金額だ。必死になるのは当然だっただろう。

刻々と時間が過ぎていく中、メタボンはラーメンを食べ続けた。残り五分、というところで丼の中のラーメンの量は半分以上減っていた。あと一キロ足らずの麺を食べ切れば、メタボンの勝ちだ。

頭から水をかぶったように汗まみれになったメタボンは箸を動かし続けた。頑張れ！とその場にいた全員から応援の声が上がった。

だが、決着はあっけなくついた。それから一分後、火山が噴火したときの溶岩のような勢いで、異様な音と共にメタボンの口と鼻から麺が噴き出したのだ。

「メタボン！　諦めんな！」叫んだのは桃子先輩だった。「まだ時間あるよ！」

ぼう、ぶり、とメタボンが涙を両眼に溢《あふ》れさせながら言った。もう、無理、という意味だとわかるまでしばらくかかった。

「メタボン！　しっかりしろ！　ファイト！」

桃子先輩が叱咤激励の声を飛ばした。ねーさん、とメタボンが顔中を麺だらけにしたまま言った。

「ぼう、できだい」

残り時間三分というところで、メタボンの挑戦は終わった。ＴＫＯ負けとでもいえばいいのだろうか。完膚《かんぷ》なきまでの敗北だった。

あとに残ったのは、ねーさん、という桃子先輩への呼び名だ。メタボンが何であの時そんなふうに口走ったのかはわからないけど、言われてみればねーさんという愛称は桃子先輩にぴったりだった。

百七十センチ近い長身、世話好きで心配性、おせっかいだけど優しいという性格も含め、もうぼくたちはねーさんをねーさんという呼び名以外で呼ぶことはできなくなった。それほどまでに的確としか言いようのないネーミングだったのだ。ただし、その呼び名を本人が非常に嫌がっているのは、さっきも言った通りだ。

4

「あ、ねーさん！」

声がした。結城遼一《ゆうきりょういち》、リョーイチがトレードマークの茶髪をなびかせて駆け寄ってきた。それまで校門に向かって仲良く並んで歩いていた同じクラスの会沢有香《あいざわゆか》が、置いてけぼりになってぽつんと立っているのが見えた。

リョーイチはぼくと同じクラスで、高校に入った時、同じ陸上部に入ったことから友達になった。今はいろいろあって部は辞めていたけど、リョーイチのねーさんに対する忠誠心は変わっていない。

というより、ますます強くなっているといってもいいだろう。そしてぼくとねーさんが二人きりになる局面があると、必ずこの男はどこからでも現れて邪魔をする。

そんな必要はないだろう、とぼくはいつも思う。リョーイチは率直に言ってなかなかカッコいい。いわゆるイケメンだ。ぼくよりちょっと背は高くて、百八十センチに少し欠けるくらい、そして体重は六十キロちょうどでぼくと同じくらいだろう。

ロックバンドのギタリストが似合いそうな顔だし、実際バンド活動もしている。レッチリ、レッド・ホット・チリ・ペッパーズの大ファンで、リードギター担当だ。クラスの人気投票でも、女子からの支持は絶大なものがあった。なぜリョーイチがねーさんにこだわるのか、ぼくにはどうしてもわからない。

「ねーさんはやめなさい」

怖い顔でねーさんが睨んだ。ダメっすよ、こんなバカと話したりなんかしちゃ、とリョーイチがぼくの胸を強く突いた。

「頭の中はエロいことしか入ってないんすから」

「何言ってんだ、バカ」ぼくはリョーイチの肩を小突き返した。「そんなことより、いいのかよ、会沢を一人にして。こっちに来てる場合じゃないだろうが」

いいんだよ、あんなの、とクールにリョーイチが言った。そのクールさも、こいつの人気の一因なのだろう。ただ、どういうわけかねーさんの前に出るとそのクールさがどこかへ行ってしまうというのがこの男の弱点だった。

「リョーくん、ダメだよ。彼女は大事にしないと」

「いや、あんなの、全然彼女とかじゃないですから」慌てたリョーイチが両手を振り回した。「もう全然関係ないし。ただクラスが一緒だっていうだけで、それだけのことで」

確かに、その言葉に嘘《うそ》はなかった。リョーイチが恋をしているのは、あくまでもねーさんだけなのだ。

「イノケン、おまえこそさっさと練習行けよ。もう時間だろ」

リョーイチが時計を見た。言われてみればその通りで、春日部学園高校陸上部は、おそらく部長がゲンカクだからなのだろう、時間だけは厳守しないといけないのだ。あの、とリョーイチが見上げながら口を開いた。

「桃子先輩……もしよかったら、駅まで一緒に帰りませんか」

リョーイチが言った。ごめんね、とねーさんが首を振った。

「あたし、これからまた病院行くんだ。まだ風邪治りきってなくて」

そうすか、とリョーイチががっくりと肩を落とした。ザマミロ。おまえには会沢ぐらいがお似合いなんだよ。

それに、別に会沢はブスってわけでもない。むしろクラスでいえば、美人の部類に入るだろう。

会沢ぐらいのところで手を打つのが世の中を渡っていく知恵というものだと思うのだが、リョーイチの辞書に妥協の二文字はなかった。恋愛の対象はねーさんだけ、というのが奴のこだわりだった。

「じゃ、おれ、練習行ってきますから」

本当に時間がなくなっていた。肩にスパイクを引っかけたぼくに、ねーさんが手を振った。

「頑張ってね」

おお、なんだか新婚夫婦のようだ。仕事に出る夫とそれを見送る奥さんみたいで、いい感じじゃないの。何だよ、お前はよ、とからむリョーイチの腕を引っ張って、ぼくはその場を離れた。

5

会沢と帰ろうとしていたのは、別にデートとかそういう意味があったわけではないらしい。ただ教室を出るとき一緒になったから、それだけのことのようだった。

「やっぱ、ねーさんはいいよなあ」

リョーイチがため息をついた。言いたいことはよくわかるが、ぼくは陸上部の練習に出なければならない。のんびり相手をしている暇はなかった。

「久しぶりに見ると、なんかますますいい感じだと思わねえ？」

語尾上がりでリョーイチが言った。わかったわかった、とぼくはうなずいた。ちょっと焦《あせ》っていた。グラウンドの向こう側から、ゲンカクが歩いてくるのが見えたからだ。

ゲンカクはとにかく時間に厳しい。ほかのことはそうでもないけど、たとえば集合時間に一分でも遅れると腕立て百回とか、わけのわからないペナルティを科してくる。しかも連帯責任だとかいって部員全員にそれを強《し》いるから、遅れるわけにはいかなかった。

「じゃあよ、おれ、部活行ってくるから」

「おお、頑張れ青年。終わったらレインボウに来いよ。待ってっから」

〝レインボウ〟というのは、通学路の途中にある喫茶店だ。いつできたのかわからないほど内装は古くさく、値段が安いのだけが取り柄の店だった。

早く終わったらな、とうなずいてぼくは走りだした。遅《おせ》えよ、とキャプテンの佐久間《さくま》が囁《ささや》くのとほぼ同時のタイミングで、ぼくはグラウンドに着いた。ゲンカクが降りてくるのとほぼ同時のタイミングで、ぼくはグラウンドに着いた。

「遅れたら、ヤバイだろうが」

悪い悪い、と謝りながら整列していたみんなに並んだ。男女合わせて一年と二年で十五人、これが春日部学園高校陸上部の全員だった。

一年生は先週入部した連中がほとんどで、この中の何人が夏まで残るか、しばらくは様子見というところだ。休め、とゲンカクが手を振った。

「全員、アップは終わってるな……とりあえずウインドスプリント五本、それから個人練習だ。二年は一年の面倒をちゃんと見ろよ。わかってんな」

アメリカ映画だったら全員で〝イエッサー！〟と怒鳴っているところだ。でもぼくたちは日本の高校生なので、わかりました、とぼそぼそつぶやきながらグラウンドを流しで走り始めた。

それが終わると今度はそれぞれ個人種目の練習に入る。うちの陸上部は三つのパートに分かれていて、短距離パート、中・長距離パート、そして投擲《とうてき》パートの三つだ。ただし投擲パートはメタボンしかいない。

入部の申し込みの段階で、一年生はそれぞれ自分の希望をゲンカクに告げ、今のところはその通りになっている。ただ、これは今後変更があるかもしれなかった。

ぼくは一年生の時から短距離を走っている。練習は加速走やスタートダッシュ、負荷走なんかが主だ。

これはこれで辛いけど、中・長距離の連中がやっているペース走の方が、実は圧倒的にきつい。キャプテンの佐久間はマラソンランナーだけれど、たいしたものだと思う。それほど仲がいいわけじゃないけど、あのガッツは認めなければならない。

中・長距離のランナーと違って、短距離の場合、速く走るためにはピッチとストライドを高めていけばいい。少なくとも理論的にはそうだ。歩数を少なく、回転数を上げて走ることができれば必ずタイムは上がる。

でも、言うのは簡単だけど、実際にやってみるとけっこう大変だ。しかもものすごく単調で、何度も同じことを繰り返すのだから、すぐ飽きてしまう。毎年のことだが、ゲンカクが一年と二年をペアにして練習させるのは、その意味で正しいだろう。

「ダッシュ!」

今日のぼくのパートナーは、一年生の草野頼子《くさのよりこ》だった。ぼくの〝ダッシュ！〟という掛け声と共に、彼女が地面を蹴って走りだす。

草野は育ち過ぎた小学校六年生みたいな女の子で、がりがりの痩せっぽちだけど、素質はあると思う。少なくとも、スタートダッシュの力は今の一年生の中で一番だろう。男子も顔負けだ。

全力で走るのは二十メートルぐらいで、あとは流す。短距離で大事なのはスタート時のダッシュ力だから、今はその練習をしている段階だった。速く走るためには腕の振りとか腿《もも》上げとか細かいステップとか、いろんな課題があるけど、全部を一度にやるなんて絶対できない。

ダッシュを五本繰り返すと、草野の息が上がってきた。やってみればすぐわかるけど、二十メートルの全力ダッシュなんて、そんなに何度もできるもんじゃない。集中力も必要だし、休憩も大事だ。

「交替交替」

今度はぼくの番だ。汗びっしょりになった草野の代わりに、スタートラインに立つ。この瞬間が、ぼくはわりと好きだ。隣のコースでは、別のペアがやっぱり同じような練習をしていた。

「いいですか？」

草野が聞いた。いつでもオッケー、と答えて、ぼくはスタートの構えを取った。
「ダッシュ!」
草野が叫んだ。ぼくは全力で地面を蹴った。

6

練習は五時で終わった。陸上部に限らず、基本的に春日部学園高校の部活は五時を目安に終了することになっている。ただ、たとえば大きな大会前とか、そんな時は別だ。去年、野球部が県大会で準々決勝まで勝ち進んだ時なんかは、毎日夜の十時過ぎまで練習をしていた。やり過ぎなんじゃないのか、という批判もあったぐらいだ。

陸上部の場合、四月の末に東部地区予選会というのがある。ここで六位以内に入れば、五月の半ばに埼玉県高校総体、さらに優秀な成績をおさめると、六月に関東高校総体があり、この大会で六位以内に入ると、八月の全国高校総体、いわゆるインターハイに出場することができる。

陸上部は、別に名門でもなんでもないけど、結局のところ陸上競技というのは基本的に個人戦だから、ものすごい素質のある奴が入部してくると、インターハイもまんざら夢ではない。

たとえばねーさんがそうだ。去年ねーさんは東部地区予選会の女子一〇〇メートルでぶっちぎりの一位、続く県大会でも全体の三位という成績で関東高校総体に勝ち上がった。

残念なことに、そこで惜しくも七位に終わり、インターハイ出場は夢と消えてしまったのだが、可能性がないわけではなかった。

今年はキャプテンの佐久間が一〇〇メートルで記録を伸ばしていて、ゲンカクなんかも期待しているようだ。もちろん、ぼくも含めその他の部員も、せめて予選会ではいい成績を残したいと思っていたから、それなりにぴりぴりしていた。

とはいえ、練習ばかりでは疲れてしまうだけだ。適度に休むのも、ある意味で練習の一部ということになるだろう。

何か食っていこうか、という話も出たけど、ぼくはリョーイチと約束をしていたので、学校から駅へ向かう途中にある喫茶店、レインボウに寄っていくことにした。傾《かし》いだ木の扉を開くと、少年ジャンプを読んでいたリョーイチが顔を上げた。

「遅えぞ」

悪い、と言って向かいの席に座った。

「そう言うなよ。しょうがないだろ、この時期だぜ。練習がきつくなるのは、おまえだって元は陸上部員だったんだから、それぐらいわかるだろ」

「そうだけどな」

会沢はどうしたと聞くと、知らねえ、という冷淡な答えが返ってきた。途中までは一緒だったらしいけど、この店の前で別れたらしい。おまえもさ、となぜかぼくは説教モードに入っていた。

「確かに、お前はルックスも悪くない。女子の評判もいい。人気もある。認めるよ。だけどな、だからっていってあっちこっちフラフラしてると、そのうち血を見ることになるぞ。三年の先輩で、誰だっけかな、時政《ときまさ》さんか、なんかすげえ怒ってるらしいじゃねえか。お前と菊地《きくち》のことで」

菊地というのは別のクラスだが同じ二年生の女子で、そのナイスなプロポーションが各方面から人気を呼んでいるという学園のアイドル的存在だった。

時政さんというのは硬派で有名な人だったが、どうもその菊地のことを憎からず思っていたらしい。ところが例によってリョーイチが遊び半分で手を出し、最終的には振った形になってしまったので、時政さんは激怒しているそうだ。

「そんなの知らねえよ。勝手に向こうがオレとつきあってるとか言い触らしてただけなんだぜ」

まあ、いいけどな、とぼくはコーラを頼んだ。どっちにしても、ぼくには関係のない話だ。

「オレが好きなのは、ねーさんだけだからよ」

ジャンプを脇に置いたリョーイチが宣言するように言った。わかったわかった、とぼくはうなずいた。ただ、一応言っておくけど、ねーさんを好きなのはお前だけじゃないんだからな。

「メタボンだって、わび助だって、もちろんおれだって、ねーさんのこと好きなんだぞ」

わび助というのは富田裕助《とみたゆうすけ》といって、ぼくたちと同じ二年生だ。やっぱり元陸上部で、理由があってリョーイチといっしょに部は辞めていたけど、友達づきあいは続いている。

参考のために言っておくと、ねーさんのファンクラブの会長はリョーイチで、代表がぼく、親衛隊長がメタボン、ヘッドがわび助だ。

「わび助って言やあ」リョーイチがケータイを取り出した。「昨日、電話があってな」

ふうん、とぼくは足を組み直した。そりゃ電話ぐらいかけることだってあるだろう。

「何かあったか。また謝ってきたのか?」

なぜわび助がわび助と呼ばれるようになったかというと、早い話がすぐ謝るからだ。何があっても、どんな場合でも、すぐに頭を下げる。自分が正しい場合でもだ。〝ごめんね〟は既に挨拶と化している。

ぼくとメタボンが中学の同級生だったように、リョーイチとわび助は小学校からの仲間だった。自意識過剰で対人恐怖症気味のわび助にとって、リョーイチはほとんど唯一の友達だったという。

逆にリョーイチはどんな時でも謝ったことがないと言われているぐらい押しだしの強い男だったから、どうしてその二人が仲がいいのかは謎《なぞ》だったが、別に性格が似ているから友達になるというものでもないだろう。

「何だって？」

いや、それがな、とリョーイチが首を傾げた。

「クラブ行かねえかって言うんだよ」

「クラブ？」

いったい何があったというのか。

リョーイチは今、クラブを平坦に発音した。ということは部活のクラブではなくて、いわゆるダンスの場としてのクラブということだろう。絶対の自信をもって断言できるが、わび助に似合わない場所として、クラブ以上のものはない。

だいたいクラブといえば、要は不良の行くところじゃないのか。人の素行《そこう》をどうこう言えるほどマジメではないけれど、それにしたってクラブというのはいかがなものか。

ぼくたちが住んでいるのは埼玉の春日部だ。だいたい春日部にクラブがあるのか。おそらくないだろう。だとしたらどこまで行く気なのか。まさか東京か。

「聞き間違いじゃないのか？　だってわび助だろ。あいつがそんなこと言うわけないだろうが」

「オレだってそう思ったさ。ただ、ねーさんに誘われたっていうんだな、これが」

「ねーさんに？」

　ぼくたちはねーさんの命令とあらば、砂利でも喜んで食べるだろう。誘われたなら、麻薬の取引にだってつきあうかもしれない。

　ただ、一点理解できないところがある。ねーさんもまた、クラブという単語が似合わないというところだ。

　いや、ルックス的には似合いかもしれないけれど、ねーさんはそういうタイプではない。それだけははっきりしていた。

「妙な話だな」

　ぼくは口元を歪《ゆが》めた。クラブなんて、ねーさんが行きたがるとはとても思えない。確かに学校にはクラブに行ったりする生徒もいるのかもしれないけど、ねーさんは流行に左右されるような人ではなかった。

「いや、間違いねえと思う」リョーイチが言った。「一昨日《おととい》、わび助が駅でねーさんとばったり会ったんだとさ。あいつは親父の手伝いだかなんだかで病院に魚を届けにいった帰りだったらしいんだけど」

わび助は東武伊勢崎線春日部駅の裏にある魚屋〝魚《うお》まさ〟の息子だ。病院というのは、魚まさが契約している京林《けいりん》病院のことだった。病院食の材料である魚を納めているのがわび助の親父、一徹《いってつ》だ。

ぼくたちはわび助の親父の本名を知らないが、その風貌、気性も含めて一徹と呼んでいた。いやホントに『巨人の星』の星一徹にそっくりなのだ。

「ねーさん、学校休んでただろ。どうしてたんですかって声かけたら、クラブ行かないかって、いきなり誘われたんだとよ」

「意味わかんね」

確かに、とリョーイチがうなずいた。とりあえず、とぼくはコーラを一気に飲み干してから立ち上がった。

「わび助んとこ、行ってみるか。本人に聞いてみないと、何のことだかさっぱりわかんねえよ」

「そうすっか」

どうせ駅に出るのだから、ついでだと思えば話は早かった。店を出てしばらく行ったところで、のたのた歩いていたメタボンとばったり出くわした。

これも何かの縁だろう。事のついでにメタボンも誘って、ぼくたちはわび助がいるはずの魚まさへと向かった。

7

リョーイチとわび助が陸上部を辞めた理由について、ちょっと説明しておいた方がいいだろう。

去年の七月、わび助が親父から渡された十万円という大金が陸上部の部室からなくなる事件が起きた。その金はわび助がオートバイの免許を取るために一徹から借りたものだった。なんでも、その日のうちに金を教習所に納めないとならなかったらしい。

ぼくを含め、同級生や先輩たちもわび助がそんな金を持ってたことは聞いていなかったが、リョーイチだけは知っていた。そして部室の鍵を管理していたのがリョーイチだったために、疑いがかけられた。状況的には無理のない話だったかもしれない。

もうひとつ言うと、その年の四月、リョーイチの両親は離婚していた。正直、その頃のリョーイチは少しすさんでいて、それもまた周囲にそんな思いを抱かせる理由になったのだろう。

ただ、リョーイチがそんなことをするはずがなかった。出来心ということもあるかもしれないが、少なくともリョーイチは友達の金を盗んだりするような奴ではない。まったくの他人なら、どうだかわからないが。

結局金は見つからず、わび助が一旦教習所行きを諦めることで一応話の片《かた》はついた。でもリョーイチを怪しいと考える者は少なくなかった。特に二年の先輩たちはそういう目で見るようになっていた。それが爆発したのが、夏合宿の時だ。

もともとリョーイチは態度があまりよくない。先輩たちからも生意気だと思われていた。それもひとつの要因だったのだろう。

夏合宿は体育会系のクラブが合同で学校に寝泊まりするのだが、その最終日にサッカー部の部室で盗難事件が起きた。それを聞いた陸上部の副キャプテンの谷川《たにかわ》さんが余計なことを言ったのだ。

「よその部室まで遠征かよ」

ぼくに言わせれば、それまでリョーイチはよく耐えていたと思う。この間、何度も嫌がらせみたいなことを言われたりしていたのだ。でもリョーイチはいつでも聞こえないふりをしていた。

だけど、それが我慢の限界だったのだろう。リョーイチは谷川さんに飛びかかっていき、乱闘騒ぎになった。

キャプテンという立場から二人を引き離した倉田《くらた》さんが、さらに事態を紛糾させるひと言を発した。離婚するような親の息子は、金にも汚くなるよな、みたいなことだ。

ぼくはその時、リョーイチを押さえこんでいたのだが、この無神経な発言には腹が立った。あんた、何を言ってるのか自分でわかってんのかよ。そんなの全然関係ないだろうが。

だが、殴りかかろうとしたぼくより素早かったのは菅野桃子先輩、つまりねーさんだった。ねーさんは倉田さんの顔面を、スパイクを履いたままの足で蹴り込んだのだ。

そのせいで倉田さんは前歯を二本折り、顔にはそれから二カ月ほど傷が残った。これはこれであとで大問題になったのだが、とにかくねーさんの怒りたるや凄まじかった。

「あんなふざけたことを言う奴の口はね、歯が欠けるぐらいでちょうどいいのよ」

その後、ぼくたちを集めたねーさんはそう言った。その姿は前に歴史の授業で習った破壊神シヴァを思わせるものがあった。

「リョーイチ、あんたの親の話はあんたとは関係がない。親が離婚したからって子どもがみんな犯罪者になるんだったら、今頃アメリカはとっくに滅びてる。それにあんたがわび助くんのお金を盗んだりするような子じゃないことも、あたしにはよくわかってる。あんたは何も悪くない。堂々としてなさい。わかった?」

それがねーさんの主張だった。あんまり怒っているので、血管が切れてしまうのではないかと逆にぼくたちの方が心配になったぐらいだ。

「だけど……倉田キャプテンは菅野さんの同級生じゃないすか。気まずくならないですか。つうか、歯を折っちゃったんですよ?」

「っていうか、明らかな傷害罪だし」

わび助が言った。そういう問題じゃない、とねーさんは断言した。

「いい？　世の中には殴らないとわかんない奴がいるってこと、みんなも覚えておいた方がいいわよ」

まあ要するにねーさんはそういう人なのだ。そんなカッコいいねーさんに、ぼくたち四人が魅了されたのは当然のことだった。

その後、残念ながらリョーイチは最初に暴力をふるったという理由で退部処分になり、原因はぼくにもあるから、と言ってわび助もやはり部を辞めた。

ぼくとメタボンも辞めるつもりだったけど、これはリョーイチに止められた。お前らまで辞めたら本当に俺が悪いみたいになるじゃないか、と言われれば辞めるわけにもいかない。ねーさんも辞めたりはしなかった。あたしは間違ったことはしてない、とねーさんは当たり前のように言った。

「今度また同じことがあったら、あたしはあいつの顔をもう一度蹴り飛ばしてやる。しかも次は両足でね」

それがねーさんの最終見解だった。

もちろん全治二カ月の怪我《けが》を負わせたねーさんが正しいとはいえないし、明らかな暴力事件だったのだけれど、学業の成績もよく基本的には品行方正、しかも陸上部のエースというねーさんの方が圧倒的に立場は強く、処罰されることなく事件は終わった。

リョーイチとわび助はその後ねーさんに迷惑をかけたことを謝罪し、ねーさんもそれを受け入れた。部に残ったぼくとメタボンはねーさんの男気に感動し、四人でファンクラブを結成するに至った。ぼくたちが本当に親しくなったのはそれからだ。


三人でねーさんのことを話しているうち、魚まさに着いた。ビニールの長靴姿で店のガラスケースに派手に水をかけていた一徹が、無言のまま顎《あご》をしゃくった。裏にいる、という意味だ。

「相変わらずおっかないね」

メタボンがつぶやいた。一徹は、今どき珍しいぐらいに頑固な人だ。たぶん、最後の昭和人種なのだろう。

自分の息子だけではなくその友達であろうと学校の先生であろうと、一徹のルールに反した行動をとるとすぐさま怒鳴りつけられる。さすがのリョーイチも、きちんと挨拶をするほどの相手だった。

店の裏手は結構広いバックヤードになっていて、仕入れた魚とか発泡スチロールのケースとか製氷機とか、いろんなものが置いてあった。三人揃《そろ》ってそっちへ回ると、わび助が軽の白いワゴンの運転席に座っているのが見えた。身長百六十センチに少し足りず、しかも絵に描いたような童顔のわび助が運転席に座っている姿はちょっと笑えた。

「ごめんね、ちょっと待ってて」

ゆっくりとワゴンがバックを始めた。嫌な音がして動きが止まる。エンストだ。はあ、とドアを開けたわび助が肩をすくめた。

「前にはけっこう、行けるようになったんだけどさ。バックはどうしてもクラッチの感じがわかんないんだよね」

高校を卒業したら家業を継ぐことになっているわび助は、大学に進まない。あの事件のあと少ししてオートバイの免許を取ったのも、魚の配送のためだ。

「才能ないのかなあ」

「知らねえよ」

リョーイチが言った。十七歳のぼくたちはまだ運転免許を持っていない。そんなのは大学に入ってからのことだろう。

「教習所なんか行かなくていいって親父が言いだしてさ。実地で練習しろって。それで一発で取れって言うんだよ」

相変わらずだねえ、とメタボンがうなずいた。昔の人って、みんなあんな感じだったんだろうな。

「根性があれば取れるって言うんだ。しかも、マニュアルじゃなきゃダメだって」

一徹は精神構造まであの有名なマンガの人と同じなのだ。オートマ車なんて、女子《おんなこ》ども乗るものだ、というのが一徹の考え方なのだろう。

そりゃそうかもしれないけど、平成二十一年だからなあ。そろそろマニュアル車って、製造中止になるんじゃないのかなあ。

「で、どうしたの、みんな揃って」

お前が電話してきたんだろうが、とリョーイチが地面を蹴った。

「クラブの件だよ。何がどうしたのか、説明してくれ」

あ、そうか、とうなずいたわび助が、ごめんね、と謝りながら車からおりた。

8

ぼくもよくわかんないんだけどさ、と部屋に上がったぼくたちにカルピスを出しながらわび助が言った。リョーイチに聞いた通りで、たまたまねーさんにばったり出くわしたら、クラブに行かない？　といきなり誘われたという。

「どういうことだ？」

裏庭の縁側に腰をかけたままリョーイチが不服そうに言った。こいつの不満は、なぜ自分ではなくてわび助にねーさんが声をかけたのか、ということに尽きる。ごめんね、とその必要はまったくないにもかかわらず、わび助が謝った。

「別にねーさんも、ぼくじゃなきゃいけないってわけじゃなかったんだと思うよ。たまたま出くわしたから、それで」

んなこたあわかってる、とますます不機嫌になったリョーイチが吐き捨てた。なぜ自分がそこにいなかったのか、と悔やんだ上の八つ当たりなのは明らかだった。

「それで、お前は何て答えたんだ」

リョーイチの質問に、みんなに聞いてみますって言ったよ、とわび助がグラスに口をつけた。基本的にこいつは自分の判断で物事を決めることがない。決められないのだ。

「ねーさんらしくない台詞《せりふ》だな」ぼくは首をひねった。「クラブだぜ。似合わないというかなんというか」

「バルタン星人と携帯電話というか」

「倖田來未《こうだくみ》と代々木ゼミナールというか」

「国会議事堂とサンボマスターというか」

きりがないからやめとけ、とぼくはストップをかけた。

「何かあったのかな」

リョーイチが唇を突き出した。別に変わったところはなかったけど、とわび助が申し訳なさそうに言った。

「おれさあ、今日、ねーさんに学校で会ったんだよね」ぼくはその時のことを話した。

「風邪治ったから、学校に来たって言ってた」

「そうなんだ」

ポケットからクリームパンを取り出したメタボンが大きな口を開けて、ふた口で飲み込んだ。TVチャンピオンに出したいぐらいの、見事な食べっぷりだった。

「それで、ねーさんは何してたの？」

別のポケットから今度はジャムパンを出してきた。さすがは〝歩くコンビニ〟と異名をとるだけのことはある。

「窓ガラス、拭いてたぜ。校舎の三階の」

オレも見たオレも見た、とリョーイチが遮《さえぎ》るように言った。そんなところでライバル意識を剝《む》き出しにされても困るが、ぼくとねーさんの間には必ず割って入らないと気が済まない男なのだ。

「それで、どうする」

リョーイチが低い声で言った。どうするって言われてもなあ。だいたいクラブって何？　とメタボンが首を捻《ひね》った。

「クラブっていうのはな、大学生とかヤクザとか遊び人が集まって、踊ったりナンパしたり覚醒剤の取引をしたりするところだよ」

リョーイチが説明した。そんな恐ろしい場所がこの世にあるのか、と大きな体を震わせていたメタボンが、内ポケットからチョココロネを取り出して一気に食べた。

「リョウくんは行ったことあるの？」

わび助が尋ねた。ないね、と吐き捨てるようにリョーイチが答えた。

「お前、オレたちは春日部市民だぞ。クラブなんてこのへんにあると思ってんのか？」

イノケンは？　とわび助がぼくの方を向いた。なくはない、とぼくは答えた。お前はすぐ見栄張るなあ、とリョーイチがぼくの頭を叩いた。

「そうじゃない。兄貴に連れていかれたんだ」

ぼくには三つ上の兄がいる。今、大学二年生だ。悪い人間ではないのだが、惚《ほ》れっぽく振られやすいという、ある意味最悪の星の下に生まれてきたような男だった。

その兄貴が、今年の正月に例によって高校時代、一年後輩だった女の子に振られ、その憂《う》さを晴らすためクラブに行くと言いだし、大学の仲間たちと共にぼくもつきあわされたのだ。

「じゃあ、イノケンもマリファナとかやったわけ？」

やるわけないだろ、とぼくはメタボンに座布団を投げつけた。そりゃそういうことをしてる奴らもいるかもしれないけど、うちの兄貴はいたって気の弱い男だ。そんなことできるはずもない。

「いくらかかるんだ」

リョーイチの質問にぼくは答えられなかった。その時は兄貴が全部払ってくれたし、なにしろ初めてのことだったから、何がなんだかよくわからなかったのだ。

「ぼく、踊ったことないんだけど」

わび助が情けない声をあげた。大丈夫だ、誰もお前にそんなことは期待していない。

「だいたい、みんなは洋楽とか聴くの？」

「全然」

メタボンが言った。以下同文、とぼくも首を振った。

「それじゃクラブに行ってもねえ」

わび助が目線を逸《そ》らした。生意気だ、とリョーイチが怒ったように言った。

「わび助のくせに、知ったような口ききやがって」

「ごめんね」

わび助が謝った。しかしだ、そんなことを言っていても始まらない。

「とにかく、ねーさんが行こうって言ってるんだから、オレらもつきあわなきゃならんだろう」リョーイチが結論を出した。「まさか一人で行かせるわけにもいかないだろうし」

それは確かにその通りだ。ねーさんが行くというのなら、チベットの山奥で修行に勤《いそ》しむのもやぶさかではない。とはいえ、クラブというのはいかがなものか。

「いいんじゃないの」のんきな声でメタボンが言った。「興味、なくもないんだよね。ダンスって楽しそうじゃない？」

立ち上がったメタボンが陽気にステップを踏んだ。盆踊りと大差なかったが、とにかくアグレッシブな気持ちだけは感じられた。

「いつ行くよ」

わび助が日めくりカレンダーを外して持ってきた。ひと粒の麦がなんとか、と欄外に記されている。

「ねーさんが言ってたんだけど」わび助が口を開いた。「二十八日じゃないと駄目だって」

ごめんね、とそのまま頭を下げた。いや、そこは謝るところじゃないだろう。

「いいんじゃないの。翌日は休みだし」リョーイチがうなずいた。「じゃあ、オレがねーさんに伝えとくから、そういうことでいいな。集合場所と時間はねーさんとオレで決める」

「調子に乗ってんじゃないよ、お前は」ぼくはリョーイチの肩を小突いた。「なんでお前がねーさんと話すんだよ」

「ぼくが頼まれたんだから、ぼくが話す」

わび助が言った。この男が自己主張するのは、ねーさんがらみのことだけだ。

「いや、やっぱりここはぼくが言った方がいいんじゃないかなあ」

メタボンが左右に目をやった。

ぼくたちの間にはルールがある。勝手に個人的にねーさんと連絡を取ったりすることは、厳重に禁止されていた。抜け駆けがあってはならない、というのがその主旨だ。

逆に言うと、公的な理由があればねーさんに電話をしたりしてもいい。問題は、その公的な機会というのがめったにないことだった。

だから、今回に限った話ではないけれど、誰もねーさんに電話をする権利を譲る気はなかった。仕方がない。いつものようにぼくたちはジャンケンで決めることにした。高校二年生になってもジャンケンでしか物事を決められないぼくたちって、いったいなんなんだろう。

一回勝負にするか三回勝負にするかでまた大揉《も》めに揉めたが、結局一回勝負ということになった。そして最後に勝ち残ったのは、わび助だった。仕方がない。ジャンケンは神聖だ。

「じゃ、夜にでもねーさんに電話しとけや。ちゃんといろいろ確認しておくんだぞ」リョーイチが不服そうに言った。「それからな、お前らも服とか、ちゃんと考えとけよ。あんまりダサイかっこしてると、入れてもらえねえらしいぞ」

そういうものなのか。さすがはクラブ。侮《あなど》れないぞ。

「あとな、これはここだけの話だけど、この時期のクラブは大学に入ったばかりの女子大生がたくさんいる」ねーさんには言うなよ、とリョーイチが急に声をひそめた。「これが狙い目なんだ。なんでかっていうと、辛《つら》い受験を乗り越えて大学に入ったわけだ、彼女たちは。そうすると人間どうしたって解放感が生まれるわけよ。今まで遊ばずに勉強ばっかしてたわけだろ？　それが遊んでいいんだ、男とつきあってもいいんだ、セックスしてもいいんだってなるわけ。てことはな……」

それからリョーイチの講義は延々一時間にも及んだ。

9

しかしそれにしても、ぼくたちはクラブというものについて、何も知らなかった。偉そうにクラブに関して語っていたリョーイチも、実際には行ったことはない。

ぼくが兄貴に連れていかれたクラブは北千住《きたせんじゅ》にあったのだけど、そこでいいのか。いくらかかるのか。何時から始まるのか。高校生でも入れるのか。

こういう問題について、答えを出すことができるのはメタボンだった。わび助の部屋にあったパソコンにサクサクといくつかのキーワードを入れて検索すると、ある程度の知識はすぐに入手することができた。

まず、春日部にクラブはない。近いものはあったが、その店のホームページには〝貸切パーティー・結婚式二次会に最適！〟と書いてあったので、たぶん違うだろう。

これは浦和も同じだ。結局、埼玉県というのは、そういう文化について不毛の地なのだろう。いいことなのか、悪いことなのかはぼくにもわからない。

「どうせ行くならよ、渋谷まで行こうぜ」

クラブというものは、なぜだか理由はわからないが、オープンの時間がものすごく遅いことをぼくたちはインターネットを通じて初めて知った。深夜十二時なんてのはざらで、早くても九時、平均すると十一時ぐらいのようだ。

しかも、盛り上がるのは夜中の二時とか三時と書いてある。どうせ徹夜になるのなら、渋谷まで行ったって同じじゃないか、というリョーイチの意見はある意味で正しかった。

「だけど……渋谷って」

わび助が怯《おび》えたような声で言った。悲しむべきことに、ぼくたちの生活圏は大宮がいいところで、東京、まして渋谷なんてめったなことで行く場所ではなかった。

おまけに、確実に朝帰りということになる。ぼくたち男子は、どうにかなるにしても、ねーさんはいったいどうするつもりなのだろうか。

「そりゃあ……ねーさんだってなんとかすんだろ。自分で言いだしたわけだし」

リョーイチが無責任なことを言った。とはいえ、確かに今の段階ではねーさんの心配よりこっちの方が先だ。まあ、誰かの家に泊まるとかそういうことにすれば、とりあえずなんとかなるだろう。

メタボンが〝渋谷　クラブ〟という検索ワードを打ち込んだ。おそろしいことに、三百二十万件という検索結果が表示された。三百二十万って。

もっとも、この中にはいわゆるキャバクラや社交ダンスクラブ、オカマクラブ、囲碁クラブ、スポーツクラブ、そういうものも含まれている。メタボンの奮闘とリョーイチのやや怪しい知識でさらに細かくパーティーとかダンスとかヒップホップというようなワードを付け加えていくと、三百七十五件まで減った。ここまでくればあとはそれほど難しくない。

さらに検討を加えた結果、ぼくたちは候補として五つの店を選びだしていた。あとはねーさんの意見も聞いてみないと、ぼくたちだけでは決められない。情けない話だが、ぼくたちはねーさんがいないと何もできないのだ。

「じゃあよ、わび助、あとは任したから」立ち上がったリョーイチが言った。「あとでねーさんに電話して、どの店に行くのか、何時にどこ集合とか、そういう細かいとこ決めといてくれ。決まったら、全員にメールで報告な」

ケータイを手にしたリョーイチに、わかった、とわび助がうなずいた。

10

意外と知られていない話かもしれないが、春日部から渋谷というのは東武伊勢崎線が地下鉄半蔵門線に乗り入れて、一本でつながっている。急行で行けば一時間十分ほどだ。近いとはいえないけれど、だからといってメチャクチャ遠いというわけでもない。

ぼくたちはねーさんの指示に従い、二十八日の夜九時、春日部駅の西口ロータリー近くにあるコンビニの前で待ち合わせをしていた。一番乗りはぼくだった。こう見えてもぼくは結構真面目なのだ。しばらく待つうちにリョーイチがやってきた。

「おう」

「おす」

ぼくたちは親の仇《かたき》でも見るかのように、互いのスタイルを確かめあった。うちの学校は私服通学可なので、ふだん着がどんなものか知ってはいたが、なにしろクラブへ行くとなるとこれは普通の状況とはわけが違う。

オシャレのセンスはぼくたち高校二年生にとって何よりも重要なものといっていいから、場合によっては人格の否定にまでつながるゆゆしき問題なのだ。ぼくはリョーイチの着ている服をじっくり見てから、小さくうなずいた。

「いいじゃん、それ」

リョーイチが着ていたのは黒の上下に白いシャツという典型的なクラブ用のファッションだった。ジャケットの袖とかポケットにワンポイントでガラスのボタンが光っていた。リョーイチは、まあイケメンだし、ファッションセンスについてはあまり心配していなかったが、さすがというか隙のないスタイリッシュな格好だった。

ぼくは兄貴から借りてきたちょっと大きめのTシャツに太めのジーンズを腰ではき、シルバーのチェーン、スニーカー、そして野球帽というB系ファッションで決めていた。渋谷のクラブというのがどういうところなのかはわからないが、兄貴に言わせると、そんなに構えたスタイルで行くようなところではないらしい。これぐらいラフな方が、意外といいのかもしれない。

「早いじゃない」

えらいえらい、という声の方を向くと、ねーさんが立っていた。黒い細身のラメ入りカーディガンの下に、シンプルなオレンジのキャミソール、ボトムスはサイドにシルクサテンのラインが入った白いパンツだった。スタイルの良さも含めて、モデルのようだ。

とにかく、大人っぽいという意味でぼくたちとは比べものにならない。おそらく生きている生態系とかが違うのだろう。

いいでしょこれ、とねーさんが赤の地に千歳飴みたいな細かい模様が入っている小さなバッグを見せた。

「大中《だいちゅう》で買ったの。九百八十円」

美人が持つと、安いものでも高級品に見えるのはどういうわけか。まあそれはいいすけど、とリョーイチが言った。

「いったいどうしたんすか。いきなりクラブなんて」

「だってみんな行ってるんだよ。あたしだって行ってみたくなるってもんじゃない」

あれ、と思った。どうもねーさんらしくない台詞だ。みんながしてるから、というのはこの人にとっての行動原理にならないはずなのだが。

「まあ、オレらは、桃子先輩が行くっていうんなら、どこでもつきあいますけど」

リョーイチが言った。細かいことを抜きにすれば、遊びに行くのはぼくたちも大好きなのだから、文句を言うことではない。

「あ、みんな来てたんだ」

向かいのコンビニからメタボンが出てきた。口がもぐもぐと動いている。フライドポテトの匂いがした。

「お腹空《す》いちゃってさあ」

ぼくとリョーイチは同時にメタボンを見て、同時にため息をついた。予想通りのことだったが、メタボンが着ていたのは例によって例のごとく、白のTシャツとオーバーオールだった。

「大丈夫だ」ぼくはメタボンの肩に手をかけた。「お前には期待してない」

「なんでだよ」メタボンが抗議した。「これはサカゼンで買ってきたばっかりの、ばりばりの新品なんだよ」

せめて新品じゃない方が、まだ見栄えがよかっただろう。いかにも下ろしたてという感じで、オーバーオールのいろんなところにきちんと折り目が残っていた。オーバーオールって、そういう服じゃないだろう。

「もういい。何も言うな」リョーイチが首を振った。「それ以上何か言ったら、お前はここの駐車場に置き去りだ」

そんなことを話していたら、道の向こうからわび助が走ってくるのが見えた。正直なところ、ぼくたち全員は、自分たちの見ているものが信じられなかった。

春だというのにツイードのジャケット、ゴルフ場でオヤジがはくようなスラックス。おまけに目が覚めるように鮮やかなグリーンのポロシャツ。そして頭にはなんだそれ。消防団員みたいな帽子は。

「まさか」

「ありえねえ」

ぼくとリョーイチが同時に叫んだ。わび助くん、とねーさんが小声で呼んだ。消防団キャップが顔を上げた。やはりその男はわび助以外の何者でもなかった。えらいことになった、とリョーイチがジャケットの裾を強くつかんだ。

「ごめんね、遅くなっちゃって」

わび助が謝った。いや、それはいい。遅刻というほど遅れてきたわけじゃないし、むしろぼくたちが早く来すぎていたのかもしれない。問題なのはわび助の服装だった。

ぼくとリョーイチは顔を見合わせた。意を決したように、ねーさんが口を開いた。

「わび助くん、その服どうしたの」

親父のです、とわび助が素直に答えた。

「あの……何かおかしいですか?」

頭が痛くなってきた。ぼくは道に座りこんだ。お前はクラブをなめてんのか、とリョーイチがわび助の首を絞めた。

「そんなんじゃどこも入れてくんねーぞ」

どうして? と真面目な顔でわび助がしげしげとぼくたちを見つめた。

「どこがおかしいのかな。襟もちゃんとあるし、みんなの方がどうかと思うよ、そんなだらしない格好して。イノケンの服なんか、だぶだぶじゃないか」

そういう問題じゃない、とリョーイチが呻《うめ》いた。誰かこいつをなんとかしてくれ。

「まあ、とにかく全員揃ったわけだから」ねーさんが言った。「行こうよ。せっかく集まったんだし」

ねーさんがそう言うのなら仕方がない。ぼくたちはいつものフォーメーションをとって歩きだした。ねーさんを中心とした四角形だ。

まあ、つまり、ぼくたちはお姫様を守る騎士《ナイト》のようなものなのだ。ちょっと頼りないけど。

11

春日部駅から電車に乗ったのは、九時半ぐらいだった。少しぼくたちは興奮していたのかもしれない。夜の外出、初めてのクラブ、しかもねーさんと一緒。こんなシチュエーションは、めったにあるもんじゃない。

「ねーさ……桃子先輩は、踊ったりしたことあるんすか」

「それが、ないんだよねえ」リョーイチの問いにねーさんが首を振った。「踊れるのかな、あたし。みんなはどうなの？」

いや、おれらも全然、とぼくたちは揃ってうなだれた。だいたいクラブへ行くこと自体初めてだし、何がどうなってるのかよくわからない。

まあ正確に言うと、ぼくは初めてではないのだが、あの時は踊ったりしなかった。すっかり酔っ払っていた兄貴の介抱をするので精一杯だったのだ。

ちょっとした不安。なんとなくの期待。そこはかとない好奇心。ぼくたちは電車の中でずっとしゃべっていた。

（あれ？）

みんながやかましく騒いでいる中、ボクの視界の隅にねーさんの姿が映った。ねーさんは窓の外に目をやっていた。

その横顔はとてもきれいだったけど、なんだかすごくさびしそうでもあった。ぼくはそんなねーさんの表情を、今まで見たことがなかった。

「何、イノケン」

ぼくの視線に気づいたねーさんが振り向いた。いつもと同じ明るいねーさんの笑顔がそこにあった。

「どうしたの？　あたしに見とれてた？」

「いや、まあ、そういうわけでもないんですけど……いや、なくもないんですけど、何見てんのかなあって思って」

「外、見てただけだよ」ねーさんが言った。「もう真っ暗だね……ちょっとセンチメンタルな気分になっちゃうな」

そういうことなのか。女の人の考えてることはよくわからない。

それからねーさんがまたぼくたちの話の輪の中に戻ってきた。渋谷に着いたのは、二十分ぐらい経ってからのことだ。

夜の十一時だというのに、渋谷の駅前は人で溢れていた。春日部では絶対に見ることのできない光景だ。すげえな、とリョーイチがつぶやいた。

「さて、わび助くん。地図は持ってきてるんだろうね」

もちろん、とわび助が背広の内ポケットから一枚の紙を取り出した。真ん中のあたりに大きく赤で丸がしてある。"Long ago"というそのクラブが、ねーさんとわび助が決めた店だった。

「道はわかんのか」

ここはどこなのかな、と自信なさそうにわび助が言った。どこなのかと言われても、要するに渋谷駅ハチ公口前だ。有名なハチ公の銅像が目の前にある。

「たぶん……こっちだと思う……道玄坂《どうげんざか》ってこっち？」

「しっかりしろよ」

「ごめんね」

とりあえずぼくたちはスクランブル交差点を渡り、地図に従って坂道を上った。わび助の頭が左右にひっきりなしに揺れている。こっちかな、というつぶやきが漏《も》れた。

「頼むよ、わびちゃん。おまえに任せたんだからさあ、道ぐらいちゃんと調べとけよ」

リョーイチの非難を背に、悲壮な表情で背広姿のわび助が歩き続けた。もっとも、リョーイチに非難する資格はないと思う。今回のクラブ問題について、リョーイチがしたことといえば、くだらない情報を仕入れてきただけで、それ以外は何もない。

それに、わび助が迷うのも仕方がなかった。人は多いし、いかがわしい立て看板はずらずらと並んでいるし、客引きはいるし、明らかにラブホテルとしか思えないような建物もあるし、何がなんだかさっぱりだ、というのはしょうがないだろう。

結局、事態に決着をつけたのは、いつものようにねーさんだった。ねーさんはわび助から地図を取りあげ、しばらく見つめてから、自信たっぷりの足取りで細い道に入っていった。

非常にデンジャラスな匂いのするその通りを抜けたところに、古い洋館のような建物があり、その正面に小さなスポットライトで〝Long ago〟というロゴが照らされていた。

「さすがはねーさんだ」メタボンが呟いた。「最初っからねーさんに任せておけばよかったんだよ」

黙ってろ、デブ、とリョーイチが睨みつけた。店のエントランスには、真っ黒に日焼けしたいかつい二人の男が立っていた。二人とも腕組みをして、周囲を威圧するように肩を揺らしている。

「イノケン、お前が行ってこい。前から思ってたんだが、お前ぐらいにセンスがいい男をおれは見たことがない」

リョーイチがぼくの体を押した。いや、とぼくは首を振った。

「見てみろ。二人とも、肩にタトゥーを入れてる。おれはカリフォルニア・スタイルだから、ああいうワイルドな連中とは肌が合わないんだ。その点、リョーイチは違う。おまえはバイオレンスな香りがぷんぷんする。きっと奴らとも話が合うだろう」

「いやいや、待て。うちの外交担当といえば、やはりわび助だ。ここはわび助の出番だろう」

「ぼくはそんなんじゃない」わび助が半分泣きながら言った。「外交ってどういう意味? ぼくはどっちかっていったら対人恐怖症で……」

「待て待て。こういう場合はですね、押し出しの強い奴の方がいいと思うわけですよ」

リョーイチが揉み手をした。「体が大きいとか、迫力があるとか、つまり彼のような」

リョーイチが手を置いたのはメタボンの肩だった。それはとても素晴らしいアイデアだ、とぼくは小さく拍手をした。

「さあ、メタボン、行ってこい。君ならやれる」

ああもう、うるさい、とねーさんがぼくたちの間に割って入った。

「ついてきなさい」

はい、と四人揃ってうなずいた。先に立って歩きだしたねーさんが、二人の男に何か話しかけた。すぐに話はついたようで、こっちこっちと手招きされた。

　ついていくと、男の一人が重そうな鉄の扉を開けてくれた。ありがとう、とねーさんが招待されたセレブのようにうなずいた。

　中に入ったところに、カウンターがあった。一人二千円、と言われてそのままお札を出すと、いきなり右手の甲にスタンプを押された。

「出入り自由だから」無表情でガムを噛《か》んでいた受付の金髪の女の子が言った。「あと、これ、ドリンクチケット」

　どうもすみません、と礼を言って、奥へと進んだ。細い通路は暗いし入り組んでるし、なんだかまるでファイナルファンタジーの世界に迷い込んだようだった。前を歩いていたメタボンが、いきなり足を止めた。

「何だよ」

　さっさと行け、とそのでかい尻を蹴りあげた。わかってるよ、とメタボンが銀色の扉を押し開いた。そこがクラブだった。

12

目の前にあったのは、ちょっと暗めな照明があたりを照らしている円形の部屋だった。

それほど大きいわけではない。うちの学校でいえば、教室一つ分といったところだろうか。

中央にはやっぱり円形のカウンターがあり、中では白のワイシャツと黒のズボンを着ている若い男が、何かカクテルのようなものを作っていた。

「これがクラブか」

「わりと狭いんだね」

ぼくとメタボンは囁きあった。部屋全体の壁に簡易ベンチのようなものが据え付けられていて、そこには大勢の男女が座っていた。煙草《たばこ》の煙がものすごくて、これは何だか大変なところに来てしまった、というのがぼくの率直な感想だった。

レゲエっぽい曲がずっと流れているけど、座っている人達はちっとも踊ろうとしていなかった。煙草を吸うか、ビールやカクテルみたいなものを飲んでいるか、ただだらだらとしゃべっているか、そんな感じだ。クラブって、こういうものなのだろうか。

「さっきもらったドリンクチケットって、どうすんのかな」

わび助が言った。システムがまったくわからないので、何をどうしたらいいのか、動きがとれない。ただ、こういう時、ぼくたちには強い味方がいた。メタボンだ。メタボンの食べ物と飲み物に対する嗅覚《きゅうかく》は、ある意味犬より鋭い。

「どうも、あそこのカウンターへこのチケットを持っていけばいいような気がする」

確信ありげにうなずいたメタボンが、とにかく行ってみるよ、と言い残してカウンターへと向かった。

オーバーオールを着たデブの突然の出現に、とまどった表情を浮かべていたワイシャツ男が何か言った。メタボンがチケットを渡すと、すぐに大きなプラスチックのカップになみなみと注がれたジンジャーエールが出てきた。なるほど、そういうシステムなのか。

「お酒もあるけど、ソフトドリンクもいっぱいあったよ」

メタボンがカップのジンジャーエールを半分ほど一気に飲んでから教えてくれた。いつもは気の弱いメタボンだけど、こんな時だけは頼りになる。

ぼくたちもカウンターへ行って、それぞれ飲み物を頼んだ。ぼくはコーラ、わび助はオレンジジュース。それを見ていたリョーイチが、情けねえなあ、とつぶやいた。

「何がだよ」

「お前ら、わかってんのか？　ここはクラブだぜ？　酒ぐらい飲もうぜ」

「だって、なあ」ぼくはわび助と視線を合わせた。「何かあったらヤバイだろ。最初は様子見だよ」

「クラブだぞ」馬鹿にしたようにリョーイチが言った。「最初っからエンジン全開にしないで、どうすんだよ」

ビール、とリョーイチがチケットを叩きつけるようにカウンターに置いた。別に何事もなく、ワイシャツ男が瓶の口にライムを挿《さ》したビールを出してきた。〝Corona〟と書いてある。どこのメーカーだ、それ。

「いいわね、あたしも飲んじゃおっかな」

マジすか、と聞くより先に、ねーさんもまたビールを頼んだ。同じものが出てきた。ぼくたちはそれぞれ飲み物を抱えたまま、カウンターのすぐ前にある空いていた席にとりあえず座った。ライムをどうすればいいのか迷ったり、グラスとかないのか、とリョーイチが言ったけど、周りを見るとみんなライムを中に落とし、瓶に口をつけてそのまま飲んでいる。どうやらそれがクラブの流儀らしい。

「じゃあ、とにかく初クラブに乾杯」

ねーさんが言った。乾杯、とぼくたちもそれぞれのカップを合わせた。

「それで……これからどうすんの？」

わび助が慎重にあたりを見回した。どうするのだろう。見ている限り、そこにいた連中はもの憂げに会話を交わしているだけだ。ダンスのダの字も感じられない。クラブって、踊るところじゃないのか？

「あれじゃねえの、どっかにDJブースとかあってさ、それでそのDJが曲選んだり、ダンスタイムの始まりだ、とか号令かけるんじゃねえの？」

リョーイチがビールを飲みながら言った。何でそんなこと知ってるんだと聞くと、雑誌に書いてあったという答えが返ってきた。どうも怪しい。いつものことだけど、リョーイチの知識はどこか中途半端だ。

「でも、ＤＪブースなんかなさそうだよ」

メタボンが左右を見回した。おっしゃる通り、そんなブースのようなものはなかった。店員みたいな人はうろうろしてたけど、ただそれだけだ。

流れていた曲がいきなりヒップホップ系のものに変わった。それも誰がやっているのかわからない。

「ぼくたち、間違ったとこに来ちゃったんじゃないの？」

メタボンがジンジャーエールを全部飲み干してからみんなの顔を見た。そんなことない、とわび助が首を振った。

「だって、ぼくとねーさ……桃子先輩で調べたんだから、間違いないはずだよ」

わび助は真面目な男だし、ねーさんは勘の鋭い人だ。二人が調べて選んだ以上、この店がいわゆるクラブなのは確かなはずだ。

でも、だったら何でこんなにここは平和な空間なのか。クラブって、もっとエキサイティングなものじゃないのか。もし照明を明るくしたら、マクドナルドとそれほど変わらないようにも思える。どうも何かが違っているような気がした。

とりあえずは様子を見ているしかない。ぼくたちは席に座ったまま、周りを観察し続けた。最初に気づいたのはねーさんだった。

「ねえ……あそこのカップル、あっちの方へ行ったけど」

ねーさんが指さしたのは、カウンターの向こう側だった。トイレとかじゃないっすか、とリョーイチが言った。ちょっと呂律《ろれつ》が回っていない。もしかして、こいつはもう酔っ払ってしまったのだろうか。

「いや、トイレはあっちだ」

ぼくは入ってきた銀色のドアの横を指した。WC、というネオンサインが光っていた。

「……奥に、まだ何かあるってことかな」

「かもしれない……わび助、ちょっと見てこい」

真っ赤な顔のリョーイチが命令した。まあこれは役割というもので、基本的にぼくたちのヒエラルキーはそういうことになっている。素直にうなずいたわび助が、カウンターの向こう側に回ったと思ったら、すぐに戻ってきた。

「あっちにドアがあるよ！」両手を振り回しながらわび助が報告した。「それで、今、女の人が二人入っていった。ドアの隙間から見えたんだけど、すっごいでっかい音で音楽がかかっていて、中に人がいっぱいいたよ」

「……つまり、そっちがダンスフロアってこと？」

ねーさんが聞いた。どうもそういうことらしい。今、ぼくたちがいるここは、一種のウェイティングルームのようなものなのではないか。

そう考えると、ここにいる人達が誰も踊っていないのもよくわかる。流れている曲が勝手に変わっていくのも、ダンスフロアの方で誰かが操作しているんじゃないだろうか。

「どうする？　行ってみる？」

どこで手に入れてきたのか、大きな紙の箱に山盛りになっているポップコーンを口にほうり込みながらメタボンが言った。行くべきなのだろうか。

とりあえず、ここはとても平和で、誰もぼくたちに危害を加えたりするようなことはなさそうだ。だけど、奥へ行ったら、何があるかわからない。

「……行くしかないよね」ねーさんがうなずいた。「何のために渋谷まで来たのかっていう話よ。クラブなんだよ。踊らなかったら、意味ないでしょ」

理屈はその通りだけど、どうもちょっと怖い。だけどねーさんの言葉は正論で、しかもねーさんが言っているのだから、たとえ間違っていたとしてもぼくたちに他の選択肢はなかった。

「行くか」椅子から降りたリョーイチが、足元をふらつかせながら言った。「行くしかないっしょ」

酔っ払いはこういう時便利だ。ぼくたちはリョーイチを先頭に、わび助が言っていた銀色のドアを押し開けた。

誰の歌かわからないけど、いわゆるR&B調の曲がフルボリュームで流れている。そしてフロアでは大勢の人が曲に合わせて体を揺らしていた。そうか、これが本当のクラブなのか。北千住とは大違いだ。

「すごいね、何人いるの」メタボンがぼくの耳に口を当てて怒鳴った。「何かの宗教みたいだ」

言われてみると、そんな感じもした。さてしかし、踊るといっても何をどうすればいいのだろう。ぼくたちは誰もダンスについての正しい知識を持ち合わせていなかった。

「そんなの、何とかなるよ」ねーさんが言った。「とにかく、奥の方へ行こう。ここにいると邪魔っぽいし」

ねーさんが人波をぐいぐいとかき分けながら、フロアの中心へと進んだ。こうなったら仕方がない。ぼくたちもその後に続くしかなかった。

13

最初はびびってたけど、周りの人達を見てると、別に決まった振り付けとかがあるわけでもなさそうだった。音楽に合わせて適当に体を動かしているだけのようにも見えた。

ドレッドヘアーの学生、スーツの若い男、一人で一心不乱にステップを刻んでいる童顔の女の子、会社帰りっぽい女の人もいた。全員が踊っているというわけでもない。壁際で話しているカップルとか、立ったまま完全におしゃべりモードに入ってる人とかもいた。どうやらここでは何をしていてもオッケーらしい。

「イノケン」ねーさんがぼくの耳元に唇を寄せた。「イノケンは踊れるの?」

そう言いながら、ねーさんはレゲエのリズムに乗って、体を動かしていた。美人は得だ。何をやっても様になる。

「まあ、何とか」

ぼくは大声で答えた。一応、これでも現役の陸上部員だ。運動神経に自信がないわけではない。

走るのだって、リズムは重要だし、そのための練習は毎日のようにしている。ダンスぐらい、何とかなるだろう。

「何がダンスだよ。こんなの簡単じゃねえか」

例によって例のごとく、リョーイチがぼくとねーさんの間に割り込んできた。ただ、いつもと少し違うのは、妙に息が荒くなっていたことだ。初めて来たクラブの雰囲気に呑まれたのか、それともビール一本で酔っ払ったのか。

ぼくの見るところ、明らかに後者だと思われた。その証拠に、リョーイチの動きが突然止まり、糸の切れた操り人形のようにその場に座り込んだ。これはヤバイ。こんなところで吐かれでもしたら、フロア中が大パニックに陥《おちい》るだろう。

ぼくは近くにいたわび助を呼んで、ほとんど意識を失ってしまったリョーイチを引きずり、さっきのウェイティングルームに戻った。何がダンスだ、バカヤロウ、とリョーイチがつぶやいた。

「リョウくんはねえ、いっつもこうなんだよね」ごめんね、とわび助がぼくに謝った。

「アルコール駄目なくせに、調子に乗ってすぐ飲んだりして、そのまま潰《つぶ》れちゃうんだ」

さすが小学校以来の親友だけのことはある。リョーイチのことは、だいたい何でもわかるのだろう。

ぼくはリョーイチをトイレの個室に放りこみ、あとのことはわび助に任せてダンスフロアに戻った。

率直に言って、ひとあたり周りを見渡したところ、フロアの中で一番ビジュアル的にカッコイイのはねーさんだった。一人で踊っていたら、あっという間にナンパされてしまうだろう。ねーさんがそんな奴らを相手にするはずもないけど、やっぱり心配だった。

(それに)

リョーイチとわび助は、しばらくトイレから戻ってこないだろう。メタボンはもともと計算外だ。つまり、ねーさんとぼくが二人きりになるという、めったにないシチュエーションが訪れようとしているのだ。このチャンスを逃すわけにはいかないじゃないの。

ところが、フロアに戻ったぼくの目に映ったのは、まったく予想外の光景だった。フロアの中央で、数十人の男女が手拍子を取りながら笑ったり叫んだりしている。そしてその輪の真ん中にいるのは、メタボンだった。その盛り上がり方は、何だか凄まじいものがあった。

よくよく見ると、メタボンは踊っていたわけではない。はっきり言えば、ドスドスと床を踏み鳴らすように足を交互に上げ下げしているだけだ。とはいえ、百七十センチ、百二十五キロ、オーバーオール姿のメタボンは嫌でも目立った。そんなメタボンが動き回っていれば、誰もが注目せざるを得なかった。

そしてメタボンの中に、恥とか照れという概念は一切ない。みんなが喜んでくれているなら何でもするというサービス精神を全開にして、フロア狭しと暴れまわっていた。

「メタボン、すごいね」

いつの間にか、ぼくの隣にねーさんが立っていた。いや、まったく。普段はおとなしい奴なのだが、こんなところでアクティブになるとは思ってもみなかった。

「リョーくん、どう？」

ねーさんが小さく首を傾げて聞いた。酔っ払っただけですから、とぼくは答えた。

「わび助が面倒見てるんで、何とかなるでしょ」

そう、とうなずいたねーさんが、じゃあ踊ろうか、と耳元で囁いた。喜んで、とぼくはねーさんと向かい合わせになって体を動かし始めた。

何か凄《すご》いことになっちゃったなあ、というのがその時の正直な心境だ。まさかねーさんとクラブに来て、二人きりで踊ることになるなんて、想像もしていなかった。

しかも宿敵であるリョーイチは勝手に自爆して、トイレから出てくる気配はない。わび助は律儀にその世話をしているだろう。そしてメタボンは一人で盛り上がっている。つまり、どこからも邪魔が入らないということだ。

天井から吊るされたミラーボールに、いろんな色の照明が反射している。フロアの一番奥にはステージのようなものがあり、そこには巨大なスクリーンが設置されていて、よくわからないけど、動物の目だけとか、花びらの一片だけとか、小石とか、そんなものがものすごいスピードで映し出されていた。これがアートというものなのだろうか。

「やっぱり、体動かすのって、いいね」

額に汗を浮かべたねーさんが息を切らしながら言った。次々に色を変えていく照明に照らされたねーさんは楽しそうで、そして、とてもきれいだった。

「だから言ってるじゃないすか。たまには部活来てくださいって。流して走るだけでも、けっこう気分変わりますよ」

「そうだね」

踊りながらでも、大声を出せば会話はできた。こんなに長くねーさんを独占できたのは、もしかしたら初めてかもしれない。この幸せがいつまでも続きますようにと思っていたら、いきなりわび助が現れた。

「リョーくん、大丈夫なの？」

足を止めたねーさんが尋ねた。仕方がない。ぼくも踊るのをやめた。

「たぶん」いつも通り、わび助の答えは慎重だった。「とりあえず、気分が悪いのは収まったみたいで……今、あっちの部屋のベンチで横になってます」

「わびちゃんさ、それってちょっと冷たいんじゃないの？」ぼくは腕組みをしたまま言った。「仮にも小学校時代からの親友なんだからさ、君がリョーイチくんの面倒を見なくて、誰が見るっていうのさ。さあ、早く戻って、リョーイチくんの世話をしてあげなさい」

ぼくもそれほど冷たい人間ではないつもりだけど、ねーさんが絡んでいるとなれば話は別だ。神様が与えてくれた二人きりになるチャンスを、そんなに簡単に手放すわけにはいかない。

でも、それはわび助も同じだったのだろう。頑固で厳しい親父に嘘までついて、春日部から渋谷のクラブまでやってきた。それなのに、したことといえば酔っ払ったリョーイチの世話だけというのでは、シャレにならない。

ましてや、ねーさんと踊ったりすることがそんなにしょっちゅうあるとも思えない。わび助もわび助なりに、虎視眈々《こしたんたん》とチャンスを狙っているのだ。

「……うん、でも大丈夫だと思う。リョウくん、いつもお酒飲むとあんな感じだから。一時間もすれば落ち着くはずだし」

じゃあ、わび助くんも一緒に踊ろうよ、とねーさんが誘った。頬を汗がひと筋伝って、ライトに反射した。どうすればこの人とつきあうことができるのか、と真剣に思った。

「待ちなさいって。とにかく、もう一度だけリョーイチの様子見てこいよ。急性アルコール中毒かなんかで病院にかつぎ込まれるようなことになったら、マジで大変だぞ。学校にバレたら、下手すりゃ退学だってあるかもしれない。だろ?」

わび助はこの手の脅しにめっぽう弱い。退学にしろ停学にしろ謹慎にしろ、そんなことになったらわび助の父一徹は、ちゃぶ台をひっくり返すどころか、家そのものを破壊しかねないからだ。

「……じゃあ、ちょっとだけ見てくるよ」

不承不承わび助がうなずいた。早く戻っておいでね、というねーさんの声と、安否を確認するまでそばについてろよ、というぼくの声が重なった。小さく肩をすくめたわび助が、ドアに向かって人波をかき分けていった。とりあえず邪魔者の排除には成功した。

「それじゃ……踊りますか」

残された時間はあまりない。ここでアピールしないで、いつしろというのか。そうね、とうなずいたねーさんが一歩ステップを踏んだところで、小さな悲鳴を上げた。

そのままぼくの肩に両腕を回してくる。何だ何だ。いったいどうなってる。まさか、ねーさん、ぼくのことを？　ものすごく柔らかい感触と、汗の匂いが少し混ざったいい香りがした。

「ごめん、イノケン」ねーさんが右足を半分浮かせながら言った。「膝、捻っちゃった」

はいはい、わかってました。どうせそんなことだろうと思ってました。ねーさんがぼくに抱きついてくるなんて、あり得ないって知ってました。

「大丈夫……ですか？」

うん、と答えながらねーさんが右足をフロアにつけたが、やっぱりダメ、と首を振った。相当痛そうだ。とにかく、ここを出た方がいいだろう。

ぼくはねーさんに肩を貸しながら、ゆっくりと出口に向かって進んだ。これはこれなりになかなかの役得だと不謹慎なことを考えたが、実際にはそれどころではなかった。ねーさんの右足はほとんど動いていない。

左足一本でケンケンをするようにして、ぼくのあとに続いた。ドアを開けると、いきなりそこにわび助が立っていたので驚いた。

「どうした、リョーイチが死んだか」

「脈拍、呼吸、共に正常」医者みたいなことをわび助が言った。「全然問題なし。だからぼくもそっちへ行こうと思ってたんだけど……どうしたの？」

ぼくの肩につかまりながら、足くじいちゃった、とねーさんが照れ臭そうに笑った。

「あー、カッコ悪いなあ。せっかくクラブ来たのに、こんなんじゃどうしようもないよね」

「どうすか。しばらく休んだら、復活できそうすか？」

尋ねたぼくに、うーん、と唸《うな》っていたねーさんがため息をついた。

「ちょっとキツイと思う。空足《からあし》踏んだっていうか……最悪、肉離れかも」

「わび助、メタボン呼んでこい」ねーさんを椅子に座らせながらぼくは言った。「緊急事態だ。どうするか相談しよう」

「メタボンはどこにいるの？」

行けばわかる、とわび助の尻を蹴った。あんなに目立つデブが、ほかにいるわけないだろうが。

「わかったよ」

わび助がドアを押し開いて、フロアの中に入っていった。

14

カウンターのワイシャツ男に氷とビニール袋をもらって、ねーさんの膝に押し当てた。即席のアイシングだ。ついでに水ももらって、それはリョーイチの顔にぶっかけた。何だコノヤロー、と喚《わめ》きながらリョーイチが起き上がった。

「起きろ、バカ。酔っ払ってる場合じゃないんだよ」

「酔ってなんかいねえよ」

そう言いながらも、リョーイチの目は真っ赤だった。体の中をアルコールがぐるぐるまわっているのだろう。

「どうした。何があった」

「桃子先輩が膝を捻った」簡潔に状況を説明した。「本人申告によれば、今日はこれ以上踊ったりできそうにないということだ」

マジでか、と吠えたリョーイチが座っていたねーさんに駆け寄った。そのリョーイチを、周りの人達が怯えたような目で見ていた。

「大丈夫だよ、リョーくん」ねーさんが微笑《ほほえ》んだ。「膝はさ、中学からの古傷だから。すぐに治るよ、こんなの。いつものことだし」

「右すか、左すか」

触ろうとしたリョーイチの手を素早く払いのけた。どさくさに紛れて、何をしてるんだお前は。

「右だよ」

「お前には聞いてねえ」

「何だと。今まで酔っ払ってグースカ寝てたくせに、何を偉そうに言ってんだ」

ぼくも立ち上がっていた。どうせいつかは決着をつけなければならないと思っていたのだ。やるなら今しかないだろう。

「座んなさい、二人とも」

ねーさんが自分の左右の椅子を叩いた。これがほかの人の命令なら、あっさり無視していたはずだが、ぼくたちはある意味パブロフの犬のようなもので、ねーさんの命令にだけは無条件で従わざるを得ない。覚えとけよ、とガンを飛ばし合いながら、ぼくとリョーイチは椅子に腰を下ろした。

しばらくそのまま待っていると、全身シャワーを浴びたように汗まみれになっているメタボンをわび助が連れて戻ってきた。ダンスゴーゴー！　とわけのわからないことを口走りながら、太った体を前後左右に動かしている。よほどクラブが気に入ったのだろう。

「何よ、どうしたの。みんな、たそがれちゃって。座ってないでフィーバーしようぜ」

フィーバーって。お前の生まれはいつだ。

「お楽しみのところを申し訳ないんだけどな、メタボン」ぼくは説明を始めた。「桃子先輩、踊ってて膝を捻ったんだ。正直、立つのもやっとみたいな状況だ」

「マジ？」

メタボンの汗が全身から引いていくのがわかった。これでもねーさんに対しては恋心に近い感情を抱いている男だ。心配するのは当然だった。

「ついでに言うと、たった一本ビールを飲んだだけでダウンしてる奴もいる」

してねえっつってんだろうが、と立ち上がったリョーイチのシャツの袖をねーさんが引っ張った。腰が抜けたようにリョーイチが座り込んだ。

「というわけで、とりあえずここからは出た方がいいと思う。問題は、それからどうするかだ」

タクシーで春日部まで帰ったら、いくらかかるかわからない。かといって、そのへんの公園で一夜を明かすというわけにもいかないだろう。泊まるか、といってもそんなことができるはずもない。ねーさんとひとつ屋根の下で寝るなんて、言語道断だ。

最初の予定通り、このクラブで夜明かしをしてもいいのだけれど、ねーさんの足は相当に痛そうだった。できれば早く帰って、ちゃんと治療をした方がいいだろう。

「今、何時？」

メタボンが顔を上げた。十一時半ぐらいかな、とわび助が答えた。

「もっと正確に」

「十一時三十五分」

「もう少し早けりゃな。終電、間に合ったんだけど」

そう言ったぼくに、いや、とメタボンが首を振った。

「大丈夫だ。電車で帰れる。でも急がないとダメだけど。ここから渋谷の駅まで、何分かかるかな」

「来た時は迷ったからけっこう時間かかったけど、もう道はわかってるからな。十五分ぐらいじゃないか？」

「ということは」メタボンが一休さんのように両手の拳をこめかみに当てた。「まず渋谷駅に行こう。それで、二十三時五十七分の銀座線で上野に出る。そこから日比谷線北《きた》越谷《こしがや》行きに乗り換えれば、三十分で北千住に着く。あとは東武伊勢崎線の終電に乗ればいい。そうすれば春日部駅には一時十四分に着ける」

「もう一回言ってくれ。何が何だかさっぱりわからん」

「いいから、ぼくの言う通りにしてよ」

「メタボンに任せよう」ねーさんが決断を下した。「メタボンはプロのテツなんだから、電車のことはメタボンの判断に間違いないって」

　プロのテツ、というのもよくわからないが、言われてみればその通りで、何しろメタボンは体内時計ならぬ体内時刻表を持っている男だ。ほかの手段がない以上、賭《か》けてみるしかないだろう。

「メタボン、お前リョーイチを背負っていけ。桃子先輩はおれに任せろ」

「何で？　逆じゃない？　イノケンじゃ支えきれないよ」

「リョーイチはもっと支えきれねえよ。それともこいつはそのへんに捨てていくか？　おれとしてはそれでもいいんだけどな」

　ぼくがメタボンにリョーイチを背負うように命じたのは、あくまでも合理的な理由によるものだ。リョーイチは身長もあるし、体重だってそれなりだ。ねーさんの方が圧倒的に軽い。

　そして重いものを持つのは、メタボンの役目に決まってる。決して私利私欲のために言ってるのではなく、あくまでも正当な論理に基づく問題で、だから、つまり。

「言い争ってる時間はないと思うな」わび助が口を挟んだ。「確かに道もわかってるし、ここから渋谷の駅までは多分一キロもない。普通なら十分で行けるけど、酔っ払いと怪我人がいるんだ。上野行きの電車に乗れるかどうか、微妙なところだよ。行くんなら急がないと」

無言のままメタボンがリョーイチの体を背負った。離せバカヤロー、オレは酔ってなんかいねえ、と口走っていたリョーイチが、電源の切れたケータイみたいにいきなり黙り込んだ。最後のエネルギーが尽きたらしい。むしろその方が扱いやすいだろう。

「じゃ、ねーさんはおれの背中に、どうぞ」

ねーさんは何か言いたそうだったけど、背中を向けたぼくに、ごめんねとだけ言ってぼくの首に両腕を回した。ええと、その、背中のあたりに、ちょっと何と言うか、柔らかい感触が。

「急げ、イノケン」わび助が怒鳴った。「早くしないと間に合わないよ」

わかってる。よくわかってる。だけど、もうちょっとだけ、この感触を味わっていたいじゃないの。

さっさとしろ、とわび助がぼくの尻にミドルキックを浴びせた。メタボンとリョーイチは店のエントランスに向かっていた。慌ててぼくもそのあとを追った。

15

メタボンの知識は凄まじく正確で、まるで生きたナビタイムのようだった。その背中でリョーイチが安らかな寝息を立てている。ねーさんはしきりに、イノケンごめんね、と謝ってきたけれど、むしろこちらとしては感謝したいぐらいだった。しばらく風呂に入るのをやめようかと思うぐらいだ。

ぼくたちは深夜の電車を乗り継ぎ、そしてメタボンの言った通り、夜中の一時十四分に春日部の駅に着くことができた。奇跡だ。

「イノケン、泊めてくれよ。ぼく、友達の家で徹夜の勉強会をするって言って出てきたから、逆に帰れないんだ」

わび助が泣きついてきた。まあ仕方がない。我が家は比較的自由な気風の家なので、夜中に帰ろうが何をしようが、自分で責任を取れるのなら何をしてもいいことになっている。

ぼくたちはなけなしの金を出し合い、メタボンとリョーイチ、そしてねーさんをタクシーに乗せた。リョーイチはメタボンの家に泊まることになるだろう。とにかくねーさんを家に帰さなければならなかった。

ねーさんは我慢強い性格だけれど、それでも額に脂汗《あぶらあせ》が浮いていたぐらいだから、よほど足が痛いと思われた。すぐに病院へ行くべきだと思うけど、それはぼくたちが決めることじゃなくて、ねーさん自身と、ねーさんの両親が決める問題だ。

「ごめんね、イノケン、わび助くんも」タクシーの窓が開いて、ねーさんが顔を覗《のぞ》かせた。「せっかく楽しい夜になるはずだったのに、こんなことになっちゃって」

「全然気にしないでください。おれらも気にしてないっすから」

「楽しかったですよ、ね、イノケン」

わび助の言葉にぼくはうなずいた。ごめんね、とねーさんがもう一度繰り返した。その隣ではリョーイチが死んだように眠っている。それとも本当に死んでいるのか。

「メタボン、あとは任せたぞ」ぼくは前にまわって、助手席の窓を叩いた。「まずねーさんを家まで送り届けるんだ。それからお前は自分の家までリョーイチを連れて帰れ。金がなくなったら歩けばいい。カロリーも消費されて、健康にもいいはずだ」

もごもごメタボンが何か言っている。ねーさんの家とメタボンの家は、町でも逆方向で、歩くとなると四、五キロはあるかもしれない。健闘を祈る、と言ってぼくとわび助は車から離れた。一回だけクラクションを鳴らしたタクシーが走り去っていった。

「さて、それじゃおれらも帰るか」

大きく伸びをしたぼくに、やれやれだよ、とわび助が愚痴《ぐち》をこぼした。

「結局、ぼくがしたことといえば、店を探したのと、酔っ払ったリョウくんの面倒を見ただけで、踊るどころかフロアにもほとんど入ってない。いったい何しに渋谷まで行ったんだか」

悩める哲学者のような表情を浮かべているわび助を慰めながら、二人でぼくの家に向かって歩きだした。

16

春日部学園高校陸上部の実力はどうなのかと問われると、これはなかなか難しい問題だ。結局、最後は個人競技なので、強いとか弱いとかは個々の能力によって決まるところが大きい。

　ねーさんは関東高校総体の常連だったし、インターハイまではあと一歩というところで惜しくも出場できなかったけれど、春日部学園の菅野といえば、少なくとも近くにある高校の陸上部員なら、誰もが知っている存在だっただろう。
　五、六年前には、本当にインターハイまで行った先輩もいたが、全体的な傾向でいうと、正直なところそれほど強いとはいえない。中の下、といったところだろうか。
　ただ、今年に関しては、ひと筋の光明もなかったわけではない。ぼくと同じ二年生でキャプテンの佐久間は、一年の時新人戦の一〇〇メートル走で東部地区一位の記録を出していた。

　陸上競技というのは、調整やコンディションなどいろんな要素が関係してくるし、突然変異みたいに記録を伸ばしてくる奴もいるから、佐久間の順位はあくまで相対的なものだったけど、記録からいっても、県で六位以内に入れる可能性があった。インターハイはともかくとして、もしかしたら関東ぐらいまで行けるんじゃないか、と部員からも期待されていた。

今年の東部地区予選会は、四月十七日から十九日までの三日間に行われた。そして佐久間は出場した一〇〇〇メートル走で、第二位になった。つまり、埼玉県大会への出場権を勝ち取ったことになる。そこに向けて厳しい練習と最後の調整が始まっていた。

スポーツというものは残酷なところがあって、指導する側はやっぱりどうしても強い選手、可能性のある選手にかかりきりになる。部長のゲンカクは佐久間の所属する中・長距離チームに毎日つきっきりで、怒鳴り声を張り上げていた。ぼくがいる短距離チームは声もかけられない。それが現実というものだ。

「でも、頑張りましょうよ」

一年の草野が言った。ここのところ、ずっとぼくたちはペアを組んで練習をしている。入部直後にはメンバーチェンジとかもあったりしたのだが、早い話が面倒くさくなってきて、ペアが固定化されてしまったのだ。これは毎年似たようなものらしく、五月の連休が明けると去年もこんな感じになった。

草野はやる気もあるし、走力もある。来年の今頃には、第二のねーさん化するのではないか、というのがもっぱらの噂だった。

「はいはい。やりますやります」

ぼくたちはトラックに沿って走り始めた。全力で走るわけではない。一種のウォーミングアップだ。ただ、残りの百メートル地点からは、フルスピードで走る。かなり苦しいけど、たまに風の音が耳元で鳴るようなことがあって、そういう時はなかなか気分がよかった。

「ダッシュ！」

ぼくの号令で、草野がストライドを大きくした。相手は一年生だし、女の子だし、もちろんぼくより体も小さい。二十メートルぐらいの差をつけて、ぼくの方が先にゴールした。いつものことだ。

額の汗を拭っていたぼくに、息を切らしながら近づいてきた草野が、もう一本お願いします、と指を立てた。負けず嫌いなのは草野の性格だ。

ぼくもそのつもりだった。ウォーミングアップは、まだ始まったばかりなのだ。その時、グラウンドの向こうから、わび助の首根っこを摑《つか》んだリョーイチが急ぎ足でこっちへ向かってくるのが見えた。

「……ちょっとタイム」

はい、と草野が素直にうなずいた。来い、とリョーイチがものすごい顔で手招きしている。ぼくはグラウンドを横切って、二人のもとへと向かった。

「どうした、そんなおっかない顔して。復部したくなったか？　だったらゲンカクにおれが口利《き》いてやってもいいぞ」

「そんなんじゃねえ、バカ」殺気立った目でリョーイチがぼくを睨みつけた。「ねーさん、あれから学校来てねえだろ」

だな、とぼくは答えた。あの日、クラブで膝を捻ったねーさんは、それから学校を休んでいた。あの時は軽い怪我ぐらいに思ってたけれど、意外と重かったのかもしれなかった。

前にも風邪気味だと言ってたから、そういうことも含めて休んでいるのだろう。とりあえず、ぼくはそんなふうに考えていた。

「それがどうしたんだよ」

「このバカがよ」リョーイチがわび助を前に押しやった。「くだらないこと言い出すから、ぶん殴ってやろうと思って」

わび助は半泣きになっていた。ここまで来る間、リョーイチに何をされていたか、何となくわかるような気がした。

「嘘じゃないんだってば」わび助がほとんど聞き取れないぐらい低い声で言った。「本当に、嘘じゃないんだよ」

てめえはまだそんなこと言ってんのか、とリョーイチがわび助を締め上げた。待て待て、とぼくは二人を分けた。

この時間、グラウンドの管理は陸上部の役目だ。こんなところで傷害事件でも起きたら、グラウンドの使用許可が下りなくなってしまうじゃないか。

咳《せ》き込んでいたわび助が、ちょっと待ってくれ、というように片手を上げた。リョーイチが唸り声を上げながら、全身を震わせている。

「いったい何があったんだ。おれにもわかるように、ちゃんと説明してくれよ」

こいつがよ、とリョーイチがわび助を指さした。

「聞いたって言うんだよ」

「だから、何を聞いたんだ」

「ねーさんが休んでるのは、怪我じゃないって」

「じゃあ風邪か？」

「そうじゃねえ」

吐き捨てたリョーイチが、お前が言え、とわび助に蹴りを入れた。真っ青な顔色になったわび助が、ぼくのことをじっと見つめた。

「ねーさん……骨肉腫なんだ」

「コツニクシュ？」

聞いたことがあるような、ないような。病名だったような気がするけど、どんな病気だっただろう。

「ぼくが親父の代わりに、京林病院へ魚の配達をしてるのは知ってるだろ？　そしたら、ねーさんがお母さんといて……ねーさん、車椅子に乗ってた。ぼくは仕事があったから、それを済ませて挨拶に行こうとしたら……おばさんが階段の隅でぼろぼろ泣きながらケータイで電話してた。桃子が骨肉腫だって、話しているのが聞こえちゃったんだ」

「……骨肉腫って、どんな病気なんだ」

尋ねたぼくに、一種のガンらしい、とわび助が答えた。

「最悪の場合……足を……切断する可能性もあるって……」

この野郎、とぼくはわび助の首を絞めた。

「言っていい嘘と悪い嘘があるぞ。そんなこともわかんねえのかよ！」

やめろ、とリョーイチがぼくを羽交《はがじ》い締めにして止めた。そうじゃなかったら、ぼくは本当にわび助を絞め殺していたかもしれなかった。

「でも……本当なんだ」

わび助の両目から、大粒の涙がぼろぼろとこぼれ始めた。

Vol.2

Where is he?

1

　身長、体重、体格その他すべてにおいて上回っているぼくが案外苦戦してしまったのは、わび助の使う妙な技のせいだった。わび助は百六十センチに満たない小柄な男だけど、そのコンプレックスがあるためか、最近通信教育でグレイシー柔術を習い始めたという話は聞いていた。

　ただ、実際に使うところを見たのは初めてだ。ぼくの右腕に狙いを定めたわび助が、肩に飛びつくようにして逆関節を決めようとしている。

「やめろって。そんなことしてる場合か」今度はリョーイチがぼくたち二人を分けた。

「とにかく、もう一回だけ確認させてくれ。わび助、ねーさんは本当に、マジで病気なのか？」

　たぶん、と息を荒くしたわび助がうなずいた。

「それで、その病気っていうのは……本当に、その……骨肉腫っていう……あれなのか」

「……おばさんはそう言ってた」

それ以上の情報をわび助は持っていなかった。となれば、するべきことはひとつだけだ。自分たちの目と耳で確認するしかないだろう。

ぼくはすぐにゲンカクのところに行って、急に腹具合がおかしくなりましたので早退します、と言った。下痢か？　と聞かれて、そうですとぼくは答えた。

「もう、かなり深刻な状況になってきております」

内股を絞るようにしながら体を小刻みに揺らしているぼくを見て、さっさと帰れ、と鼻をつまんだゲンカクが言った。ぼくは大急ぎで部室に戻り着替えた。

その間に、重い足音が部屋に近づいてきていた。見なくてもわかる。ドアが開き、そこに立っていたのはメタボンだった。似合わないことだが、メタボンの顔は真っ青だった。

「ホントなの？　ホントにねーさんは……」

早く着替えろ、とぼくは命じた。

「それを確かめに今から病院へ行くんじゃないか」

強くうなずいたメタボンが、常にない速さで着替えはじめた。

「おい、まだか」

部屋の外から声がした。すぐ行く、と答えてぼくはメタボンと共に外へ飛び出した。リョーイチとわび助が焦《じ》れた様子で待っていた。ところで、メタボンはゲンカクに早退することを言ったのだろうか。

「お前は細かい男だね、ホントに」リョーイチが言った。「いいんだよ、そんなものは。ゲンカクどころか、部員の誰もメタボンのことなんか見てもいねえし、気にもしてねえって」

確かにその通りだ。誰よりも深く、メタボン自身がうなずいている。行こう、とわび助が言った。ぼくたちは揃って校門へ向かって走りだした。

2

京林病院は春日部駅から歩いて数分のところにある。このあたりでは一番大きな病院だ。

いつもこの病院に魚を配達してるわび助が先導する形で、ぼくたちは正面入口から入り、菅野桃子さんは入院してますか、と受付で聞いた。ぼくは心の中で祈っていた。受付の人が、そんな患者さんはいませんけど、と言ってくれるのを。それはほかの三人も同じ気持ちだったはずだ。

でも、そんなふうにはならなかった。パソコンの端末を操作していた白衣の女の人が、808号室ですね、とあっさり言った。ありがとうございます、と暗い声でお礼を言って、ぼくたちは奥へと進んだ。

病院の中はものすごく広くて、どっちへ行けば何があるのかさえわからなかった。わび助がいなかったら、もうちょっと面倒なことになっただろう。でもわび助は迷うことなく廊下を進んでいき、その最奥部にあった業務用と書いてあるエレベーターの前にぼくたちを案内してくれた。

「ホントは使っちゃいけないんだけど」わび助が言った。「でも、普通のエレベーターより速いから」

電光標示板には、4、という数字が灯っていた。リョーイチがボタンを押すと、やたらゆっくりとした動きで数字が変わり始めた。

「全然速くねえじゃねえか」

「ごめんね、これでも、普通のエレベーターよりは速いんだよ」答えたわび助が、それにしても、と腕を組んだ。「どうして病院のエレベーターって、こんなに遅いんだろうか……いつか、誰かに聞いてみなくちゃ」

そんなことを話しているうちに、ようやくエレベーターの扉が開いた。中から足にギプス、手には松葉杖《まつばづえ》を持った男の人が、看護師に支えられるようにして出てきた。入れ替わるように、ぼくたちはエレベーターに乗り込んだ。幸い、看護師は何も言わなかった。

「八階」わび助が8のボタンを押した。「808号室は八階にあるんだ」

無言のままリョーイチがわび助の頭をはたいた。そんなことは言われなくたってわかる、ということなのだろう。まあ、その通りだ。

ひとつひとつ数字が変わっていく。二階、三階、四階、五階。ぼくたちはいつの間にか誰もしゃべらなくなっていた。しゃべれなくなった、という方が正しいかもしれない。勢いでここまで来てしまったのだけれど、それでよかったのかどうかもわからなくなっていた。

もちろん、わび助が聞いた話というのは、何かの間違いなのだろう。ねーさんが、あの菅野桃子先輩が、病気になんかなるはずがない。ましてやガンだの骨肉腫だので、足を切断するだなんて、そんなの悪い冗談に決まっている。

でも、もし本当だったら。

エレベーターが上がっていくにつれて、ぼくたちの上に重い何かがのしかかってくるようだった。深い海の底にいるような沈黙の中、チャイムの音と共にエレベーターが静かに止まった。八階だった。

「降りろ」

リョーイチが言った。

「お前が降りろ」

ぼくは言い返した。誰が最初に降りてもいいのだけれど、何ていうのか、とにかく怖かった。現実を直視する勇気がぼくたちにはなかった。

全部嘘に決まってる。そんなの最初からわかってる。だけど、もし、万が一本当だったら。その恐怖感がぼくたちの足をすくませていた。

黙ったまま、メタボンがぼくとリョーイチの肩に手を置いた。そのまま、押し出されるようにして、ぼくたちは八階フロアに降り立っていた。最後にわび助が出てきて、エレベーターの扉が閉まった。

「どっちだ」

押し殺した声でリョーイチが言った。そこまでは、とわび助が首を振った。使えない奴だ、と吐き捨てたリョーイチが辺りを見回した。808号室。よく見ると案内図が正面にあり、そこに矢印と共に808号室という文字が記されていた。

「こっちだ」

ぼくが先頭になる形で、廊下を右へ進んだ。とにかく、ねーさんが入院しているのは確かだ。受付でも確認したから、それは間違いない。問題は、病名が何なのかということだった。

何かの間違いであってくれ、と祈りながらぼくは歩いた。808号室の前に着いたのは、それからすぐのことだ。表札みたいなものがあって、そこには確かに菅野桃子という名前の入ったプレートが貼ってあった。

「どうする」

リョーイチが囁いた。お前はそればっかしだな、と半分呆《あき》れながらぼくは言った。少しは自分で動いてみたらどうなんだ。

「……とにかく、ノックしてみたらどうかな」

わび助が言った。その通りだ。叩けよ、さらば開かれん。ただ、誰も自分でその役目を果たそうとする者はいなかった。仕方がない。どうやらぼくが叩くしかないようだ。

ぼくは病室の扉をノックした。返事はなかった。今度はもう少し強く叩いた。でも同じだった。誰もいないのだろうか。

ドアノブに手をかけると、あっさりとドアが開いた。ちょっと焦ったけど、もうここまできたら一緒だ。ぼくたちは病室の中に足を踏み入れた。

そこは個室だった。決して広くはない。六畳間ほどだろうか。ベッドを中心にテレビ、CDプレーヤー、本や雑誌なんかが備え付けの棚に並んでいた。

シャワー室のようなものもあるみたいだったけど、そこを覗くのはあまりに失礼というものだろう。とにかく、今この病室にねーさんがいないのは確かだった。

「どうする」

またリョーイチが言った。とにかく出よう、とぼくは答えた。その部屋の主がいない時、勝手に入り込んでいるというのは、あんまり気分のいいものではなかった。

「検査中とか……そういうことなのかな」

わび助が首を傾げた。よくもまあ、そこまで悲観的に物事を考えられるものだ。退院の手続きをしているとか、もっといい方に考えられないのか。

「とにかく、ここで待っているしかない」ぼくは言った。「いったい何がどうなってるのか、はっきりさせないと。そのためには待つしかないだろう」

そりゃそうだ、とみんながうなずいている中、メタボンが手を上げた。

「ぼく、トイレ」

緊張感のない男だ。どうしてデブという生き物は、状況を考えないのだろう。それとも、そういう性格だからデブになるのか。

「行ってこい。用を足したら、すぐ戻ってこいよ」

わかってる、とうなずいたメタボンが廊下を進んでいった。ぼくたちは病室の外にあった布製のソファに並んで座った。

「……どうなってるんだ、ねーさんは」リョーイチがぼそりとつぶやいた。「もし本当だったら……オレ、どうしたらいいんだろう」

「本当なわけないだろうが」ぼくはそう言って落ち込んでいるリョーイチを慰めた。「わび助には悪いけど、たぶん何かの聞き間違いだろう。ねーさんだぞ？　風邪とか花粉症ぐらいならともかく、あの人がそんな重い病気にかかると思うか？」

「……かもしれない」ゆっくりとわび助がうなずいた。「ぼくもあの時は焦ってて、わけがわかんなくなってたから……本当に聞き間違いだったのかも……」

小さな音がして、ぼくたちは顔を上げた。それはメタボンの足音だった。ただ、どういうわけかわからないが、メタボンは後ろ向きに歩いていた。何をふざけてるんだ、あいつは。

メタボンがそのまま廊下の壁に背中がつくところまで下がった。その時、廊下の曲がり角から、一台の車椅子が出て来た。それに乗っていたのは、ねーさんだった。

「マジで？」ねーさんが嬉しそうな声を上げた。「何で？　何でみんないるの？　どうしてわかったの？」

明るい声が廊下に響いた。腰を抜かしたように、メタボンがその巨体をゆっくりと床に沈み込ませていった。

3

「そう、骨肉腫」

病室に戻ったねーさんが、車椅子を降りてベッドに座った。その声は決して暗くなかった。むしろ冷静で、客観的に、まるで他人の話をしているようだった。

「骨肉腫って……ねーさん、そんな……」リョーイチが頭を抱えた。「嘘でしょ？　オレらをからかってるんでしょ？」

「今だって、歩いてたじゃないすか」

メタボンが言った、うん、とねーさんがうなずいた。

「今のところ、別に歩くのに支障はないの。だから、こんな車椅子なんかいらないっていえばいらないんだけど、まあ先々のことを考えとくとね、ちょっとは慣れておかなきゃならないから」

「……そんなに、良くないんですか？」

おそるおそるぼくは尋ねた。良いとは言えないなあ、とねーさんが答えた。

「みんなに話さなかったのは悪かったと思ってる。でもねえ、こんなこと話したら、みんながどんだけ心配するかと思ったら、やっぱり話せなくなっちゃって」

「いや、そんなのはいいんですけど」

ぼくの言葉にねーさんが微笑んだ。

「去年の秋ぐらいかな。右の膝がちょっと痛いなって。すごく痛いっていうんじゃなくて、何となく違和感がある、みたいな。長く走ると、関節のところが何だか変な感じになったりするの。おかしいなあって思ってはいたんだけど、関節炎とか、そういうことなのかなって。湿布貼ったり、薬塗ったり、いろいろ自分でもやってみたけど、何かどんどん悪くなってるような気がして。それで親に話したんだ。暮れぐらいだったかなあ」

ねーさんが窓の外に目をやった。天気がいい日で、風ひとつ吹いてないようなのどかな光景が広がっていた。

「近所の病院行って、レントゲン撮って、何度か検査とかして、それから東京の大学病院紹介されて、そこでもまた検査。検査ばっかりで嫌になっちゃうぐらい。そんな時間がしばらく続いて、最終的に骨肉腫だって言われたのが一月の終わり頃。でも、何となくわかってた。お医者さんの顔とか見てたら、あんまり良くないことぐらい、雰囲気でわかるよね。だけど、まさか骨肉腫だとは思ってなかったから、ちょっとびっくりしちゃって。それからまたここでいろんな検査とかがあったりして、最終的に足を切断するって決まったのが、新学期が始まった頃。ほら、あたし四月になってからしばらく学校休んでたでしょ。あの時、そんなことがあったんだ」

切断。ねーさんはことさら軽い口調で言ったけど、それは何ていうか、ものすごく恐ろしい響きを持った単語だった。切断。

「……切断って……足を切るってことすか」

わび助が泣き顔で聞いた。そうだよ、とねーさんがうなずいた。

「もちろん、切らないで治療していく人もいるんだけど、あたしの場合はちょっと悪性なんだって。切らないと、ガン細胞だか何だかが体全体に転移して、死んじゃうの。そりゃあねえ、あたしだって足を切るなんて嫌だよ。そんなの当たり前じゃん。一応これでも女の子なんだし、着る服も選びにくくなるとか、いろいろあるし。だけどさ、切らないと死ぬって言われたら、そりゃ切るしかないでしょ。あたしはまだもっと生きていたい。いろんなことが知りたいし、いろんなものを見たいし、やりたいことだっていっぱいある。足が一本なくなっても、できることはたくさんある。でも死んだら何もできないでしょ？　そう思ったから、わかりましたって。そうしなければならないんだったらそうしてくださいって」

ぼくは教室の窓ガラスを拭いていた時のねーさんのことを思い出していた。あの頃、ねーさんは既に自分が骨肉腫であること、足を切断しなければならないことを知っていたのだ。だから、あんなふうに一生懸命窓拭きをしていたのだろう。

クラブに行こう、とぼくたちを誘ったのもそのためだ。足を切ってしまえば、少なくともしばらくの間は、ダンスどころか歩くことさえできなくなる。それがわかっていたから、ねーさんは決して似合うわけでもないクラブへ行こうとぼくたちに言ったのだ。

「……どれぐらい、切るんですか」

ほとんど聞き取れない声でメタボンが言った。ねーさんがパジャマの上から膝下に手を当てた。

「このへん。あれ、それとも膝の上からだったかな。何かよくわからなくなっちゃった」ねーさんの笑い声が病室に響いた。「まあ、そんなに変わんないって。膝上でも膝下でも」

「本当に、切るんですか」

「ホントだよ」

リョーイチの問いに、ねーさんが答えた。その声に迷いはなかった。一度決めたことを曲げるつもりはない、という強い意志さえ感じられた。ぼくには信じられなかった。

ねーさんのハートの強さはよく知っているつもりだ。だけど、足を切るなんて、そんな最悪の状況になっても、この人は何ひとつ諦めようとしていない。前向きな姿勢は何ひとつ変わっていなかった。

もちろん、骨肉腫という診断を受け、足を切断しなければならないと告知された時、ねーさんだって動揺しただろう。毎晩のように泣いていたかもしれない。どうして自分がこんな目にあわなければならないのか。世界中のすべてを呪っただろう。

でも、ねーさんはそこから立ち上がった。運命を受けいれ、それに従って生きることを決めた。そんなねーさんの心の強さに、思わずぼくは目頭を熱くしていた。

「イノケン、そういうのやめて。泣くようなことじゃない」凜《りん》とした声でねーさんが言った。

「これはそういう病気なの。生きたかったら、足を切るしかない。逆に言えば、足を一本犠牲にすれば生きていける。世の中にはもっと辛い、もっと苦しい病気、一生治らない病気だってたくさんある。それに比べたら、こんなのたいしたことじゃない」

そう言いながら右の膝を手で叩いた。たいしたことがないわけない。ねーさんだってそれはよくわかっているはずだ。だけど、ねーさんはぼくたちに心配をかけまいとして、不安を与えないように、明るく気丈にふるまっている。

それがわかっていたから、ぼくたちは何も言えないまま、ねーさんの側《そば》に立ち尽くすことしかできなかった。自分たちは無力だ、と思った。何もできやしない、ちっぽけな存在なのだ、と改めて思った。

4

ねーさんは自分の病気のことを、学校の先生にこそ伝えていたものの、クラスメイトとか部活の仲間には話していなかった。つまり、ぼくたち四人だけがねーさんの病気について知っているということになる。誰にも言わないで、とねーさんは厳命した。

「言えばさ、そりゃみんな心配してくれるだろうし、同情もしてくれると思う。でもね、そんなことでみんなに心の負担っていうか、迷惑をかけたくないの」

いかにもねーさんらしい発想だった。誰にも言わないで、というねーさんの真意もよくわかった。もちろん、ぼくたちはその命令に従うことを約束した。その代わり、とぼくは言った。

「おれら四人は毎日来ます。見舞いとか、励ますとか、そんなんじゃなくて、ねーさんに会いたいから来ます。それならいいわけですよね」

わかった、とねーさんがうなずいた。

「だけど、だからといって部活さぼったりとか、勉強しないとか、そんなのは許さないからね。あたしのことを言い訳に使うようなことをしたら、一生口も利かないから」

わかりました、とぼくたちは声を揃えて言った。ねーさんの意に反するようなことをするつもりはなかった。

「とりあえず……ねーさん、何か食いたいものとかありますか」メタボンがのんきな声で言った。「別に食事制限とかあるわけじゃないんでしょ？　だったら、言われたら何でも買ってきますよ。限定品とか出たら、どんな手を使ってでもゲットしてきますから」

「太っちゃうよ」

ねーさんが笑った。太るぐらいでいいんです、とメタボンが厳粛な顔で言った。

「だいたい、ねーさんは少し痩せ過ぎてるぐらいなんすから、太った方がいいんです」

デブがもう一人増えるのか、とリョーイチがつぶやいた。いや、そこまでねーさんが太るとは思えない。

「音楽とかはどうですか？　ぼく、持ってるCDとか、全部ここに運んできます」

わび助が言った。サンキュー、とねーさんが軽く頭を下げた。

「そうなんだよね。自分の持ってるCDとか、もう何度も聴いてるから、そういうのってちょっと嬉しいかな」

「オレは……マンガ持ってきますよ」勢い込んでリョーイチが話に割り込んだ。「あの、『ワンピース』とか、『こち亀』とか『ゴルゴ13』とか、とにかくオレ全部揃えてるんで、それだけあればいくらでも時間潰せるっていうか」

『ワンピース』はともかくとして、『こち亀』や『ゴルゴ13』をねーさんが読みたがるとは思えない。いくら男前といっても、ねーさんはねーさんで、やっぱり少女マンガの方がいいんじゃないかと思ったけど、ぼくは黙っていた。ありがとね、とねーさんが微笑んでいたからだ。

「イノケンは？　何か持ってきてくれる？」

食べ物、音楽、マンガ。さて、何が残っているだろう。

「本とか雑誌とか……何でもお好みのものがあればリクエストしてください。即日、配達しますから。それと、ビデオとかも借りてきます」

ねーさんの病室にあったテレビは小型だったけれど、ビデオ機能がついていた。いまどき珍しいテレビビデオという奴だ。ＤＶＤはダメでも、ビデオだったら見ることもできるだろう。

「それって嬉しいかも。テレビもさ、毎日見てると飽きちゃうんだよね。そうだなあ、『ローマの休日』とか、もう一回見てみたいな」

ローマの休日、とぼくは頭にしっかりとそのタイトルをたたき込んだ。春日部中のレンタルビデオ屋を回ってでも、必ずそのビデオを明日中には届けようと思った。

「何か変だよね」ねーさんが笑った。「あたしさ、けっこうヤバイ病気なんだけど、みんなと話してたら何だか楽しくなってきちゃった」

本当にねーさんは嬉しそうだった。他人に迷惑をかけたり、心配されるのを極端に嫌うねーさんが、今まで陸上部の連中や、クラスメイトに自分の病気のことを言わなかった気持ちはわかる。でも、やっぱりどこかで寂しいという思いはあったのだろう。

そんなところにぼくたち四人が強引に入ってきた。悪いね、と言いながらも、ねーさんはちょっとほっとしているように見えた。

ねーさんも人間だ。一人ですべてを背負えるほど強くはない。ぼくたち四人には何の力もないけれど、少しでもねーさんの支えになれたら、と考えていた。

5

ねーさんの病気について、詳しいことはよくわからなかったけど、すごく単純に言えば悪いのは足だけで、そのほかはまったくの健康だという。何を食べてもいいし、何を飲んでもいい。

そして、今のところは歩くこともできる。つまり、居住空間が学校から病院に変わったというだけで、基本的には何も変わらないということだ。

ねーさんの日課はだいたいこんな感じだった。朝七時に朝食、その後しばらく経《た》ってから午前中の診察とか検査とかがある。そして十二時から一時の間が昼食タイムだ。そこから夕方までは自由時間で、ねーさんとしてはかなり退屈な時間ということになる。そして四時か五時ぐらいから午後の診察があって、それが終わると夕食、その後は日によって担当医が様子を見にくることもあるし、何もないこともある。最終的に夜九時消灯、そして就寝ということだそうだ。

病院の面会時間は、患者によって少しずつ違うらしいけど、ねーさんに関しては昼食後から夜八時までとなっていた。土日はそれが少し早くなって、午前中からでも面会が可能になる。ただし、夜八時までというのは同じだ。

なるほど、それならそれでいい。陸上部の練習が終わるのは、だいたい夕方の五時ぐらいだ。それからまっすぐ病院へ向かえば、三時間近くねーさんといることができる。

「オレとわび助は、三時からでもいいな」

リョーイチがうなずいた。二人は部活をしていないから、授業が終わればあとはフリーの身だ。三時過ぎには病院に来ることもできるだろう。それはおかしいんじゃないか、とぼくとメタボンは口を揃えて言った。

ぼくたち菅野桃子ファンクラブには鉄の掟《おきて》がある。個人活動はしないこと、特にねーさんと勝手に連絡を取ったり、二人きりで何かをするというのは厳重な禁止事項だった。ルール違反だ、と珍しくメタボンが怒ったように言った。

「だってよ、一対一じゃねえし。オレとわび助の二人なわけだろ。だったらいいじゃねえか」

それからしばらく言い争いが続いたけど、結局はリョーイチの主張が通った。重要なのはねーさんの退屈をいかにして紛《まぎ》らわせるかで、それが最大の目的だ。そのために二人が先に来るというのなら、それはやっぱり仕方のないことだ、とぼくとメタボンは認めざるを得なかった。

「いいのよ、そんな毎日来なくたって、みんな忙しいだろうし、友達と遊ぶこともあるだろうし。部活もそうだけど、試験なんかもあるわけじゃない？　無理しない範囲で来てくれたら、あたしとしてはそれが一番嬉しいな」

ねーさんの言葉に、みんなが素直にうなずいた。でも、お互いの腹のうちは読めていた。よほどのことがない限り、ぼくたちは毎日この病室へやって来るだろう。誰が何と言っても、これだけは譲れない。誰もがそう考えているのは、目を見ればわかった。

それからぼくたちは、面会時間が終わるまで病室で過ごした。そんなに広いわけじゃないし、座る椅子もひとつだけだったから、みんなそのまま床に座り込んで、ずっと話した。

たとえば陸上部に入ってきた新入部員の女の子を巡って、早くも一年生の間で争いが起きているということ。たとえば四月にやってきた新任の英語の先生が、何があったというわけでもないのに登校拒否になってしまったこと。たとえばリョーイチが最近ある女の子からかなり強烈なストーキングを受けていることとか、そんな話だ。

何もかも、全部くだらないことばかりで、どうにもいい話だったけど、ねーさんは大笑いしてくれた。しまいにはお腹が痛いと言い出したほどだ。

時間が過ぎていくのはあっという間だった。途中、ねーさんのお母さんが下着とかタオルとかを持ってやってきた。ぼくたちを見てびっくりしてたけど、ねーさんが説明したら、お母さんも納得してくれた。

お父さんは仕事が忙しくて、平日の面会時間にはほとんど来ることができないらしい。お母さんはお母さんで、家のこともしなければならないし、病院にも来なければならないし、もちろん一人娘であるねーさんが心細く思っているのはわかっていただろうけど、完全なフォローをすることはできない、というのが実際のところらしい。

そんなところにぼくたちが現れた。頼りない四人組だけど、精神的なケアみたいな部分では、役に立つことができそうだった。

かなり後になってからの話だけど、君たち四人が来てくれなかったら、桃子ちゃんは何もかもを一人で背負い、耐えていかなければならなかっただろう、と主治医の先生にも言われた。その言葉には、お礼みたいなニュアンスが含まれていた。

要するに、ぼくたちが病室に来て、ねーさんのお見舞いをするのは、誰にとってもいいことだ、とわかった。もしかしたら迷惑なのかもしれないっていう気持ちも少しあったけど、そんなことはないようだった。

そうとなれば、調子に乗るのがぼくたち四人に共通したところで、翌日からぼくたちは本当に毎日、一日も欠かさず病院に通った。部活も勉強も犬に食われろ。大事なのはねーさんのことだけだ。それがぼくたちの合言葉だった。

6

六月、七月とそんな日々が続いた。気が付けば、病室の中はとんでもないことになっていた。メタボンはどこで手に入れたのか、昔風の駄菓子屋によくあったようなザルを天井からいくつも吊り下げ、そこにありとあらゆる種類のお菓子や果物とかを盛っていた。

リョーイチは宣言していた通り、いくつものマンガを病室に持ち込んでいた。はっきり言って、壁の一面がすべて埋まってしまうほどの量だった。

忠告ではないけれど、少しばかりぼくはアドバイスをした。そりゃ確かにねーさんだってゴルゴ13を読むかもしれない。でも、やっぱり女の子なんだから、少女マンガを読みたいのではないかと。

そうしたら、翌日に『のだめカンタービレ』と『ハチミツとクローバー』を全巻抱えたリョーイチが病院に現れて、思わずぼくたちは笑ってしまった。ベタ過ぎだよ、お前は。

同じように、わび助はラックいっぱいのCDを持ち込み、ぼくはぼくで本屋でねーさんの好きそうな本やファッション誌なんかを探しては、毎日のように病院に届けた。ついでに近所のレンタルビデオ屋も全部あたって、ちょっとしたリストも作った。ビデオを捜すのは大変だったが、恋愛映画、アクション映画、青春映画、スポーツ映画、そんなふうに分類したリストだ。ねーさんに丸印をつけてもらうためだったが、便利なことを考えてくれたねえ、とねーさんは誉めてくれた。

ある種のシュールな雑貨屋、もしくはただ雑多なものがごちゃごちゃと並んでいる病室で、ぼくたちはいつも何かしら話していた。どういうわけか、話題に困ることはなかった。

時々はねーさんが病院の庭を散歩することもあった。病院の外に出ることは原則として禁じられていたけど、敷地内だったらどこへ行ってもいいらしい。ちょっとだけ、よく見なければわからないぐらいだったけど、ねーさんは右足を引きずるようにしながら歩いていた。

それから、これはあとでものすごく怒られたけど、車椅子を使ってのタイムレースなんかもよくやった。八階の廊下はけっこう長くて、まっすぐなコースが続いていたから、レースにはちょうどよかったのだ。ただ、あんまり大騒ぎが過ぎて、女性の看護師さんに、今後一切車椅子で遊んではいけません、と厳重な戒告処分を受けたのだけれど。

そんなふうにぼくたちは毎日を過ごしていた。でも、みんなの心の奥底には脅《おび》えがあった。いつか、その日がやってくる。ねーさんの足を切断する、手術の日が。

ぼくたちが休む間もなく話し込んだり、騒いだり、遊んでいたのは、その日が来るのが怖かったからだ。その不安を吹き飛ばすために、ぼくたちとねーさんは、毎日大騒ぎを繰り返していた。

でも、そんな日も長くは続かなかった。夏休みに入って十日ほど経った七月最後の日曜日の午前中、ねーさんのお父さんとお母さんに対し、主治医の先生から手術の日が言い渡された。一週間後、八月二日の日曜日、手術をします、と先生は淡々とした口調で言ったらしい。通常、日曜日は緊急手術以外行わないそうだが、平日の空きがないためにするとのことだった。お母さんは子どものように泣いたそうだ。そしてお父さんは何も言わず、ただ黙ってうなずいただけだったという。

そんなことは知らずに、ぼくたちは朝からねーさんの病室に集まっていた。誰が持ち込んできたのかは忘れたけど、UNO《ウノ》にぼくたちは夢中になっていた。一度始めると、何時間でもやっていられる、簡単だけど奥の深いゲームだ。

そのうち、いつの間にか昼時になり昼食が届けられた。土日の休みの日は、ぼくたちはかなり早い時間からねーさんの病室に集まる。ねーさんが食事を取っている間は、ぼくたちにとってもランチタイムだ。

コンビニとかファストフード店で買ってきたものを食べて過ごす。その時だけは妙に静かになるのもいつものことだった。

昼食が終わった頃を見計らって、看護師が食器を下げにくる。ぼくたちも自分たちの食べていた物の包み紙とかをゴミ箱に捨てる。さて、それではどうしますか。そんなことを話していたところに、主治医の先生とねーさんの両親が現れた。

その三人の表情を見た瞬間、何となくだけど、すべてがわかった。ぼくだけじゃなくてリョーイチもメタボンもわび助も、そしてもちろんねーさんも同じだっただろう。

「すまないが、ちょっと大事な話があるんだ」先生が言った。「悪いが、席を外してくれないか」

わかりました、と代表してぼくが答えた。待って、とねーさんが言った。

「先生、いいんです。この子たちは……むしろ、この子たちがいてくれた方が、あたしにとっては心強いんです」

本当に？　と先生が尋ねた。はい、とねーさんがはっきりした声で答えた。それじゃあ、と先生が腕を組んだ。

「とても言いにくい話なので、逆にはっきり言わせてもらうことにする」先生が言葉を継いだ。

「桃子ちゃん、やっぱり君の足を切断しなければならない。ご両親にはすべて事情を話したし、了解も得ている。ぼくたちは全力をあげて君の手術に取り組む」

お母さんがお父さんの上着の裾にすがりついて、静かに泣き始めた。むしろ、気丈だったのはねーさんの方だった。

「いつですか」

ねーさんが尋ねた。来週だ、と先生が答えた。

「来週の日曜日、八月二日、午後一時からだ」

ねーさんが壁に貼ってあったカレンダーに目をやってから、わかりました、とうなずいた。

「よろしくお願いします。あんまり痛くないといいんですけど」

苦笑したねーさんに、大丈夫だよ、と先生が言った。

「ほら、ママ、泣かないの」ねーさんがベッドから降りて、お母さんの肩を抱いた。「足の一本や二本なくたって、立派に生きてる人はたくさんいる。そうでしょ？　このまま放っておいて死ぬのを待つより、あたしは足を切ってでも生きていたい。娘が生きていた方がいいと思わない？　だから泣いたりしないで」

ごめんね、とお母さんが何度も頭を下げた。ごめんね、というその言葉には、自分が娘のために何もしてやれないという意味もあったのだろうし、もっと早く気づいていれば、という後悔の念もあったのかもしれない。

「それまでの一週間、明日からいくつか検査が加わる。でも、それ以外は今まで通りの生活を続けて構わない。君たちも」先生がぼくたちの方を向いた。「来た方がいいと判断するのなら来てもいい。来ない方がいいと思うのなら、来なくてもいい。どちらでも構わないよ」

「それは……ねーさんが来てほしいっていうんなら……来ます」

喉の奥から無理やりに声を絞り出したリョーイチに、何言ってんのよ、とねーさんがその背中を叩いた。

「時間があって、暇だったら来てよ。今まで通りでいいっていうんだから。急にみんなが来なくなっちゃったら、寂しいじゃないの」

ぼくたちは無言のまま視線を交わした。ねーさんは、今、必死で自分の心と闘っている。明るく振る舞おうと努力している。ぼくたちにはそんなこと絶対にできないだろう。もしねーさんと同じ立場になったら、真っ先に泣き出すのは明らかに自分のはずだ。

ねーさんの強さはいったいどこから来るのだろう。本当に、前からそうだったけれど、ぼくたちはねーさんに対して尊敬の念を新たにしていた。

「それなら、来ます」

わび助が言った。そうしてくれるとありがたいな、ねーさんがつぶやいた。

7

夜が来て、朝になる。それが七回続けば、来週の日曜日だ。その日の午後一時、手術が始まる。手術室から出てきたねーさんは、足を一本失っているだろう。

足を切断するということは、あれほど走るのが好きだったねーさんがもう二度と自分の足では走れないことを意味する。その現実をねーさんは受け入れなければならないのだ。

（おれたちで支えていかないと）

ぼくたちは本当にねーさんのことが好きだった。女性としても、陸上部の先輩としても、一人の人間としても。今は気丈に振る舞っているねーさんだけど、本当に手術をして足を失ってしまえば、どうしたって絶望的な気持ちになるだろう。

そんなねーさんを放っておくわけにはいかない。ぼくたち四人は別に何の取り柄もないけれど、ねーさんに対する気持ちだけは誰にも負けない自信があったし、事実その通りだっただろう。

四人で力を合わせれば、ねーさんがどんなに絶望の闇の中でもがき苦しんでいたとしても、ほんの少しぐらいなら、助けになれるかもしれない。そんなことを考えながら、ぼくたちは毎日病院へと通った。朝から行くこともしょっちゅうだった。

ねーさんは日が経つにつれ、少しずつだけど無口になっていた。現実の重みを受け止めるために、話すことができなくなっていたのかもしれない。

ぼくたちはねーさんの気を引き立てようと、いろんな話をしたけど、前よりもやっぱりどこか反応が悪くなっていた。いろんなことを考えているのだ、ということはいくら鈍感なぼくたちでもすぐにわかった。

そんなふうにして四日間が過ぎた。金曜日、いつものようにぼくたちは病室に集まり、少しずつ話をした。正直なところ、ぼくたちの間にも動揺があった。明日は土曜日、明後日《あさって》の日曜日には手術が行われる。

現実を直視するのが怖くて、本当にどうしていいのかわからなかった。リョーイチが口を開いたのは、ねーさんが昼食を取っている時だった。

「あの……ねーさんは、あれですかね、会っておきたい人とかいないんすか?」

「会っておきたい人?」

白身魚のフライを食べながら、ねーさんが問い返した。そうっす、とリョーイチが言った。みんなでクラブに行ったあたりから、ねーさんはぼくたちがねーさんと呼ぶのをやめるようにとは言わなくなっていた。止めても無駄だと諦めたのかもしれないが、ぼくたちに対しての、その、何て言うか、ねーさんなりの感謝のつもりなのかもしれない。

「その……手術の前に、会っておきたい人とかいるのかなって思って……」

ねーさんが箸を止めた。少し考えてから、いない、と言った。

「マジでですか？　いや、よくわかんないすけど、懐かしい人とかそんな感じの……たとえば小学校の時の親友とか」

「いない……けど、いるっていえばいる、かな」

「……どういう人ですか？」

わび助の問いに、前につきあってた人、とねーさんが小さな声で言った。ぼくたちはひっくりかえるほど驚いていた。

ねーさんは高校でぼくたちの一年上にあたる。そして、ルックス、プロポーション、性格、その他すべて完璧であるにもかかわらず、男の噂を聞いたことがなかった。

いや、アプローチをした勇気ある男たちがいたのは知ってる。だけど、全員が討《う》ち死にしていた。男嫌いなんじゃねえのか、とリョーイチなんかは言っていたほどだ。彼氏がいたなんて、初めて聞いた。

「どど、どういう人なんですか」

メタボンが四つめのカレーパンを飲み込んだ。みんな知らないよ、ねーさんが答えた。

「あたしが一年の時、三年生だったんだから。みんなが高校に入ってきた時には、もういなかったってわけ」

「つきあってた……わけですよね」

ぼくの質問に、そりゃあまあね、とねーさんが微笑んだ。久しぶりに見るねーさんらしい笑顔だった。

「あの……それで、今はどうなってるんですか」

それがねえ、とねーさんがため息をついた。

「変な奴だったんだ、杉田《すぎた》っていうのは。あ、杉田っていうのはその人の名前ね。杉田達也《たつや》っていうの。もうね、本当に変わってた。あんな人、見たことない」

「あの……意味がよくわかんないんですけど」

そんなに変な奴と、なぜねーさんはつきあうことになったのだろう。

「あたしが一年の夏にね、女の子だけで海に行ったの。茅ケ崎《ちがさき》だったかな。サーフボードを持った彼が現れて、君たちうちの学校の子だよなって声をかけてきた。それが始まり」

それがきっかけとなって、ねーさんはその杉田という人とつきあうことになったそうだ。よくわかんないけど、お互いに何かすごく惹《ひ》かれるものがあったんだよね、とねーさんにしては珍しく素直にのろけた。だったら最初っからのろけといてほしい。

「いっつも一緒だった。土日とか、休みの日は二人で海に行って、彼はサーフィンをやって、あたしはそれを見てて……飽きなかったなあ。それだけで楽しかった」

ねーさんの目がちょっとだけ潤んでいた。残念ながら、ぼくたちではねーさんの目を潤ませることなんてできない。

「ところがね、卒業間際になって、高三の三学期に入ってからだったんだけど、突然学校辞めるって言い出して、サーフィンのプロを目指すって言うの。馬鹿じゃないのって。あと数カ月のことなんだから、せめて卒業してからでもいいじゃないかって、親とか先生も止めたし。あたしだって必死で引き留めた。でも、彼の決心は変わらなかった。プロのサーファーになるって言って、いきなり海の向こうに消えていったっていうわけ。そういう男なのよ、あいつは」

憎まれ口を叩きながらも、ねーさんがまだその杉田さんという人を好きなのはよくわかった。どうしてもっと早く言ってくれなかったんですか、とぼくはテーブルを叩いた。

「そんな人がいたんだったら、ちゃんと言ってくださいよ。今、どこにいるんですか、どんな手を使ってでも、ここに連れてきますよ」

そうっすよ、とみんながうなずいた。無理だと思うなあ、とねーさんがまた箸を取って、みそ汁に口をつけた。

「さっきも言ったでしょ。あの人は外国に行ったの。たぶん、最初はハワイだったと思う。でも、そこから先はどこで何をしているのかゼンゼンわからない。ホントに時々、絵葉書が届くけど、向こうの住所とか書いてないからこっちからは連絡の取りようもないし。実家の番号はわかるけど、いないとわかってかけるのも……」

それでも何でも、とぼくは立ち上がった。

「必ず連れてきます……と言いたいんですけど、何か手掛かりとかないですか？」

ぼくたちは探偵じゃない。人捜しなんかしたこともない。単なる高校生にすぎないのだ。何の手掛かりもなしに、その杉田さんという人を捜すのは無理だということだけはわかっていた。

「お正月に年賀状が来てたんだけど、それがオーストラリアからだったのは覚えてる」

「オーストラリア？」

「そう、オーストラリア。でも、今でもそこにいるのかどうか、それはわからない。サーファーってそうなんだって。いい波を探して、いろんなところに移動していくみたい。もう半年以上経ってるからね……まだオーストラリアにいるのかどうかもわかんないし。だから、今までそんなことを話したりしなかったんだ。捜せるはずがないから」

「でも……会いたいんですよね？」

ねーさんの頬がちょっと赤くなった。しばらくして、小さくうなずいた。わかりました、とぼくは言った。

「必ず、どんな手段を使ってでも、その杉田さんって人を捜して、絶対にここへ来てもらいます。約束します」

「いや、イノケン、ホントに無理だと思うよ、そんなこと必死になっても仕方がないって」

「最後まで諦めません。ねーさん、待っててください。必ず捜し出してみせます」

何の根拠もなかったけれど、ぼくは言い切った。オーストラリアにいるのか、それとも違う場所にいるのか。それすらもわからないけど、地球にいることは確かだろう。だとすれば、本気で捜せば何とかなる。杉田さんが生きている限り、必ず捜し出してみせる。

「よし、乗った」リョーイチが言った。「とにかく、やってみようじゃねえか。その杉田って人を捜してみようぜ」

うん、とメタボンとわび助がうなずいた。目的はひとつ、杉田達也を捜すことだ。難しいのはわかってる。だけど、男にはやらなければならない時があるのだ。ぼくたち四人はいつの間にか立ち上がっていた。そんなぼくたちを、ねーさんがぽかんと口を開けて見ていた。

8

ねーさんの病室は個室なので、本当はいけないのだけれど、ケータイを使っても怒られない。でも、その日はとてもいい天気だったこともあって、ぼくたちは揃って病院の庭に出た。

最近、ねーさんの足をひきずる度合いは、前と比べてちょっと大きくなっていた。特に、階段の上り下りみたいに、段差のあるところを歩く時は、辛そうな顔をすることもあった。

念のため車椅子も持ち出し、ぼくたちは庭に出て、芝生の上で輪になった。何はともあれ、まず杉田さんの家に電話をかけてみるのが一番の早道だろう。

正直言って、この時点でぼく自身は高をくくっていた。ねーさんが言っていた通り、その杉田さんという人がちょっと変わり者だとしても、実家には連絡先ぐらい伝えているだろう。

今、どこにいるのかを家族に知らせるのは、普通の人なら当たり前のことだ。そして、杉田さんだって、それぐらいの常識は持ち合わせているはずだ。

ぼくとしては、この考え方が正しいと思っているのだが、世の中何事にも例外がある。

ただし、この時、ぼくはそんなこと考えてもいなかった。

ケータイから杉田家に電話をすると、あっさりとつながった。声の感じからいうと、おそらくお母さんなのだろうと思われた。

ぼくは自分の名前と、杉田さんの高校の後輩であることを伝えた。まあ、そうですか、とお母さんは言った。振り込め詐欺とか、そういうんじゃないです、とぼくは説明した。

「それでですね、杉田さんは高校の卒業前に、プロのサーファーになると言って、ハワイへ行ったと聞いてるんですが」

「そうなんですよ。ホントにね、変な子でねえ。学校の先生とかにも迷惑をおかけするし、あたしたちもびっくりしちゃって。そうだわねえ、あれからもう一年半経ったのね」

ため息まじりにお母さんが言った。実は、ちょっと事情があって杉田さんを捜しているんです、ぼくは言葉を重ねた。

「どうしても杉田さんに会ってもらいたい人がいまして、それで捜してるんですが、連絡先を教えていただけますか？」

「さあ。わからないんですよ」

あっさりとお母さんが言った。ぼくは自分の耳を疑った。お母さんですよね、と確認すると、そうですよ、とはっきりした答えが返ってきた。

ぼくの認識では、母親というものは息子について知らなくていいことまで知っているものだが、このお母さんは知っておくべきことさえ知らないらしい。しかも、それが当たり前だと思っているようだった。

「ええと、つまり連絡先はわからないってことですか？　今、杉田さんがどこにいるのかも？　たとえばですけど、住所とか、電話番号とか、メールアドレスとか、そんなことでもいいんですけど」

「あの子、本当にそういうのが駄目なんですよ。ズボラっていうのは、ああいうのをいうんでしょうね」

ズボラ。久しぶりに聞く。しかし、本当にズボラなのは、息子の連絡先さえ知ろうとしないこのお母さんなのではなかろうか。

さっき、ぼくは何事にも例外があるということを忘れていた、と言った。つまり、家族全員が変わり者の場合だ。そして杉田一家は、まさにそういう家庭だったのだ。

詳しく話を聞いたが、それ以上のことはわからなかった。杉田さんはパソコンとかそういうものがあまり得意ではないらしく、おそらくメールアドレスも持っていないようだった。もちろんケータイもなく、実家に電話をかけてきたこともない。このご時世、スゴイ話だ。

ビザの書き換えなどで、帰国はしているはずだが顔を見せに来たこともないと言われた。当然、住所などわかるはずもない。

「時々、絵葉書は寄越《よこ》すんですよ。あたしにはよくわからないんだけど、いい波を探すとかでいろいろ移動するみたいで。最初はとにかくハワイだったのは覚えてますよ。でもね、その後はどこだったかしら。そうそう、このお正月には、オーストラリアから来てたわね」

よく考えると、今時絵葉書を書く二十歳《はたち》の男というのは、何というか、アナログそのものではないだろうか。

「でも、またすぐどこか行くって書いてありましたけどね。タヒチだったかしら。とにかく、そんな連絡があったんですけど、その後はさっぱりで」

あっさりとした声だった。どうやらぼくたちは甘く考え過ぎていたらしい。杉田さんというその人は、一筋縄ではいかないようだ。さすがねーさんの彼氏だった男だ。とにかくハンパなく普通ではないらしい。

いつもそうだが、わび助は店のスーパーカブで病院に来ていた。ぼくは杉田さんの実家の住所をメモして、証拠品を洗いざらい押収してこい、と命じた。わかりましたボス、と昔見た刑事ドラマのような返事をして、わび助が庭を出ていった。

9

　さて、いったいどうしたものか。電話を切る前、お母さんに杉田さんの友人を紹介してもらおうとしたが、「友だちはいなかったからね……」と言われてしまった。卒業してないから同級生の名簿もないと言う。

「親がわかんなくて、元カノもわかんない。友だちもいないとなると……」

　ねーさんが横から口を出した。元カノというのはねーさん自身のことだ。

「そりゃ、誰もわかんないいんじゃないかなあ」

　確かにそれはそうなのかもしれないけれど、だからといってあっさりと諦められるというものではない。それに、ぼくたちが求めてるのは情報だ。どこかで杉田さんのことを風の噂で聞いたことがある人がいても、おかしくはないだろう。

　ぼくたちは病室に引き上げることにした。ここは、わび助が持ち帰るであろう情報を待つしかない。

　汗だくになったわび助が戻ってきたのは、それから二時間ほどのことだ。手に紙袋を抱えていた。

「杉田さんのお母さん、すげえいい人でさ」袋を開いて、ぼくたちにお菓子を配って回った。

「こんなのくれたよ」

喜んだのはメタボンだけだった。今、ぼくたちが欲しいのはお菓子でもケーキでもない。杉田さんの行方を捜すための情報だ。うん、とわび助が唇を突き出した。

「ごめんね。でもさ、ホントに何にもないんだよね。部屋にも入れてもらったんだけど、絵葉書が何枚かと、古いサーフィン雑誌とか、そんなものしかなくて」

「お前、その雑誌は見たのか」

リョーイチが尋ねた。まあ、一応、とわび助がうなずいた。

「持ってきてはいないけど。だって、すげえ重いんだもん」

お菓子は持ってこれても、雑誌は持ってこれないらしい。バカか、こいつは。どっちが大事だと思ってんだよ。

「覚えてないか？　ページにどのへんが写っていたとか、どの海がいいって書いてあったとか」

リョーイチが我慢強く質問を続けた。珍しいこともあったもんだ。

「うーん……でも、そういうのって、そんなに変わんないんじゃないの？　だって二年だよ？　二年で海や波が大きく変わったりするかなあ」

それもそうだ。ぼくたちは乏《とぼ》しい知識を総動員して、サーファーが行きそうな場所を挙げてみた。ハワイ、オーストラリア、モルジブ、タヒチ、カリフォルニア。

　ほかにもいっぱいあるのだろうけど、有名なのはそのへんじゃないだろうか。そういえば、杉田さんのお母さんもタヒチがどうのとか言っていた。そんなところまで行っているのだろうか。遠いぞ、タヒチ。

「あのな、聞いたことがあるんだけどな」リョーイチが口が開いた。「サーファーってのはさ、そういういい波のくるところにしばらく滞在するらしい。名前の通ったプロだったら、ちゃんとしたところに泊まるんだろうけど、プロサーファーを目指しているような連中は金がない。だから、ルームシェアってのをするみたいなんだ」

　どこの雑誌で読んできたのか、そう言った。ルームシェアって何だ、とメタボンが首を捻った。ひとつの家とか、もっと言えば部屋とかを何人かで分けて住むってことだ、とリョーイチが説明した。

「杉田さんがタヒチにいるかどうかはわからん。また動いているかもしれねえしな。ただ、あんまり金がないのは確かだろう。杉田さんがルームシェアをしていたとしても、おかしくはないと思わないか？」

　なるほどねえ、と感心したようにメタボンが言った。だけどさ、とぼくはちょっと首を傾げた。

「そういう人を捜すつもりか？　いや、わかるよ、言いたいことはわかる。だけど、問題があるぜ。そのルームシェアの相手っていうのはさ、大概の場合外人なんじゃないのか？」

だろうな、とクールにリョーイチが答えた。だろうな、で済む問題じゃないだろうに。

「どうやって調べるつもりなんだ。まさか、外人に手当たり次第電話しようっていうんじゃないだろうな」

「そっか、じゃあ……これもはっきりした話じゃないんだけど、サーフィンをする場所には、サーファーを泊める専門の宿があるはずなんだ。つまり、ここからはメタボンの出番だ。ネットで検索すりゃあ、いくつかは出てくるだろう。あとは芋づる式で調べていけばいい」

「相手が日本人じゃなかったら？　言葉はどうするんだ？」

「英語で聞くに決まってんだろ。もうオレたちゃ中高合わせて五年も英語を習ってるんだぜ。それぐらいのことは何とかなるだろうさ」

言っておくが、ここにいるメンバーの中で最も英語の成績が悪いのはリョーイチだ。それでもさ、とわび助が不安そうに首を振った。

「難しいと思うな。これがさ、顔と顔とをつきあわせてのことだったら、リョウくんの言うように何とかなるかもしれない。ボディランゲージってのもあるわけだしね。だけど、電話じゃあ……」

「グダグダ抜かしてんじゃねえよ。時間がねえんだ。メタボン、さっさと駅前のネットカフェかなんかで調べてこい。検索ワードは、そうだな、サーフィン、安宿、海外、そんなところだろう」

「旅行代理店に聞いてみる方が早いんじゃないか」ぼくは言った。「やっぱり、そういう仕事をしているんだから、それなりに情報も持ってるだろうし」

それはオレがやる、と涼しい顔でリョーイチが言った。日本語が通じるからだ。何て勝手な奴なんだろう。

「とにかくメタボン、お前はネットで調べてみてくれ。もう、それぐらいしか手段は残ってないんだ」

はいはい、とメタボンがのっそりと病室を出ていった。リョーイチが自分のケータイで旅行代理店の電話番号を検索し始めた。

10

日本の旅行代理店が当てにならないのか、それともそんな貧乏くさい宿の資料は持っていないのか、ありとあらゆる旅行代理店に電話をかけてみたけれど、詳しいことはわからなかった。

教えてくれたのは、早い話が一流のホテルとか、そんなところばかりだ。ルームシェアどころではない。一泊二万円のホテルに、杉田さんが泊まっているとは思えなかった。

ひと通り電話をかけ終えたところで、メタボンがタイミングよく戻ってきた。手にはプリントアウトされた数十枚の紙を持っていた。

「一応、絞り込んでいったつもりなんだけどさ、百件以上あるんだ。いいかな」

多けりゃ多いほどいい、とリョーイチがその紙の一枚に目をやった。HOUSE、という文字がたくさん並んでいたけど、これはホテルというより日本流にいえば民宿を指しているのだろう。いいぞ、とリョーイチが言った。

「ハワイ、タヒチ、グアム、パラオ、オーストラリア、サイパン、カリフォルニア、その他もろもろ」メタボンがぼくたちに紙を配った。「まあ、やるんだったら徹底的にやった方がいいと思って」

その通りだ。中途半端にやっても仕方がない。一応、杉田さんの足どりで最後にわかっているのはタヒチだ。まずそこから始めるのが筋だろう。

みんなの意見が一致したとき、すべての動きが止まった。おい、とリョーイチが墓場の底から響くような声で言った。

「国際電話って、どうやってかけるんだ？」

よく考えると、ぼくたちはそんなこと何も知らなかった。メタボンに渡された紙に、電話番号は書いてある。だけど、そのまま番号を押しても、電話はつながらなかった。

頭に001ってつけるんじゃなかったっけ、とわび助が言うので、それも試してみたけど、どうもやっぱりうまくいかない。結局NTTに電話して、国際電話の掛け方を教えてもらった。正直、ぼくたちはバカの集団だと思う。

そして、タヒチに誰が電話をするのかについても大いに揉めた。一応、この四人の中では、ぼくが一番英語の成績がいい。ただ、それはペーパーテストの話で、ヒアリングとか会話についてはまったくダメだ。

結局、ジャンケンをするしかなかった。困った時には何でもジャンケンだ。そして負け残ったのはメタボンだった。

あまり躊躇《ちゅうちょ》することなく、メタボンが自分のケータイを取り出して、教わった通りにボタンを押した。メタボンのケータイは、国際電話が簡単にできるタイプのものだったのはラッキーだった。

スピーカーホンにしてしばらく待つうちに、相手が出たようだ。アイアム、ジャパン、というのがメタボンの第一声だった。その頭を、リョーイチが思いきりグーで殴った。

「お前は日本か？」ひったくるようにしてケータイを奪った。「アイムソーリー。イエス、アイアム、ジャパニーズ。アーユー、ハウス・オブ・クリエ・タヒチ？」

「マイネームイズ、リョーイチ、フロムジャパン。ドゥーユーノウジャパン？」

「……Yes」

日本語に訳すと、まあ、一応は、という感じだった。どうも展開が怪《あや》しくなっているような気がした。

「ジャパンイズ、ベリーグッドカントリー。ドゥユーノウ、スシ？」

その場跳びでドロップキックを浴びせたわび助が、代わって電話に出た。

「ソーリー、ソーリー。ドゥーユーハブ、ジャパニーズスタッフ？」

なかなかいい作戦だ。下手な英語を使うより、日本人の従業員がいれば、その人と話した方がいい。だが、作戦は失敗に終わった。

「No」

しまった、とわび助が左右を見た。何とかしろ、とぼくは励ました。

「オールライト。アイスピーク、イングリッシュ、ベリーリトル。ドゥユーアンダスタン？」

「Yes, yes」

「オー、ベリーグッド。ナイストゥーミーチュー。バイザウェイ、ドゥユーハブ、ジャパニーズゲスト？」

「what's?」

「えー、ジャパニーズゲスト。わかんないかなあ。オーケイ？　ジャパニーズゲスト。

えー、あー、つまり、ジャパンイズ、だから、ネイバーフッドオブチャイナ」

「what's?」

まあ、それは確かに日本は中国の隣国なわけだけれど、だからそれがいったい何なのだというのだろう。明らかにわび助は混乱していた。

「ジャパニーズピーポー、レッツゴートゥータヒチ、メニイメニイ。ユアハウスハブ、ジャパニーズゲスト？」

「No」

「リアリー？」

「No, We have no Japanese guests, OK?」

待て、とぼくは電話をわび助の手から取り上げた。

「オールライト。アイアンダスタン、ユアハウスハブ、ノージャパニーズゲスト。バット、ドゥーユーノウホテル、オア、ハウス、インジャパニーズゲスト？」

「……Japanese……I don't know, sorry」

「ストップ。ジャストモーメント。ドゥユーノウディスネーム？　ミスター、タツヤ・スギタ。フロムジャパン。ヒーワナ、プロサーファー」

「Surfer?」

「イエスイエス。サーフィン。ほら、波乗りだよ」いかん、日本語になってしまった。

「ゴートゥーシー、ウィズサーフボード。アンド、ヒーライドオン、ビッグウェイブ。ドゥーユーノウネーム、タツヤ・スギタ？」

「……Tatsuya Sugita……I'm sorry, I don't know his name. But」

「バット」しかし？「バット……ホワット？」

「In Tahiti, Novemberhouse. I have heard there are many Japanese people」

「ノーベンバーハウス？」

リストを上から調べていたリョーイチが、あった、と喚いた。ノーベンバー・ハウス。そこには日本人が大勢いるようだ。そこへ電話すれば、もっと詳しい情報が得られるかもしれない。

「サンキュー、サンキュー。アイ、アンダスタン。アイコール、ノーベンバーハウス」

「Do you know, telephone number?」

「アイノウ。オールライト。サンキュー」

アリガトウゴザイマシタ、と言ってぼくは電話を切った。とりあえず、今の段階で言えるのは、タヒチの人は親切だ、ということだ。

「休んでる暇はねえぞ」リョーイチが言った。「イノケン、次はそのノーベンバー何とかだ。そこに電話してみろ。さっさとしろ」

「お前も少しは働け」

ワッカリマセーン、とリョーイチが言った。ぼくたち三人と、ねーさんまでが揃って
リョーイチにパンチを食らわした。

11

ノーベンバー・ハウスというその宿に電話してみた。相変わらずぼくの英語はブロークンなものであり、何だったらバイオレントですらあった。だけど、ぶっ壊れていようと暴力的であろうと、とにかく意味が通じればそれでいい。

電話に出たのは、当然のことながらタヒチ人だった。もちろん、日本語は通じない。日本人スタッフもいないという。もっとも、高級ホテルならともかく、こういう安宿に日本人スタッフがいたら、その方が不思議だ。

電話に出たそのタヒチ人の使う英語もかなり怪しいものがあり、はっきり言ってぼくとあまり差はないのではないかと思った。だいたいタヒチの公用語って何なのだろう。英語じゃないような気もする。

それでも、とにかく意思を通じさせることはできた。ぼくが当てにしていたのは、ノーベンバー・ハウスに泊まっているという日本人の客だった。

ドゥーユーハブ、ジャパニーズゲスト？　と死ぬほど繰り返し、プリーズディステレ

フォン、トークウィズミー、と言うと、ウエイト、と言われて保留音が流れ始めた。文法的に合っているのかどうかさっぱりわからないが、同じ人間だ。どうにかなるだろう。

「……来月のケータイ代、すげえことになるんだろうなあ」

はあ、とメタボンがため息をついた。まあまあ、とわび助が優しくメタボンの肩に手を置いた。

「ぼくたちも出すから。四等分すればいいじゃない。でしょ?」

しょうがねえな、とリョーイチがうなずいた。五等分よ、とねーさんが言った。持つべきものは良き友人と先輩だ。

しばらく待ち続けていたら、いきなり、もしもし、という声が耳元で聞こえた。まごうことなく、それは日本語、ジャパニーズランゲエージだった。何だか久しぶりに聞く日本語のような気がした。

「もしもし、すいません。こちら埼玉からかけてます。ぼくは井上といって、高校生なんですけど」

よく考えてみると、めちゃくちゃな自己紹介だったけれど、ほかに何と言っていいのかわからなかった。それは向こうも同じらしく、あまり不思議には思われなかったようだ。おれはタテヤマっていうんだ、と声が答えた。

「それで、何の用かな」タテヤマさんが言った。「さっき、ここのボーイが呼びにきて、日本から電話が入ってるっていうから、夕飯食ってるところを出てみたんだけどさ、キミはおれの親戚か何かだっけ？」

あとで調べたら、タヒチより日本の方が十九時間進んでいるようだった。つまり、ぼくらが電話をかけた午後三時は向こうの前日夜八時ぐらいということになる。時差というものがあることを、この一件を通じてぼくたちは学んでいた。

「いえ、親戚とかじゃありません」ぼくは説明を始めた。「春日部の高校に通っていた、今十九歳か二十歳の杉田達也という人を捜してるんです」

意味がわからんなあ、とタテヤマさんがのんびりした声で言った。

「あのさあ、タヒチってのも狭いようで広いのよ。杉田って人はどこのホテルに泊まってるんだかしらないけど、そこに直接連絡した方がいいと思うね」

「どこに泊まってるのかわかってたら、そうしますよ」いささかむっとしながらぼくは答えた。「それがわからないから、こうやって調べてるんじゃないですか」

どこに泊まっているのかわかれば、苦労はしない。だいたい、タヒチにいるかどうかさえよくわかっていないのだ。

ぼくはさらにぼくたちのバックグラウンドを説明した。二年ほど前、杉田というその人は、プロサーファーを目指して海外へ出たこと、連絡先がまったくわからないこと、そういう話だ。キミねえ、とタテヤマさんが呆れたような声になった。

「もしかして、キミはその杉田って人を捜すために、片っ端《ぱし》からタヒチのホテルとか、こういう安宿に電話をかけてるわけ？」

「だから、そう言ってるじゃないですか」

無茶するねえ、とタテヤマさんが笑った。悪い人ではなさそうだった。

「とりあえず言えるのは、少なくともその杉田って人がこのホテルにはいないってことだな」

タテヤマさんの話によると、タヒチはそれほどサーフィンが盛んなわけではないらしい。もちろん、遊びとかでやってる人はいるけど、それほど多くはないという。まして、プロを目指す人なら、タヒチにはいないんじゃないか、というのがタテヤマさんの意見だった。

ただ、ノーベンバー・ハウスに限ったことではないけれど、日本人の大学生などが、安宿を探してこういうところに行き着き、ルームシェアで宿代を安く浮かせることは頻《ひん》繁《ぱん》にあるようだ。タテヤマさんもその一人だという。だろ、とリョーイチが胸を張った。

わかったわかった、とうなずきながら、ぼくはタテヤマさんの話に耳を傾けた。

「十軒や二十軒じゃきかないよ、こういう宿は。日本人だけじゃないしね。欧米人だって、そういうバックパッカーみたいな連中はたくさんいる。その杉田ナントカさんが泊まってる安宿が見つかる確率は、かなり低いと思うよ」

「それはわかってます。ぼくらも偶然を当てにしてるわけじゃないんです。こうやって今、タテヤマさんと話しているみたいに、日本人を探していけば、どこかで杉田さんに関する情報とか、杉田さんを知っている人がいるんじゃないかと思って、こんなことをしてるんです」

先の長い話だねえ、と同情したようにタテヤマさんが言った。もしかしたら、バカにされてるのかもしれなかった。

「まあ、でもわかったよ。なるほどね。深い事情は聞かないよ。聞いてもしょうがないし、よほどキミにとって、その杉田さんって人を捜すのは重要なことなんだってことぐらいはわかるからさ。そうじゃなきゃ、こんなことしないもんな。ただ、とにかく彼はここにはいない。そして杉田さんって人の名前も聞いたことがない」

悪いな、とタテヤマさんが言った。全然悪くない。少なくとも、タテヤマさんの責任ではない。

タテヤマさんは大学三年生で、夏休みを利用してひと月ほど前からタヒチに来ているのだと言う。前にツアー旅行で来たことがあって、気に入ったために、九月いっぱいぐらいまでタヒチに滞在するつもりでいるそうだ。

「とにかく、連絡先だけ教えといてくれよ。日本人が溜《た》まってる宿はここだけじゃないからさ。働いてる奴もいるし、おれなんかよりよっぽどここの事情に詳しい奴もいる。

何年も暮らしてる人もいるんだぜ。機会があったら、そういう人に聞いておいてあげるよ。そして何かわかったら、キミに連絡する。それでいいだろ」

何ていい人なんだ。ありがとうございます、とぼくは何度も頭を下げた。まあ、これも何かの縁だからさ、とタテヤマさんが言った。

「ただし、あんまり期待しないでくれよ。これはおれの勘だけど、たぶんその杉田って人は、このタヒチにはいないと思うね。プロサーファーを目指す人間が来るところじゃないんだよ。もしかしたら、その人はタヒチに寄っただけなのかもしれない。飛行機の乗り継ぎとか、そんなことでね。そして、おそらくはすぐにここから次の場所というか、違う国に行ったと思うね。どこかはわからんけど」

ありがとうございます、ともう一度ぼくは礼を言った。それで、とタテヤマさんが尋ねた。

「キミはまだこんなことを続けるつもりなのかい？　たとえばハワイとか、おれもよく知らないけど、そういうサーフィンのメッカみたいなところに、電話をかけ続けるの？」

そのつもりです、とぼくは答えた。ここまできたら、もうほかに手段はない。とにかく、杉田さんを捜し当てなければならなかった。しかも、どうしても今日中に。何しろ、ねーさんの手術は明後日なのだ。

「わかった。頑張れよ。健闘を祈る」

タテヤマさんが電話を切った。とにかく、タヒチは終わった。タテヤマさんの言う通りなら、おそらく杉田さんはタヒチにいないのだろう。さて、どうするか、とぼくは左右に目をやった。

「オーストラリアじゃねえの？」

リョーイチが言った。確かに、ねーさんのところにも、オーストラリアからの絵葉書が届いていた。今もいるかどうかは別にして、そこに杉田さんがいたことは間違いない。何かの手掛かりが残っていてもおかしくはないだろう。

「試してみよう」

ぼくはメタボンがプリントアウトしてきたオーストラリアの宿の一覧表に目をやった。

12

それにしても大変な作業だった。杉田さんというその人を捜すために、ぼくたちはいったい何カ国に電話をかけ続けたのだろう。今となってはよく覚えていない。

自慢ではないが、ぼくたちは勉強ができない。成績的には、ちょっと自分でもいかがなものかと思えるほどだ。ねーさんはともかくとして、その他の四人に共通するのは、英語がまったくダメというところだった。ましてや英会話においてをや。

ところが、どういうわけかぼくたちは、この数時間で自分たちの意志を外国人に伝え、その答えを理解できるようになっていた。もちろん、慣れということもあるのだろう。だが、実際には、わび助の発明した〝三つの質問〟さえあれば、すべての局面を乗り切れるということがわかった、というのが本当のところだった。三つの質問とは何か。それは非常に簡単なものだ。

「ドゥーユーハブジャパニーズスタッフ？」

これが質問その一だ。あなたのホテルに日本人スタッフはいるか、という意味で、もしいれば、その人に電話を代わってもらえばいい。どうせ外国人と込み入った話なんかできるはずがないのだ。

ただし、杉田さんが泊まっているであろうと思われる安宿には、めったなことで日本人スタッフはいなかった。その場合は質問その二をぶつける。

「ドゥーユーハブジャパニーズゲスト？」

日本人客はいないか、ということだ。どんなに必死で外国人スタッフと意志を通じ合わせようとしたところで、しょせんぼくたちは日本の英語教育の犠牲者だ。そんなことできるはずもない。

だったら、日本人の客がいればその人と話した方が早いだろう。そして、彼らが杉田さんに関する情報を持っている可能性も、ゼロではないはずだ。

だが、もちろん日本人宿泊客がいない場合もある。その時は最後の質問だ。

「ドゥーユーノウネーム、タツヤ・スギタ。ヒーイズサーファー」

これはもう、万が一、まぐれ当たりを狙った質問だ。普通に考えて、宿のスタッフが杉田さんの名前を知っているとは思えない。そんなことぐらいぼくたちだってわかってる。

だけど、聞いて何か損をするわけでもないだろう。奇跡的に、Yes, I know. という答えが返ってくれば、その時はぼくらの言語能力のすべてを総動員して杉田さんについての情報をかき集めるつもりだった。

わび助が編み出したこの方法によって、杉田さん捜索は凄まじく効率的なものになっていた。ねーさんも含め、ぼくたち五人はこの三つの質問だけを繰り返し、脈がないようであればお礼も言わずにさっさと電話を切っていった。電話代が無駄になるだけだ。

そして、効率が上がれば効果が上がるのも当然だろう。日本人スタッフがいれば、杉田さんのような人が泊まっていそうなホテルを教えてくれる場合もあった。日本人の客の中には、杉田という名前に覚えがあるという人も何人かいた。

今のところ、まだ杉田さんがどこにいるのかはわかっていないが、彼がいわゆるサーフ・スポットにいることは間違いない、とぼくたちは確信するに至っていた。あとはその場所がどこなのかを絞り込んでいくだけだ。

だが、その先がなかなか思うように進まなかった。気が付けばどんどん時間が経っていき、夕方になっていた。

ぼくたちは本当に世界中に向かって電話をかけていたから、現地時間のとんでもない真夜中にかけてしまったりしたこともあった。明らかに面倒くさそうな外国人の声が返ってくる場合などは、やっぱりどうしてもやる気が萎《な》えてしまうこともあった。

その中で、ねーさんだけは落ち込むこともなく、電話をかけ続けていた。本人の問題なのだから当然かもしれなかったけど、でもねーさんは、ぼくたち四人の誰かが消息不明になった時でも、やっぱりこんなふうに絶対諦めることなく努力をし続けてくれるだろう。そんなねーさんのためだからこそ、ぼくたちも頑張れたのだ。

「ハワイ?」

リョーイチがいきなり立ち上がったのは、夕方四時半頃のことだった。それまでとは明らかに様子が違っていた。

「いつすか?」

メモメモ、とリョーイチが手を出した。ぼくはすぐに紙とペンを渡した。はい、はい、とうなずきながら汚い字で何か書いている。

最後にリョーイチが、まだそこにいるんすかね、と尋ねた。だが、返事は思わしくないものだったらしい。小さく手を振ったリョーイチが、ありがとうベリーマッチ、と言って電話を切った。本人も何を言ってるのか、わかっていないのだろう。

「どうした」

「何があった」

「いたのか？」

全員が質問の集中攻撃をかけた。待て待て、とリョーイチがメモに目をやった。

「ハワイのマウイ島でサーフ・ショップを開いているマエダさんって人と話したんだ。マエダさんによると、杉田さんは少なくとも先週まではマウイにいた。これは確実な情報だ」

おお、とぼくたちの間からどよめきが漏れた。ここまで、名前は聞いたことがあるとか、話したことがあるとか、どこそこにいたらしい、というような曖昧《あいまい》な情報はいくつかあったのだけれど、これほど明確な証言をしてくれた人は初めてだったのだ。何だかだんだんＵＦＯの目撃情報捜しみたいになってきた。

「今までも杉田さんはハワイに行くたび、マウイ島に渡って、そこでマエダさんの店でアルバイトしたり、サーフィンの練習をしたりしていたそうだ。ひと月とか、あるいはそれ以上長く滞在したこともあったらしい。それでだ、ここからが肝心なんだけど、三、四週間前、杉田さんはマウイに来た。だいたい毎日マエダさんの店には顔を出していたようだな。泊まっていたのはガリアハウスとかいう、日本で言えば民宿みたいなところだそうだ。電話番号と住所は聞いておいた。日本人サーファーの定宿らしい」

「そこにいるの？」

ねーさんの質問に、先週までは、とリョーイチが答えた。

「先週の末、マウイを出るとマエダさんのところへ挨拶に来たという話っす。それからどこへ行くとか、そんな話は出なかったそうです」

「ダメじゃん、それって」メタボンが二リットルのスポーツドリンクを一気に飲み干した。「そんなんじゃ、結局どこにいるのか、わからないままじゃん」

待てってば、とリョーイチがメタボンの尻をサッカーボールのように蹴った。

「ここからはマエダさんの想像っていうか勘みたいな話だけど、杉田さんはマウイは出たけど、まだハワイ州にいるんじゃないかって言うんだ」

「どうして？」

「そんなに金を持っている感じがしなかったからだって」

だったらマウイから動かなければいいのに、とぶつぶつ言いだしたわび助を放っておいて、ぼくはメタボンがプリントアウトしていたハワイの地図を見た。

ハワイ州には地理的には大きな島が八つあるけど、いわゆるメジャー系の島は六つあった。一番有名なのはホノルルがあるオアフ島だろう。そしてそれ以外にはマウイ島、ハワイ島、カウアイ島、ラナイ島、モロカイ島という五つの島がある。

マエダさんというそのサーフ・ショップの人が言っているのは、その五つの島のどこかに杉田さんが移ったのではという意味のようだった。

「もうひとつ言えば、ハワイを出てどこか違う国に行くとしたら、それを自分に伝えただろうってマエダさんは言ってた。たとえばカリフォルニアに行くとか、フィジーに行くとか。でも、マウイを出る、としか杉田さんは言わなかったそうだ。ということは、ほかの五つの島のどこかにいるんじゃないかっていうのがマエダさんの推測なんだけど、どう思うよ。信憑性《しんぴょうせい》があると思わねえか?」

よし、わかった、とぼくはうなずいた。

「捜索範囲をハワイに絞ろう。わび助、お前はオアフ、メタボンはハワイ島、おれはモロカイ、リョーイチはカウアイ、ねーさんはラナイ、そんなふうに分担しよう。メタボン、悪いけど、もう一度ネットカフェでハワイ関係の宿を総検索してきてくれ。今までみたいに、だいたいっていうんじゃなくて、徹底的にだ。特に貧乏人が泊まるようなところがポイントになるぞ」

「お前は昔の刑事ドラマを見すぎだ。渡哲也《わたりてつや》か」

リョーイチのツッコミが入ったけど、渡哲也を知ってるお前も相当だ。だが今はそんなのはどうでもいい話だ。わかった、とメタボンがのたのたした動きで病室を出ていった。

メタボンを待っているうちに夕食の時間になった。遠慮するねーさんに、半ば無理やり夕食を取ってもらった。ぼくたちは不思議と空腹を覚えなかった。

13

うわあ、とねーさんが呻《うめ》いた。メタボンの持ってきたプリントアウト用紙は、全部で二百枚ぐらいあっただろうか。

一枚に一軒だけ宿の紹介が載っている紙もあったけど、ほとんどは電話帳みたいな感じで、宿の名前、電話番号、住所がずらずらと並んでいるものばかりだった。いったい全部で何軒ぐらいになるのか、考えてみたくもなかった。

「これはオアフ、これはモロカイ、これはラナイ」メタボンがみんなに紙を配った。

記されている宿の数が飛躍的に増えたのは、とにかく泊まれる施設であれば、何でもピックアップしてきたからだ。今までは、杉田さんが一流ホテルに泊まるはずがない、という前提の下、三流四流の宿を捜し続けてきたのだけれど、今回は違う。

キャンプ場とかルームシェアができる下宿みたいなものまで、すべてメタボンは調べあげていた。だから、こんなに数が増えたのだ。

「これ、全部かけるの？　時間がいくらあっても足りないよ」泣きそうな顔でわび助が言った。「無理だよ、絶対」

「無理でも何でも、とにかくやってみなきゃ始まらないだろうが」

脅かすようにリョーイチが凄んだ。その通りで、あとは奇跡と幸運を信じるしかない。さっそくねーさんが一枚目の紙に載っていた宿に電話をかけ始めていた。

本当に奇跡が起きれば、一発目にかけた電話で杉田さんがつかまることだって有り得るのだ。ただ、それは確率的にいって、ものすごく低いことは言うまでもない話なのだけれど。

「イノケン、こんなのもあったんだけどさ」メタボンが数枚の紙を取り出した。「ハワイには個人所有の小さな島とかもあるんだって。どうする？　こっちも調べてみる？」

「それは後にしよう。とにかく今は、五つの島を調べる方が先だ」

「どうしてお前は刑事《デカ》口調になるんだ」

リョーイチが尖《とが》った声で言った。いや、そんなつもりはないのだけど、どうしてもそういうふうになってしまうのだ。

というか、誰かが方向性を指示しないと、話が前に進まない。そして、その役回りは今のところぼくが務めるしかないようだった。

みんなぶつぶつ言いながらも、それぞれに電話をかけ始めた。でも、本当に不平不満を言いたいのはぼくの方で、オアフやハワイ島は日本人も多いし、日本語が通じる確率も高い。

だけど、ぼくが担当するモロカイ島は、それほどメジャーな島ではない。だいたい、モロカイ島なんて初めて聞く名前だ。

ぼくたち五人はそれぞれリストに従って電話をかけ続けた。最初からわかっていたことだったけど、安宿になればなるほど、日本人スタッフがいる可能性は低くなるし、日本語が通じることもめったにない。

それどころか、英語さえ通じない場合も珍しくなかった。話が違うじゃないか、とリョーイチが喚いたが、どうもそういうところでは現地の言葉しか通じないようだった。英語でさえも怪しいぼくたちに、そんな聞いたこともない言語で何をしろというのか。リョーイチはやたらと怒鳴るばかりだし、わび助の声はどんどん小さくなっていった。メタボンもかなり投げやりになっていたし、それはもしかしたらぼくも同じだったかもしれない。

ねーさんだけが、律儀にというか、真面目にノルマをこなし続けていた。だいたい、ぼくたちだってねーさんのためじゃなかったら、とっくの昔に放りだしていただろう。

それでも人間、必死になっていれば何とかなるもので、まずメタボンがハワイ島の安アパートのようなところに住んでいる日本人との接触に成功した。その人は杉田さんのことをよく知っていた。

詳しく事情を聞いてみると、今年の正月にオーストラリアで一緒にアルバイトをしながらサーフィンをしていた仲間だという。そのまま二人で先月ハワイに移ってきたのだが、ここからは別行動をしようという話になって、別れたということだった。

「何でそんな」

メタボンは珍しく正しい質問をしたが、理由はとても単純だった。要するにその人はハワイで現地人と恋をしてしまい、今いるアパートも彼女の両親が経営しているのだという。

邪魔はしないよ、と笑って杉田さんは去っていったそうだ。そんなところで気を遣うぐらいなら、それからどこへ行くのか言い残しておいてほしかった。

「杉田さんは、それからどうするとか言ってませんでしたか？」

「マウイに知り合いがいるから、とりあえずそこへ顔を出すとは言ってたよ」マエダさんのことだろう。「でも、そこからどうするかはまだ決めてないって言ってたな」

ぼくたちが知りたいのは、そこから先なのだ。

「いや、だけど杉田も金が余ってるわけじゃないからさ、結局はこのあたりにいると思うけどね」

無責任極まりない答えが返ってきた。友達だったら、それぐらいのことは把握しておいていただきたい。

ただ、はっきりしたことがある。電話を切ってからぼくたちは話し合った。

杉田さんはハワイ島にはいない。マウイにもだ。残された島は四つということになる。

こうやってみると、刑事の気持ちがよくわかった。犯人の潜伏先を絞り込んでいく時の刑事も、だいたいこんな心境になるのだろう。ある種の高揚感に似た気分だ。

そこで、ぼくたちはハワイ島とマウイ島を思い切って捨て、残りの四つの島の捜索に全力を傾けることにした。

慣れない英語を使い、杉田達也という人を知らないかと尋ねて回るのは大変だったけど、もうここまでくると意地だった。それに、だんだんと状況証拠のようなものも上がってくるようになっていた。

たとえばリョーイチは、カウアイ島のユースホステルにずっと泊まっているという日本人と話し、杉田さんのことは知っているが、少なくともこのひと月、カウアイでは見ていないという証言を手に入れた。

その人の話によれば、カウアイには日本人が集まる溜まり場みたいなところがあって、慣れた者なら必ずそこに顔を出し、情報収集などに努めるという。

にもかかわらず、杉田さんがそこに現れていないということは、彼はカウアイ島にいない確率が高い。もちろん、絶対とはいえないが、かなり精度の高い推理といえるだろう。

わび助はわび助で、どうしてそういうことになったのかわからないが、オアフのカソリック系の教会の人と話しているうちに、そこで日本人サーファーをつかまえていた。

その教会自体が日本人がよく集まる場所になってるそうで、そこで多くの人から話を聞くことができた。杉田さんを見た、という人は少なくなかったが、オアフにいるのかどうか、確実なことはわからなかった。

「いいところまで迫ってるはずなんだけどなあ」リョーイチが言った。「けっこうオレたちは杉田さんを追い詰めてると思うのよ。しかしなあ、これだけ電話しまくって、今どこにいるかわかんないってのはなあ」

リョーイチの言うこともわからなくはない。ぼくたちはどんどん可能性のない場所を潰し続けていた。

リストに載っている宿の数もかなり減っている。それでも見つからないというのは、いったいどういうことなのか。

本当に個人所有の島か何かに渡って、連絡が取れなくなっているということなのか。それとも、誰も気づかないうちに、ハワイから別の場所に移動しているということなのか。どちらもあまり考えたくない事態だった。

「あとはどこがあるって言うんだ」ぼくはリストを見つめた。「ラナイか、それともモロカイか」

「あたし、さっきからずっとラナイの宿とかに電話をかけてるんだけど、全滅。反応ゼロ」

ねーさんが両手を挙げて降参のポーズを取った。あんたが諦めてどうすんだ。

「お前こそどうなんだ。杉田さんの目撃情報とか、知ってる人とか、モロカイにはいないのか」

モロカイはぼくの担当区域だ。それこそ片っ端から電話をかけまくっていたけれど、とにかく日本語はおろか、英語を話せる者さえいない場合の方が多かった。モロカイというのは、とんでもない田舎のようだ。

十七年間生きてきて、今日ほどジャパニーズという単語を使ったことはない。だけど、相手がジャパニーズって何だ、と言い出すのでは話にならない。おかしいなあ、ハワイって日本語が通じるって聞いてたんだけどなあ。

「とにかく、ラナイとモロカイに集中攻撃をかけようぜ」リョーイチが命令した。「オレとねーさんでラナイをもう一回洗い直す。お前らはみんなでモロカイだ。いいな」

いつの間にか捜査の主導権はリョーイチの手に渡っていたが、この際しょうがない。何でお前とねーさんが組むんだとか、そんなことで言い争ってる場合ではなかった。

「リストをもう一回チェックしよう。二度手間になるのは馬鹿らしいからな。電話をかけるのはそれからだ」

　リョーイチの言葉に、ぼくたちみんなが揃ってうなずいた。

14

「どうだ」

「ダメ」

「そっちは」

「全然」

　ラナイ班とモロカイ班の二つに分かれたぼくたちは、確認を取り合いながら杉田さんの捜索を続けた。一時間ほど経った頃、ラナイに電話をかけていたねーさんが、ホントですか、と叫んだ。

「どうしたんすか、ねーさん」

「ラナイに彼が来てるのを見たって人がいるの」携帯を手で塞《ふさ》ぎながら、ねーさんが早口で説明した。「……いつですか？　一昨日？　じゃあ、彼は……杉田はまだラナイに？」

　どうなんだ、と焦れたようにリョーイチが立ち上がった。わび助はじっとねーさんの口元を見つめている。

そしてメタボンは、いつの間に用意していたのか、調理パンを食べていた。何でこの大事な時に〝大きなメンチカツの入った揚げパン〟なんか食ってるんだ、お前は。

そうですか、という低い声が聞こえた。ありがとうございます、と礼を言ってからねーさんが電話を切った。

「いないんですか？」

そう尋ねたぼくに、わかんない、と首を振った。

「今の電話の人はね、一昨日、ラナイで杉田と話したんだって。お昼ご飯を食べに行った食堂みたいなところで、彼と会ったって……でも、そのまま別れたから、その後のことはよくわからないって言うんだけど」

「よし、メタボン、お前は美味《うま》そうにパンなんか食ってるんじゃないよ。お前もラナイの捜索に加われ。二日前までいたんだ。モロカイより、こっちの方が絶対に可能性は高い。どこにいるのかはわからないけど、まさか野宿してるってことはないだろう。どうにかして捜すんだ」

メタボンがソースだらけの口元を手で拭ってから、今まで電話をかけていたモロカイ島のリストをぼくに渡した。紙から油っぽい臭いが漂ってくるようだった。

確かに、リョーイチの判断は正しいだろう。杉田さんがラナイにいる可能性が高くなった今、そっちの人数を増やす方が正解だ。

ぼくとわび助がモロカイ、そしてねーさんとリョーイチとメタボンがラナイ、そんなふうに分担を変更した。

ぼくは渡されたばかりのリストの一番上にあった、ビラブタンガ、という名前の宿にとりあえず電話をしてみることにした。一応、便宜上ビラブタンガと発音しているが、正確にそうなのかどうかはよくわからない。

呼び出し音が十数回鳴ったところで、ハロー、という眠そうな声が聞こえた。ハロー、とぼくも言った。どうやら英語は通じそうな気配だ。ぼくは例によって例のごとく、同じ質問をぶつけてみた。

「ドゥーユーハブジャパニーズスタッフ？」

「No」

ほとんど即答だった。別に期待はしていなかったけれど、もう少し愛想があってもいいんじゃないだろうか。でも、仕方がない。次の質問をしてみるしかなかった。

「ドゥーユーハブジャパニーズゲスト？」

「No」

まったく同じ抑揚で答えが返ってきた。宿屋のはずなのに、どうしてこうも態度が悪いのか。客商売を何だと思っているのか。よほど電話を叩き切ってやろうかと思ったけれど、念のために一応最後の質問をしてみることにした。

「ドゥーユーノウネーム、タツヤ・スギタ。ヒーイズサーファー」

「ああ、知ってるよ、そりゃもちろん」

いきなり相手の言葉が日本語に切り替わったために、ぼくの頭は混乱を来《きた》してしまった。いったいぼくは誰と話しているのだろう。慌ててスピーカーホンにした。

「誰って、俺だよ」声が言った。「杉田達也、それはたぶん俺のことだと思う。ほかじゃ聞いたことがないからね」

ところで、死ぬほど下手くそな英語を使う君は誰なんだい、と杉田さんが言った。大変だ、とうとう見つかったぞ。

「あの、ぼくはですね、埼玉の春日部学園高校の二年生で、井上っていいます。陸上部に入っています」

「へえ、春日部学園」ちょっと杉田さんの声が高くなった。「懐かしい名前だ。いや、俺もそこの出身なんだよ、あ、卒業はしてないか。でもまあ、三年の三学期までいたんだから、OBってことでもいいよな。そうか、じゃあ井上くんは俺の後輩にあたるってわけだな？」

「そうです。そういうことになります」

「しかしだ。井上くんについて、俺は名前も顔も知らない。そっちだってそうだろ？

それなのに、どうしてこんなところまで電話をかけてきたんだ？　まさか同窓会のお知らせとかじゃないだろう。俺、そういうの苦手なんだよ」

「そうじゃなくて……あの、杉田さんは、そこで働いてるんですか？」

いいや、と杉田さんが言った。

「俺はサーフィンのためにここへ来てるんだ。ここのボスはもう寝てるからね」

「あっ、そんな時間ですか」

「おいおい、こっちの時間を知らないで電話してんのか」

「すみません」

今、はじめて気がついた。時差なんてすっかり忘れていた。というか考えもしなかった。ハワイのみなさん、ごめんなさい。

「それで、杉田さんは客じゃないんですか？」

「ここのボスとは、昔からの知り合いなんだ。俺が来れば、泊めてくれて、メシだけは食わせてくれることになってる。金を払ってないから、客とはいえないだろう」

リョーイチがぼくの肩を思いきり強く叩いた。そうだ、そんなことはどうでもいい。とにかく状況を説明しないと。

「あのですね……ぼくらが何で杉田さんを捜してたかっていうとですね……ええと、春日部学園高校の二年生ってのはさっき言いましたよね？　それで、一年上、つまり三年生に菅野桃子先輩がいるんです」

杉田さんが急に黙った。構わずぼくは話を続けた。

「実は……はっきり言いますけど、桃子先輩、病気なんです。すごく言いにくいんですけど、かなり悪くて……」

「そんなこと、あるはずがない」きっぱりと杉田さんが言った。「桃子が病気？　そんな馬鹿な話があるもんか。あいつはね、病気にかかるような、そんなやわなタイプの女じゃないんだよ」

「本当なんです。本当に、桃子先輩は病気で……」

まさか、という声がした。全然信じていない。なるほど、杉田さんというこの人は、ねーさんと本当につきあっていたんだなとぼくにはよくわかった。

ねーさんと病気を結び付けるのは、連想ゲームを百回やっても難しいだろう。少なくとも、杉田さんがねーさんについてよく知っていることは間違いないようだった。

「それで、その病気なんですけど……桃子先輩はいわゆる骨肉腫に罹《かか》っています。発見が遅れたとか、いろいろあって……桃子先輩は足の切断手術を受けなきゃならなくて……」

「井上くん……これは、あれか？　いわゆる振り込め詐欺ってやつか？　桃子が病気で、だから手術代が必要で、そのために金を送ってほしいとか、そういう話になるのか？」

冗談っぽい言い方だったけど、そうです、と答えたら杉田さんはすぐに持ってるだけの金をすべてぼくの銀行口座に振り込んでくれただろう。

ねーさんが骨肉腫でないというのなら、いくらでも騙《だま》されてやる。杉田さんがそう考えているのはすぐにわかった。

「残念ですけど……そうじゃないんです。本当に桃子先輩は骨肉腫で……」

「……本当なのか」

圧倒的な力に押されながらも、はい、とぼくは答えた。嘘だろ、という脅すような声が聞こえた。

「嘘だよな？　桃子が、そんな……」

「桃子先輩から聞きました。前に、先輩は杉田さんとつきあってたことがあるって。そして、もし手術前に会えるなら、会って、顔が見たいって言ってるんです……」

ねーさんが無言で手を伸ばした。ぼくは素直に携帯を渡した。ゴメン、というねーさんの声が聞こえた。

ちょっとねーさんは泣いていた。そんなふうにねーさんが泣くのを、ぼくたちは初めて見た。

しばらく話していたねーさんが、目元を手で拭いながらぼくに携帯を差し出した。ぼくはねーさんの顔を見ることができないまま、それを受け取った。

「……井上です」

「井上くん、手術はいつなんだ」

杉田さんの質問は単刀直入だった。明後日です、とぼくは答えた。

「明後日の日曜日、午後一時から始まります」

何かものすごい音がした。杉田さんが手近のものを壁に投げ付けたのだろう。気持ちはよくわかった。

「お前、何でもっと早くそれを知らせなかったんだよ！」

何で、と言われてもどうしようもない。はっきり言えば、杉田さんが悪い。

モロカイ島なんて、ハワイの片隅にあるような島でサーフィンなんかしているから、捜すのに手間がかかったのだ。湘南《しょうなん》あたりにいてくれれば、もっと話は早かっただろう。

「病院は？　手術はどこでするんだ？」

「春日部の京林病院です」

「わかった。すぐ日本に帰る。井上、お前の携帯の番号を教えておいてくれ。こっちを出る前に連絡する」

ぼくは自分の携帯番号を言った。杉田さんはそれを何かに書き留めているようだった。

「桃子に伝えておいてくれ。必ず行くから、俺が行くまで待ってろって。わかったな。

井上、お前の役目はな、俺が行くまで手術を始めさせないことだ。いいな」

どのへんからかよくわからないが、ぼくの名前は呼び捨てになっていた。まあ、仕方がない。一応、先輩だ。

「わかりました」

それで、と言う前に電話が切れた。メタボン、とぼくは叫んだ。

「杉田さんは今モロカイ島にいる。どうなんだ、明後日の午後一時までに、日本に帰ってこられるのか?」

「モロカイ島から日本への直行便はない」憂鬱そうにメタボンが答えた。「たぶん、オアフに出て、ホノルル空港から日本へ来るつもりだと思う。ハワイ島からも直行便は出てるけど、何しろ便数が少ないからね。ただ……ねーさんの手術の時間に間に合うかどうかわからない。はっきり言って、かなり厳しいと思う」

「いいよ、イノケンもメタボンも」目を真っ赤にしたねーさんが言った。「みんな、ありがとう。本当にありがとう。とにかく、あいつの声を聞くことができた。すぐに行くって言ってくれた。もういい。それで十分なの」

「いや、十分じゃないっすよ」リョーイチが言った。「ここまで来たからには、とにかく杉田さんとねーさんを会わせないと、オレの気が済まないっていうか。おいデブ、もっとちゃんと調べろ。お前も一応プロのテツなんだから、空のことだって何とかなるだろ」

「ならない」メタボンが首を振った。「鉄道と飛行機は全然違う。せめて車なら、まだある程度時間も読めるけど、飛行機だとそれさえできない。一応、出発時間、到着時間はあるけれど、それはあくまでも目安に過ぎないんだ。ちょっとしたことで、飛行機の到着時間は平気で一時間とか二時間とか遅れることがある。それぐらいわかるだろ」

「理屈の話をしてるんじゃねえんだ。根性の話をしてるんだよ！」リョーイチが怒鳴った。「さっさとそのでかいケツを上げて、杉田さんが日本に着く最短の時間を調べてこい。わかんないとか言い出したら、お前の菓子パンを全部オレが食ってやるからな」

それだけは勘弁してください、と素早く立ち上がったメタボンが病室を出ていった。百メートルを十二秒台で走り切れるほどの速さだった。やればできるじゃないか。

「間に合うといいね」

わび助がため息をつくように言った。そうだ、本当にその通りだ。手術の前に杉田さんとねーさんが会えればいい、そして励ましてあげてほしい。そう考えていたのはぼくだけではないはずだ。リョーイチが小さくうなずいた。

Vol.3

When will he come back?

声が聞けてよかった、とねーさんがつぶやいた。正直、ぼくはねーさんがそんなことを言うなんて思ってなかったから、ものすごくびっくりした。

1

ねーさんは男前な人だ。ここでいう男前というのは、女子にありがちなうじうじしたところとか、陰湿な部分がなくて、すごくさっぱりした性格ということを意味している。だから男子の誰もが、ねーさんとはつきあいやすいと言う。ぼくもその通りだと思う。

もちろん、その分ねーさんはいろんな意味ではっきりした性格でもある。感情家と言ってもいいだろう。だからねーさんは、誰かがいいかげんなことをしたり、言ったりすると、その場ではっきり指摘することもあった。

これって、言うのは簡単だけど、意外と難しい。ていうか、普通なかなかできないだろう。

男同士でさえも、そこには遠慮とか配慮がある。あんまり物事をはっきりさせてしまうと、人間関係に軋轢《あつれき》が生じかねない。だから、ぼくたちは大概のことを曖昧にごまかして、毎日を過ごしていた。その方が普通だろう。

でも、ねーさんは違った。ねーさんは自分のルールに照らし合わせて、間違っていると感じることがあれば、相手が同級生でも年上の先輩でも、それをはっきりと言った。

そんなねーさんのことを煙たがる人もいないわけではなかったけれど、嫌われたりするのを覚悟した上で、忠告をしてくれる人って、最近は特にいないと思う。ねーさんが男前だというのはそういう意味で、だからこそ、ぼくたちはねーさんの存在を大事に思っていた。

ただ、そういう人によくあることだけど、いろんなところで無理をしたり、我慢しなければならないことも多かったはずだ。杉田さんのことにしたってそうで、これはぼくの憶測だけど、ねーさんは誰にも杉田さんとつきあってることを言っていなかったと思う。恋愛とかについて、照れくさく感じてしまうのがねーさんという人だ。

そのねーさんの口から、声が聞けてよかった、なんて素直すぎる感想が漏れたことに、ぼくを含めみんなも驚いていた。逆に言えば、ねーさんにとって杉田さんはそれだけ大切な人だということなのだろう。

それはともかくとして、とにかく杉田さんは見つかった。あとは、杉田さんが明後日の午後一時までに日本に戻ってくることができるかどうかだ。

「いや、そりゃ大丈夫じゃねえの？」リョーイチが言った。「だって今日は金曜日だぜ。今日の飛行機に乗れば、明日中には日本に着くだろ」

「さっき杉田さんも言ってたけど、リョウくんは時差を忘れてる」わび助が小さな声で言った。「今、日本は金曜日の夕方だ。正確に言えば午後七時」

「それで？」

ハワイとの時差は、とわび助がケータイを取り出した。

「ハワイとの時差はマイナス十九時間。つまり、今ハワイは昨日の夜十二時ぐらいってことになる」

「昨日？　だったら余計に楽勝じゃんか。木曜に出て、日曜日までに着かなかったら、その方がおかしくねえか？」

リョーイチは決して悪い男ではない。人として、友達として、それだけははっきりさせておきたい。ただ、時差という複雑な問題を理解できる能力がないのも事実だった。

「杉田さんがいるのは、ハワイでもどっちかっていったらマイナーなモロカイ島だ」わび助が暗い声で話を続けた。「夜の十二時から日本への直行便があるオアフ島、それかハワイ島へ行くのは無理だと思う」

「わびちゃんさ、何が言いたいのかはっきりしてくんねえか。オレ、頭悪いからよくわかんねえんだよ」

リョーイチがちょっといらついた声で言った。つまり、とぼくは二人の間に入った。

「明日にならないと、杉田さんはモロカイからオアフには行けないだろうってことだ」

「んなこたねえだろ。モロカイからオアフって、そんなに遠いのか?」

たぶんね、とぼくは答えた。

「さっきまで、いろんな人に電話してただろ? 誰に聞いたのかも覚えてないけど、確かその二つの島を渡る交通手段って、飛行機しかないって言ってたような気がする。もちろん、そんなめちゃくちゃ遠いわけじゃないぜ。三十分とか、せいぜい一時間ぐらいだろう。だけど、夜の十二時にそんなローカル線が飛ぶとはおれも思えないな」

「じゃあ、ボートとかで渡ったらどうよ。杉田さんってのはサーファーなわけだろ? モロカイにも友達ぐらいいるはずだよな。その人たちにクルーザーとまでは言わないけど、モーターボートか何か出してもらって、それでオアフまで……」

リョーイチの声が小さくなった。仮にモロカイからオアフまでが飛行機で三十分だとしよう。それって、日本でいえば東京から名古屋ぐらいまでの距離だと思う。

飛行機なら、三十分で着くかもしれないけど、モーターボートだったらどれぐらいの時間がかかるかわからないってことに、リョーイチも気づいたようだ。

しかも、どんどん夜は深まっていく。そんな時間に、猛スピードでモーターボートを運転してくれる人がいるだろうか。

「大丈夫だよ、リョーくん」ねーさんが微笑みながら言った。「二人が言ってることは、たぶん正しい。飛行機は飛んでないだろうし、ボートでオアフまで行くのも無理だと思う。でもね、あいつはあたしにはっきり言ったんだ。絶対行くから、それまで待ってろって。あいつはね、本当にバカで、単細胞で、どうしようもない奴だけど、約束だけは絶対に守る。そういう男なの。だから大丈夫。心配しなくても、あいつはちゃんと日曜の午後一時までにここへ現れるから」

「ねーさん、それはまあ、わかりますけど……」ぼくはちょっとだけ言葉を探してから、話の先を続けた。「ぼくも杉田さんと話して、何かわかったような気はしたんです。杉田さんって人は、どんなに不可能なことがあっても、絶対になんとかしちゃう人なんだろうなって。下手したら、テレポーテーションぐらいしちゃうかもしんないような人ですよね」

そうそう、とねーさんが笑いながら手を叩いた。杉田さんは、たとえばだけど、前に壁があったとして、それを乗り越えるとか、迂回《うかい》して行こうとか、そんなことを考えないタイプだと思う。

おそらくは、無言のまま壁を叩きこわそうとするだろう。そういう人だとぼくは感じていた。

「だから、ねーさんの言いたいことはよくわかるつもりです。ただリアルな話、本当に間に合うかどうかは、何ともいえないっていうか……」

ぼくがちょっと消極的な意見を言ったのは、ねーさんのためを思ってのことだった。今夜中に杉田さんがオアフに行けるかどうかは別として、少なくとも明日の朝には十分に間に合うだろう。

だけど、メタボンも言ってたけど、飛行機っていうのは電車と違う。乗り継ぎとか、そういうことがひとつずれただけでも、到着時間は全然違ってくるはずだ。

もし、万が一にでも、杉田さんが手術に間に合わなかったとしたら、ねーさんはどれほど傷つくだろう。それを考えると、景気のいいことばかりを言うわけにはいかなかった。

ある程度、ネガティブなことも考えておかないと、ねーさんが心理的にどれだけショックを受けるか。だから、ぼくはあえてそんなふうに言ったのだ。

「辛気くさいことばかり言うね、お前らは」リョーイチが呆れたように言う。「とにかく、ここでいくら話しててもどうしようもねえだろ。メタボンの調査結果を楽しみにしよう」

そうだな、とぼくはうなずいた。今ここで憶測だけで話していても仕方がないのは確かだった。

2

三十分ほどでメタボンが調査結果を手にして戻ってきた。

「それで、どうなんだ。メタボン。杉田さんは明後日までに日本へ帰ってこられそうか？」

車椅子をベッドの横に付けながらリョーイチが聞いた。わからない、とメタボンがない首をぶるぶると振った。

「何がわからないんだよ」

「今、モロカイ島は木曜の夜の十二時半ぐらいだ」メタボンがケータイの時計をチェックした。

「確認したけど、もうこの時間だとモロカイからオアフへ飛ぶ飛行機は、セスナとかも含めてない。橋がかかっているわけでもないから、車での移動も無理だ」

「船だったらどうなのって、さっきみんなで話してたのよ」

ベッドに横になりながらねーさんが言った。難しいです、と急にメタボンがおとなしい声になった。

「船でモロカイからオアフに行くのに、どれぐらい時間がかかるか……その計算ができないんです。しかも夜ですから、そんなにスピードも出せないでしょうし。基本的には、やっぱり無理なんじゃないかなって……」

「じゃあ、明日の飛行機待ちだな」リョーイチが言った。「向こうの早朝の便でオアフに出て、それで日本へ戻ってくればいい。問題ないだろ？」

大ありだ、とメタボンが言った。よく見ると、メタボンは左手にキャッチャーミットほどもある大きさのおにぎりを持っていた。ひと口それをかじってから、話を続けた。

「オアフ、ホノルル空港から日本の成田空港への直行便は決して少なくない。飛行機会社だけでいっても、ＪＡＬ、ＡＮＡはもちろん、中華航空、ユナイテッド、ノースウエスト、アメリカン航空、それからアシアナ航空とかＵＳエアウェイズとかもある」

「そんだけありゃあ、なんとかなるだろ」

ならないんだ、とメタボンが頭を振った。

「今、何月かわかってる？　七月の終わり、つまり観光シーズンのど真ん中なんだ」

「そんなことぐらいわかってるさ」

「だけど、杉田さんは飛行機のチケットを持っていない。つまり、ホノルルで日本行きのチケットを手に入れなければならない。しかも、現地時間の明日、金曜日中に出る飛行機のチケットでなきゃ意味がないんだ」

どうしてだよ、と尋ねたリョーイチに、いいかい、とメタボンがゆっくり説明を始めた。

「繰り返しになるけど、杉田さんは今夜中にオアフ島へ行くことはできない。つまり、明日にならなければ動きは取れないんだ。でも、とにかく朝イチでオアフ島へ渡れたと仮定してみよう。その場合、さっきも言った通り、ホノルル空港発成田空港着の直行便は十五便くらいある。最終は現地を午後二時二十五分に出るノースウエスト便だ。これなら成田に日本時間の土曜日、午後五時半に着くことができる」

「じゃあ、問題ねえじゃん。十五便もあるんだろ？　一人くらいキャンセルする客だっているだろうさ」

「そこがわからない。保証は誰にもできないからね。もし、最終のノースウエスト便を逃したら、また翌日の朝からキャンセル待ちだ。一番早いのは、現地時間の朝九時五分に出るＪＡＬウェイズだ。これが成田に午後〇時ちょうどに着く。オンタイムでだよ。ディレイとかあったら、どれくらい遅れるのか見当もつかない」

オンタイムって何だ、とリョーイチがわび助に囁いた。時間通りに着くってことだよ、とわび助が答えた。ついでに言えば、ディレイというのは遅延という意味だ。

「昼の十二時ね。いいとこじゃないの。明日のその時間に着けば、土曜日はゆっくりねーさんとも話ができるってわけだ」

はあ、と頭を抱えたメタボンがまたおにぎりをひと口食べた。

「明日じゃないよ。十二時っていうのは、日本時間の明後日、つまり日曜日のことだ。言ってる意味がわかるかい？　日曜日のその時間に杉田さんが着くのは成田空港で、春日部じゃないんだ。春日部には国際空港がないからね。だから、杉田さんは最悪でも明日、現地時間の金曜日中に出る飛行機に乗らなきゃならない。そうじゃなきゃ……日曜の午後一時、ねーさんの手術の時間までにこの春日部へ到着することは絶対にできない。不可能なんだ」

わけがわからない、というように、しきりにリョーイチが首を捻っていたけど、ぼくにはメタボンの言わんとすることがなんとなく理解できた。そうか。なるほどその通りだ。

もし、現地時間の明日中に杉田さんが成田行きの飛行機に乗れなかったとしたら、一番早くても明後日の朝九時五分の便に乗り、成田に着くのは手術当日、日曜の十二時ちょうどだ。だけど、そこから杉田さんは春日部まで来なければならない。その時間をぼくたちはまるで考えてなかった。

「成田空港から春日部って、どんぐらいかかるんだ」

リョーイチが低い声で言った。乗り継ぎから何から、すべてうまくいったとして、とまたメタボンがおにぎりを食べた。

「一時間五十八分だ」

「約二時間か……十二時に二時間を足したら……二時じゃねえか！」

リョーイチが大声をあげた。だから、最初からそう言ってるじゃないか、とメタボンが最後のひと口でおにぎりを丸呑みにした。その顔が異様な感じに膨《ふく》れ上がった。

「いいかい、日曜の午後一時っていうのは、ねーさんの手術の術前処置が始まる時間だ。それが始まってしまったら、手術の前にねーさんが杉田さんと会うことはできなくなる」

メタボンは陸上部に籍を置いているけど、本質的には徹底的なテツだ。要するにオタクってことで、そういう種類の人間にありがちなことだけど、他人の感情を無視して話を進めることがよくある。今もそうだった。

おい、とリョーイチが肘で強くメタボンの脇腹を小突いた。ねーさんの気持ちを考えてしゃべれ、という意味だったのはみんなにもわかっていたけど、メタボンだけがそれを理解していなかった。一度稼働を始めたメタボンのコンピューターは、それぐらいのことで止まるはずもない。

「電車じゃなかったら？　たとえば成田からヘリコプターで春日部まで……」

どうかな、というようにわび助がぼくたちを見つめたが、そんなことできるわけないだろ、というぼくたちの冷たい視線に、怯えたように部屋の隅に引っ込んだ。

「車だったらどうだ？　高速使って、春日部まで来るっていうのは」

リョーイチが言った。まだその方が現実味があるかもしれない。でも、メタボンは首を振るだけだった。

「レンタカーを借りる時間が無駄だ。それに、どう考えても電車の方が絶対に速い。たとえばだよ、たとえばだけど、ものすごく極端な話、すべての交通法規を無視して、時速二百キロで走り続けるっていうんなら、可能性はあるかもしれない。でも、そんなの無理だよ」

「もういい。メタボン、お前の話はわかった。とにかく結論だけ教えてくれ。杉田さんは間に合うのか、間に合わないのか、どっちなんだ？」

リョーイチが疲れきった表情で尋ねた。ぼくの計算によれば、とメタボンが口を開いた。

「明日中に杉田さんが飛行機に乗ることができれば、確実に間に合う。だけど、それが駄目だったら、その時は……」

大丈夫だよ、メタボン、とベッドに横になりながらねーさんが言った。

「心配いらないって。あいつのことは、あたしが一番よくわかってる。一度口にしたことは必ず守る。それがあいつのルール。そして、あいつはあたしに言った。必ず行くから、待ってろって。だから大丈夫。必ず間に合う」

わかったか、デブ、とリョーイチがメタボンの頭を軽くはたいた。わかりました、とメタボンが静かにうなずいた。

3

土曜日、ぼくたちは朝から病院に集まっていた。本当は陸上部の練習日だったけど、それどころじゃない。ぼくたちが待っていたのは、杉田さんからの連絡だった。

昨日、連絡が取れた時、杉田さんはぼくのケータイの番号を聞いてきた。こっちを出る前に連絡する、とも言っていた。

その時、ぼくは杉田さんの連絡先を教えてほしいと言ったのだけれど、返ってきたのは、悪いな、というひと言だった。

「俺、ケータイ持ってないんだ」

なかなか衝撃的な発言だと言っていいだろう。杉田さんのお母さんから聞いていたが、本人から聞くとその効果は絶大だ。いかに旅ばかりしている杉田さんとはいえ、ぼくたちとはたかだか三歳しか違わない。

今の時代に、ケータイを持っていない人がいるなんて考えたこともなかった。国際電話をかけることができる機種が出ているのを、知らないのだろうか。

「あいつらしいよね」ねーさんは一人で笑っていた。「高校の時からそうだったけど、まだケータイ持ってないんだ」

何で持たないんですか、と尋ねたリョーイチに、便利すぎるからって言ってた、とねーさんが微笑んだ。

「便利すぎる？」

「ケータイは、そりゃあ、あればそれにこしたことはないと思うとも言ってたな。でも、便利すぎて、何かもっと大事なものをなくしてしまうような気がするっていうのが、あいつの言い分だった。たとえばだけどさ、うちらが待ち合わせする時って、じゃあ二時ぐらいに春日部のララガーデンで会おうとか、そんな言い方するじゃない？　近くに着いたら電話するからとか。あいつは、そういうのが好きじゃないみたいだった。本人が一番ずるずるでテキトーな性格のくせに、そういうのは嫌だって。それとも、そういう性格だからなのかな。そんなことに慣れていったら、人間がダメになるような気がするって。自分がダメ人間なのに、おかしいよね」ねーさんが笑いながら言った。「だけど、ホントはあいつ、ケータイとかパソコンとか、要するに機械ものが苦手だったから、そのせいだったような気もするけど」

そうなのかもしれない。でも、杉田さんの言うことも、ちょっとわかる気がした。

ケータイ、PC、iPod。ぼくたちの周りには便利なものが溢れ返っている。それは決して悪いことではないかもしれない。でも、その代わりに、何か大事なものを失っているような気もしないではなかった。

ぼくは高校生になって、初めてケータイを買ってもらった。だから、中学生の時と比較してっていう話だけど、確かにケータイを持つようになって、いろんなことが便利になった。でも、その分、やっぱり何ていうか、ちょっと便利すぎて違うな、と思うこともあった。

たとえば、好きな女の子の家に電話するのと、その子のケータイに直接電話するのとでは、ドキドキ感が全然違うはずだ。そして、メールだったら、そのハードルはもっと低くなってしまう。

いいことなのか、悪いことなのか、ぼくにはわからない。毎日の暮らしが楽になるのは、たぶんいいことなのだろう。

だけど、楽になるのが何でもいいことなのかは何とも言えない。もしかしたら、苦労して何か成し遂《なと》げた時の方が、達成感は大きいかもしれなかった。

ただ、それはともかくとして、今の状況において杉田さんがケータイを持っていないというのは、ぼくたちにとって非常に困ることだった。もっとはっきり言えば、迷惑ですらあった。

それはつまり、こちらからは連絡が取れないということで、ただ待機するしかない。うかつにトイレにも行けないじゃないか。

「今、何時だ」

リョーイチが誰にともなく言った。十時を少しまわったとこ、とわび助が答えた。

もうぼくたちは日本とハワイの時差について、完璧に把握していた。ハワイ時間は日本時間に五時間足した上で、一日前の日と考えればいい。つまり、今ハワイは金曜の午後三時ぐらいということになる。

「もう最終便は出ちゃってる。まだハワイにいるようだったら絶望的だよ」と、メタボンが言った。「ホノルルから日本へのフライト時間は、だいたい八時間前後だ。そして、昨日も言ったけど、ホノルル発成田着の最終便は、現地を午後二時二十五分発の便だ。それだと、成田に夕方の五時半に着くことができる」

七月、あるいは八月でなければ、その便はないというのがメタボンの説明だった。要するに、観光シーズンなので、航空会社が特別便を出しているのだそうだ。

「今が八月で助かったね」

わび助が言ったけど、どっちもどっちだなあ、とメタボンが額の汗を拭った。

「オンシーズンだから、飛行機の便数は増えている。それは間違いない。だけど、その分観光客も多い。杉田さんが、飛行機のチケットを手に入れられるかどうかは、よく見ても五分五分ってところなんじゃないかな」

それから一時間が経った。病室の壁の時計が十一時を指していた。検査から戻ってきたねーさんが、連絡は？　と目だけで聞いてきた。ないっす、とぼくたちも目だけで答えた。

さすがにねーさんも何も言わなかった。言えなかった、という方が正確だろう。時間的に見て、リミットを過ぎているのは明らかだった。

「もし、最終便に乗れなかったとしたら……杉田さんは明日の朝の便で日本に戻ることになる。だけど……その場合はねーさんの手術には間に合わない」

「何度も聞いたよ、デブ」リョーイチがベッド脇にあったクッションを投げつけた。「うるせえんだよ、お前はよ。まだわかんねえじゃねえか」

そうだ。まだわからない。何かが起きて、飛行機の離陸が遅れていることだって、ないとはいえないだろう。

メタボンではないけれど、飛行機と鉄道は違う。一応飛行機にも時刻表はあるけれど、その通りに発着するかどうかはその時の状況によるはずだ。

「とにかく、待とうよ」わび助が言った。「今、ぼくたちにできることは、待つことだけだ。そうだよね？」

だな、とぼくたちは顔を見合わせてうなずいた。実際、できることはそれしかなかった。

ねーさんとぼくたちは、ただ黙ってテーブルの上のケータイを見つめた。杉田さんからの電話がかかってきたのはそれから約三十分後、十一時二十七分のことだった。

4

「井上か？」

そうっす、とぼくは震える手でケータイを握りしめた。みんなが顔を寄せてきて、杉田さんの話を聞こうとした。邪魔だけれど、気持ちはよくわかるので、そのままにしておいた。

「手短かに話す。時間がないんだ」杉田さんが言った。「アメリカンの臨時便のチケットが取れた。日本に戻る。着くのはそっちの土曜の夜になるだろう。そうしたら電車に乗って春日部へ向かう。もしそれが無理でも、日曜の朝一番の電車でそっちへ行く。手術は午後一時からだったよな？ どっちにしても、それには確実に間に合うはずだ」

ぼくはケータイをねーさんに渡そうとした。でも、ねーさんはちょっとだけ首を振って、いい、と言った。

「会った時に話すから」

この期《ご》に及んで、何を照れているのだろうか、この人は。でも、本人が固辞《こじ》しているのだから仕方がない。ぼくはケータイを持ち替えて、杉田さんの話の続きに耳を傾けた。

「春日部に着いたら、お前に電話する。迎えに来いとは言わない。おれだって、ずっと春日部に住んでたんだ。病院の場所ぐらいわかる」

「わかりました」それにしても、とぼくは言った。「よく、間に合いましたね」

「ああ、自分でもそう思うよ」杉田さんが疲れた声で答えた。「お前の電話を受けて、すぐにこっちの友達に頼んでジェットボートを出してもらったんだ。夜中の海を猛スピードで突っ走るのは、さすがにちょっと怖かったな」

「無茶しますね」

「それは俺の得意分野なんだ」杉田さんの笑い声が聞こえた。「夜のうちにオアフまで行って、あとは徹夜でチケットのキャンセル待ちさ。これが全然なくってな。まったく、どうして日本人は夏になったらハワイに来なきゃならないんだ？　すごかったぞ、空港。日本人だらけでな」

「でも、とにかくチケットを取ることができて、よかったじゃないですか」

まあ、その、何だ、と杉田さんが言い淀《よど》んだ。どうしたんですかと尋ねると、井上、という声がした。

「世の中、多少の暴力は必要だよな」

何となくだけど、どうやって杉田さんがチケットをゲットしたのか、それがわかったような気がした。合法的な方法ではなかっただろうと思われた。

でも、仕方がない。杉田さんが言う通り、どうしようもない時は、多少の暴力を用いなければならないこともあるのだろう。

「時間だ」杉田さんの声がした。「最終案内に入った。おれは今から飛行機に乗る。あとの話は、おれが日本に着いてからするよ」

「待ってます」

「待っててくれ。それから、桃子に伝えておいてくれないか。いつも言ってる通り、おれは約束を守る男だってな」

「そんなの、自分で言ってください。菅野先輩、今ここにいますよ」

馬鹿野郎、と杉田さんが乱暴に言った。

「そんな恥ずかしいこと、言えるわけないだろうが。お前に任せるよ」

任されても困る。どうもこの二人は、妙なところばかり、やたらと似てはいないだろうか。何を恥ずかしがっているのか、ぼくにはよくわからない。

「じゃあな。春日部で会おう」

「そうっすね。とにかく、何時になっても、着いたら電話してください」

「わかった。井上」

杉田さんがちょっと黙った。何ですか、とぼくは聞いた。

「……サンキュー」

そこだけ変に正確な発音で言った杉田さんが、電話を切った。

ぼくは話が終わったことをみんなに伝えた。全員の視線がねーさんに集まった。

ねーさんの目が真っ赤になっていた。そんな、らしくもないっすよ、とリョーイチがねーさんの肩を叩いた。

「とにかく、よかったじゃないすか。杉田さん、戻ってくるんですよ。しかも、ねーさんに会うために」

「こんなことでもないと、会いにも来ないような人だからね」ねーさんがため息をついた。「まったく、自分勝手に世界中を飛び回ってるんだから。あのサーフィンバカ」

そんな憎まれ口を叩きながらも、やっぱりねーさんは嬉しそうだった。それはそうだろう。気持ちはよくわかった。しかも、一時は諦めていたのだから、その喜びも半端ではないはずだ。

「それにしても」メタボンが額に皺を寄せた。「杉田さんは、どうやってチケットを手に入れたんだろう」

それについてはあまり考えない方がいいとぼくは思っていた。聞いたところで、とんでもない答えが返ってくるのは、なんとなくわかっていた。

まず間違いなく、杉田さんは普通ではあり得ない方法でチケットを入手したのだろう。おそらくは、聞きたくもないようなやり方で。

「よし、メタボン、話は決まった」リョーイチが言った。「成田空港から春日部までの、終電の時間を調べておけ。それと、明日の朝イチの時刻表もな。迎え入れるこっちも、万全の態勢を取っておこうじゃないの」

わかった、とうなずいたメタボンがケータイを開いた。

5

土曜の夜中、とにかくめったやたらとぼくのケータイが鳴った。イメージとしては、鳴り続けて止まらない感じだ。かけてきたのがリョーイチ、メタボン、そしてわび助の三人だったことは言うまでもないだろう。

メタボンからは夜九時半と十時半に、杉田さんが春日部に着いたかどうか、という確認の電話があった。メタボンによれば杉田さんが飛行機に乗り込む寸前にかけてきた電話の内容から判断する限り、最悪でも夜の七時半ぐらいには成田に着いているはずで、だとすれば九時とか十時に春日部に着いていてもおかしくないはずだという。

連絡がないのはおかしい、とメタボンがいつものようにもっさりした口調で言った。言ってることはわかるけど、ぼくには答えようがなかった。

「とりあえず、今の時点で杉田さんからの連絡はない」

「おかしいなあ……そんなこと、あり得ないはずなんだけどなあ」

　メタボンがしゃべるのと同時に、何か落ち葉を踏むような音が聞こえた。どうやらポテトチップスか何かを食べながら電話してきているようだった。緊迫感の足りない男だ。

「むしろおれが聞きたいよ。いったいどうなってるんだ？」

「可能性だけなら、山のようにある。それこそ、腐るほどにね」メタボンが落ち着いた声で答えた。「早い話、杉田さんが乗った飛行機が墜落したのかもしれない」

　縁起でもないことを言う奴だ。もっとも、それはないけど、とメタボンが付け加えた。

「そんな大事故が起きていたら、ニュース番組が真っ先に取り上げているだろ？　そうでなくても、ネットでその情報が流れないはずがない」

「じゃあ、ほかにどんな可能性があるっていうんだ」

「ありそうなのは、杉田さんがイノケンの電話番号をメモした紙をなくしたとか、そういう単純なことだと思うな。人間てさ、焦るとどうしてもそういうふうになっちゃうよね」

　なるほど。杉田さんについて、ぼくは顔さえ見たことがなかったけれど、電話で話した限り、メタボンの言うような可能性は十分ありそうな気がした。

　典型的な、走ってから考えるタイプのキャラクターだということは間違いないだろう。

　そして、もしかしたら、走り終えた後で、何で俺は走ってたんだろう、とまで考える人

「あるいは、何らかの理由で飛行機が大幅に遅れているとか」

メタボンが物凄い音をたてながらポテトチップスを食べていた。そんなことってあるるのかと尋ねたぼくに、電車と違うって百回ぐらい言ったと思うよ、と聞き取りにくい声で答えた。口の中はポテトチップスで一杯なのだろう。

「たとえば？」

「豪雨とか、強風とかね。ハワイから日本へ向かって追い風が吹いていれば、その分早く着くけど、逆風だったら当然遅くなる。飛行力学の初歩中の初歩だから、イノケンもそれぐらいは覚えておいた方がいいと思うよ」

別にそんな必要はないと思う。飛行力学なんて、おそらく今後五十年経ったとしても、ぼくの人生に関係してくることはないだろう。

「ハイジャックの可能性だってある。特に最近はテロとかがあるから、ちょっとしたことでも飛行機が飛ばなくなることは十分に考えられるんだ。それぐらいわかるだろう？」

本人にそのつもりはないのだろうけど、時々メタボンと話していると妙にいらつくことがある。何を偉そうにのたまってるのか、と言いたくなるのだ。

「ほかにも可能性だけだったらいくらでも挙げられる。ただ、今はそんなことを話していても仕方ないんだけどね。一応、ぼくはずっとネットで検索をかけているんだけど、今のところ延着に関する情報は引っ掛かってきていない。アメリカンのサービスカウンターにも電話したんだけど、誰も出てくれないんだ。営業時間外ってことなのかもね」

知るか、と言いつつも、ぼくはメタボンに調査を続けるように頼んだ。わかってる、とメタボンが言った。

「まあ、どっちにしても、杉田さんは明日の朝までには春日部に着くと思うけど。とりあえずしばらくは調べてみるよ。イノケンも含めて、みんなは頼りにならないからね」

眠いなあ、と言いながらメタボンが電話を切った。どうしてデブはすぐに眠くなるのか。それともすぐに眠ってしまうからデブになるのか。

哲学的な考察にふけっていたところに、今度はわび助から電話が入った。内容は同じだ。

杉田さんから連絡はないのか、というようなことをぼそぼそと小さな声で聞いてきた。ない、と答えると、そう、と哀しそうにつぶやいて電話を切った。

わび助にはもっといろいろ聞きたいこともあったのだろうけど、そういうことについて遠慮がちなのは本人の性格だからしょうがない。それに、何を聞かれてもぼくには答えることができないというのも事実だった。

最悪なのはリョーイチだ。夜八時を過ぎた頃から、十分おきぐらいに電話をしてきては、杉田さんはまだか、どこにいるのか、何をのんびりしてやがんだ、ボーッとしてんじゃねえぞ、連絡はないのか、みんなで成田まで迎えに行った方がいいんじゃねえのか、そんなことばかりまくしたてて、こっちの話を聞こうともしない。

もちろん、気持ちはわかる。ぼくだって杉田さんが今どこにいるのか、なぜ連絡をしてこないのか、気になってしょうがなかった。

だけど、杉田さんはケータイを持っていないという。持っていたとしても、飛行機の中だったらつながるものもつながらないだろう。

「焦るなって。待つしかないだろうが」

「何を悠長《ゆうちょう》なことを言ってんだ、お前は」何回目の電話だったか覚えていないけど、リョーイチが犬のように吠えた。「いいか、ねーさんの手術は明日なんだぞ。午後一時って、時間も決まってる。オレら、あんなに苦労してやっと杉田さんをつかまえたんじゃねえか。それがお前、一番大事な時に連絡が取れないって、どういうことだよ」

どういうことなのか、むしろぼくの方が知りたい。今、世界中で最も知りたいことはそれだ。

「ったくよ、バカにしてるよな。ちょっと先輩だと思ってよ、オレたちだってなあ、そうそう暇じゃねえっつうの。それなのに、顔も知らない先輩を捜すために貴重な時間を割いたってのに、どういうことなんだよ。おい、イノケン、何とか言えよ、コノヤロ

―」

何ともコメントのしようがなかった。リョーイチが言ってるのは単なる愚痴で、何というか、漠然とした不安みたいなものを紛らわせるために喚いていることはぼくにもよくわかっていた。ただ、その捌《は》け口をどうしてぼくに向けるのかな、こいつは。

「当てにならねえなあ、お前は」

結局、夜の八時から夜中の一時過ぎまで、リョーイチは約五十回電話をかけてきた。最後の台詞は毎回同じだった。当てにならねえなあ、お前は。

冗談じゃない。じゃあ自分は当てになるのかと言いたいところだったけど、そんなことを言えば話が長引くだけだとわかっていたので、放っておいた。とにかく待つしかない。今のぼくたちにできることは、それしかなかった。

ねーさんからは一度も電話はかかってこなかった。ねーさんも待つしかないと思っているのだろう。ぼくに電話をかけても仕方がないと一番よくわかっているのはねーさんで、だからねーさんは何も言ってこないのだ。

というか、ねーさんは杉田さんのことを完全に信頼しているということなのかもしれない。だから、騒ぎ立てることもなく、落ち着いて杉田さんが現れるのを待っているのだ。

ぜひほかの三人にもねーさんのような大人の対応を見習ってほしいと思いつつ、ぼくは夜中の二時過ぎにベッドに入った。もちろん、ケータイを枕元に置いておくのを忘れたりはしなかった。

6

目が覚めたのは朝の六時ぐらいだった。ぼくは真っ先にケータイをチェックしたけど、杉田さんはもちろん、ほかの誰からも電話は入っていなかった。

本当に、杉田さんはいつになったら連絡をしてくるのだろう。メタボンの言っていたように、マジで飛行機が墜落したのかもしれない、とさえ思えてきた。

いや、そんなはずはない。ぼくはベッドから降りて頭を大きく振った。

杉田さんは昨日電話をかけてきた時、今から飛行機に乗る、とはっきりそう言っていた。もしその飛行機が墜落していたら、テレビのニュース番組は大騒ぎになっているだろう。でも、昨晩の段階で、そんなことはどの番組でも報道していなかった。

自分の部屋のテレビをつけてみたけど、そんなことが起きていないのは明らかだった。どっちかといえば、平和な日曜日の朝だといえた。

だけど、墜落とかハイジャックとかでなければ、いったいなぜ杉田さんは電話をかけてこないのか。逆算してみればすぐにわかることだったけど、少なくとも昨日の夜には日本に着いていなければおかしい。

（マジで、ぼくのケータイ番号を書いたメモをなくしたのかもしれないなあ）

それが一番ありそうな話だった。ぼくはケータイを寝巻き代わりのジャージの尻ポケットに突っ込んだまま、洗面所へ行って顔を洗い、歯を磨いた。出掛けなければならなかったからだ。

昨日、めったやたらと鳴り続けていた電話に紛れ込むようにして、陸上部の後輩の草野から連絡があった。ぼくはここのところ、ずっと陸上部の練習に出ていなかった。

全然ってわけでもないけど、正直なところかなり適当にやってたのは本当だ。草野の話によれば、ゲンカクも怒っているし、佐久間も、下に示しがつかないと文句を言い始めてるらしい。

メタボンはどうなんだと聞いてみたら、それは誰も怒っていないし、気にもしていないそうだ。いいんだか悪いんだかよくわからないけど、ちょっとメタボンが羨《うらや》ましくなった。

草野が電話をしてきたのは、日曜の朝練だけでも顔を出してほしい、と言うためだった。うちの学校の陸上部は、妙なところで熱心で、夏休み中だというのに土日も練習がある。

たいして強くもないのに、どうしてそんなことをするのかよくわからないけど、それが伝統だからと言われれば、返す言葉はなかった。

「明日はなあ……明日はちょっと大事な用事があってさ」

知ってます、と草野が言った。

「菅野先輩の……手術があるんですよね」

何だかんだ言って、ねーさんの病気のことは陸上部員とか、ねーさんのクラスなんかではもうみんなが知っているそうだ。どこから漏れたのかはわからないけど、そんな話はいつの間にか何となく誰もが知ることになる。いつまでも秘密になんかできるはずもないのは、ぼくにもよくわかっていた。

そうなんだよ、と答えたぼくを草野は熱心に説得した。だからこそ、そういう時だからこそ顔さえ出しておけば、みんなも納得すると言う。結局ギブアップしたのはぼくの方だった。

「わかったよ。朝、顔だけは出すから。もちろん、練習もするさ。だた、十時とかそれぐらいになったら、やっぱり病院に行かないとまずいんだ」

それでもいいです、と草野がちょっと安心したような声で言った。どうもその声から察するに、ぼくの部内での立場はよほど悪くなっているらしかった。

十時に練習を上がれば、その後家に帰ってシャワーを浴び、着替えてから病院へ行くこともできる。どんなに遅くても、十一時頃には着くはずだった。

もうひとつ言えば、ぼくが練習に出る気になったのは、杉田さんのことがあったからだ。いつかかってくるのかわからない杉田さんからの電話を待つことに、ぼくはちょっと疲れていた。

いつまでもケータイと睨《にら》めっこをしていても仕方がない。それもあって、ぼくは草野に練習に出ると約束したのだ。

練習用のジャージに着替えて、上からウインドブレーカーをはおっていたら、オフクロが出てきた。練習？　と聞かれて、うん、とうなずいた。

珍しいこともあるわね、とか何とか言いながら、大急ぎで作ってくれたハムエッグとトーストを食べて、ぼくは家を出た。

7

「ダッシュ！」

草野が叫んだ。ぼくはその声に合わせて、百メートルのコースを走り始めた。自分で言うのもなんだけど、全然気持ちの入っていない走りだった。

まあ、仕方がないところもある。何しろ、ぼくは右手に携帯電話を握りしめたまま走っていたのだから、本気を出すとかそういうレベルではなかった。

今、ぼくがこのグラウンドにいるのは、あくまでも体裁を整えるというか、形だけでも顔を出しておかないとヤバイ、という義務感によるものだ。ぶっちゃけ、練習どころではなかった。

「ダッシュ！」

また草野が叫んだ。わかってるって。そんなに大声出さなくても聞こえてるって。ぼくはケータイの画面に目をやった。九時五分。

メタボンによれば、成田から春日部までは電車で二時間ほどかかるという。乗り継ぎとかがどんなにうまくいかなかったとしても、二時間半を超えることはないはずだった。

そして、杉田さんは最悪でも昨日の夜中には成田空港に着いていなければおかしい。飛行機がものすごく延着したため、終電に間に合わなかったとか、そういう事態は十分に考えられる。

でも、その場合、ぼくが杉田さんなら始発を待って春日部を目指しただろう。成田からの電車の始発が何時なのかは知らないけれど、仮に六時だったとして、三時間を超えた今、杉田さんはとっくに春日部に着いているはずだ。にもかかわらず、電話はかかってきていない。いったいどういうことなのか。

「井上先輩！」草野が駆け寄ってきた。「先輩……ホントにやる気ないんですね」

そんなことないよ、と答えたけど、草野がその言葉を信じていないのは一目瞭然だった。そんな目で見るなよ、頼むから。

「気持ちが乗らない時があるっていうのはわかります……でも、部長とかキャプテンもいるんですよ。もうちょっとやる気を見せないと、やっぱり……」

草野が真剣な目でぼくを見つめた。ちょっと心配そうな顔をしていた。

もちろん、気持ちとしてはありがたく受け止めたいところだったけど、やっぱり走る気にはなれなかった。何でもそうだと思うけど、気持ちが入っていなければ、何をしても無駄なのは確かだろう。

「いやあ、意味ねえな、こりゃ」ぼくは草野に言った。「ダメだ。走る気になんかなれないって」

「……それは……わからなくもないですけど……」

うつむいたまま草野がつぶやいた。草野がどこまで理解してくれているのかはわからなかったけど、とにかく雑念が多すぎた。

杉田さんから、この時間になっても連絡がないこと、その代わりというわけではないけど、例の三人からやたらと電話はかかってくること、そして何よりねーさんの手術の時間が迫っているということ。

正確に言えば、術前処置をした上で手術をするということになるわけだけど、その術前処置も含めて、ぼくたちにとってもねーさんにとっても、手術は手術だった。

ねーさんが手術室から出てくるまで、ぼくたちはねーさんに会うことができなくなる。そして、出てきた時、ねーさんの右膝から下はなくなっているはずだ。そんなことを考えていたら、とてもじゃないけど走ったりしてる場合じゃなかった。

もちろん、ぼくは自分の無力さをよく知っている。手術前のねーさんのそばにいたところで、ねーさんにとって意味がないこともわかっていた。

だけど、もしかしたら、ほんの少しかもしれないけど、何かできることがあるかもしれないじゃないか。

「草野」ぼくは言った。「どうも、足首の調子が悪いみたいだ。もしかしたら、くじいたのかもしれない」

草野は何も言わなかった。ぼくは彼女の肩を軽く叩いた。

「悪いけど、ゲンカクに伝えてきてくれないか。走れなくなったから、先に上がらせてもらいますって」

「自分で言ったらどうですか」

反抗的な目付きで草野が言った。それはそうなんだけど、ほら、直接言いにくいことってあるじゃないの。しかも、ぼくはそういう小芝居が苦手なのだ。

頼んだぞ、と言ってぼくはグラウンドを後にした。九時二十分になっていた。最後に振り返ると、草野がちょっと怒ったような顔でぼくを見ていた。

8

一度家に帰ってから、シャワーを浴びて、自分の中では気に入ってるビームスのシャツと、バナナリパブリックのチノパンに着替えてから、また家を出た。今度は病院へ行くためだ。

シャワーを浴びている間に、わび助から電話が入っていた。杉田さんからまだ連絡はないかという質問と、もうリョーイチもメタボンも病院に集まっている、という伝言が残されていた。もちろん、ねーさんの両親も来ているそうだ。

暑くなり始めていた。ぼくは日陰を選びながら病院へと急いだ。途中で歩きながらわび助に電話をかけて、ぼくも今病院へ向かっていること、そして杉田さんからはまだ連絡がないことを伝えた。そう、とだけ答えて、わび助が電話を切った。

病院に着いたのは十時過ぎのことだ。ぼくはまっすぐねーさんの病室へ向かった。

ノックをしてからドアを開けると、三人が神妙な顔付きで立っていた。そしてベッドサイドにはねーさんのお父さんとお母さんが座っていた。ほかにいたのは白衣を着たお医者さんと、ピンクの制服のちょっと色っぽい看護師さんだ。

あとで聞いたのだけど、そのお医者さんは麻酔の担当医ということだった。手術は病院側の勧めもあり、またねーさんもそれに同意していたため、全身麻酔で行われることが決まっていた。

手術は術前処置も含めて三時間から四時間ほどかかるということだった。手術が終われば、わりとすぐにねーさんは麻酔から覚める、とお医者さんが説明していた。

さすがのねーさんも、緊張した表情になっていた。

「……専門用語を使うとわかりにくいだろうし、ごかましているように聞こえるかもしれない。だから率直に言うよ。桃子ちゃん、ぼくたちは予定通り、君の右足の膝から下を切断する手術を行う。骨肉腫はとても厄介な病気で、体中のあちこちに転移しやすいという特徴がある。だから、桃子ちゃんくらいの症状が進行していると、切断する以外に方法はないんだ」

わかってます、とねーさんが小さな声で答えた。先生が話を続けた。

「ただ、幸いなことに、何度も検査をしたけれど、今の段階ではほかの部位に転移していることはない。だから、この手術は決して無駄ではない。意味のあるものだ。それだけはぼくたちを信じてほしい」

「先生……」ねーさんがさらに低い声で言った。「そうしたら、やっぱり……義足をつけることになるんですよね？」

そうなる、と先生がうなずいた。

「ただ、桃子ちゃんはまだ若いし、体力もある。早ければだけど、数週間以内に義足をつけて歩行訓練をすることもできると思う。もちろん、決して楽なことじゃないよ。でもね、桃子ちゃん、世の中には義足で社会生活を立派に送っている人がたくさんいるから頑張ろう」

三人が真面目な顔で立っていたのは、本当に手術が始まるというリアルな現実に圧倒されていたためだし、もうひとつはねーさんのお母さんが声をたてないようにしながら泣いていたからだ。

お母さんは何も言わず、口を開くこともなく、ただ大粒の涙をこぼしていた。かえって、ねーさんの方が落ち着いていたかもしれない。

ねーさんは一生懸命お母さんに話しかけ、慰《なぐさ》めようとしていた。ねーさんの精神力の強さというのは、ぼくたちも骨身に染みてわかっていたつもりだったけど、ここまでだとは思っていなかった。

顔を上げたリョーイチが、イノケン、と囁いた。

「どうなってる?」

ぼくは首を振った。それだけで、十分に会話は成立していた。

「……何で?」

わび助が低い声で言った。それがわかれば苦労はしない。とにかく、手術の始まる午後一時まで、まだ三時間近くある。それまでに杉田さんがこの病室に現れればそれでいい。

何かの間違いで、今、杉田さんが成田を出たとしよう。成田から春日部まではほぼ二時間かかるけど、それでも午後一時までには十分に間に合う。

春日部に着いているとすれば、今すぐにでも病室のドアが開いて、杉田さんが入ってくることもあり得るのだ。まだ大丈夫だ、とぼくは唇だけで答えた。

「時間はある」

「……だけど」

そう、問題は、その〝だけど〟だった。だけど、杉田さんからの連絡はない。

本当に来るのか。間違って、違う飛行機に乗ってしまったのではないか。それとも、日本には着いたけれど、それは関西空港とかだったら。

わび助じゃないけど、ぼくも疑心暗鬼の塊《かたまり》になっていた。何があってもおかしくはない、とまで思っていたぐらいだ。

十一時になった。

人の出入りが多くなり始めていた。さっきの麻酔医はもちろん、看護師さんたち、そして主治医の先生なんかも顔を出して、ねーさんの様子を見に来ていた。

ねーさんは相変わらず明るく、よろしくお願いしますとか、失敗したら化けて出てやるとか、そんな冗談ばかり言っていた。

ねーさんは怖かったのだろう。ぼくにはそれがよくわかった。足を切断するという事実に対して、きちんと正面から向かい合うのが怖くて、だから軽口ばかり叩いていたのだと思う。

本当だったら、ぼくたちがそんなねーさんを励ましたりしなければならない立場のはずだったし、ぼくたちもそのつもりだったけど、とてもそんな勇気はなかった。ねーさんが感じている恐怖とは別の意味で、ぼくたちも怖かった。息をすることさえ、苦しくなるほどだった。

おい、とリョーイチが目配せをした。ぼくたち四人はトイレに行ってきますと言って病室を出た。通路に出たところで、メタボンが大きく息を吐いた。メタボンだけではなかった。ぼくも、リョーイチも、わび助も、みんながみんな、それぞれに何かを吐き出していた。

「息が詰まる」リョーイチがボタンダウンのシャツの一番上のボタンを外した。「苦しい」

本当にその通りだ。深い深い海の底にいるみたいな感じで、身動きひとつできない。このまま溺死《できし》するんじゃないかと思ったぐらいだ。水もないのに溺死っていうのも変だけど、でもやっぱりそういうことだった。

「今、何時？」

わび助が誰にともなくそう言った。十一時半、とぼくは答えた。もうそんな時間かよ、とリョーイチが唸り声を上げた。

「どうすんだよ、おい。いったい杉田さんは何してるんだ？」

「声がでかい、バカ」

すまん、と珍しく素直にリョーイチが謝った。ぼくたちは通路の端まで歩いて、そこで相談を始めた。

「今、成田を出たとしても、杉田さんは手術に間に合わない」どうしようもない、というようにメタボンが太い首を振った。「仮の話だけど、今、この瞬間に成田発の電車に乗ったとして、午後一時までに春日部に着くことはできない。不可能だ」

「今、成田を出たかどうかはわからねえだろ」リョーイチが歯を剝き出した。「とっくの昔に、伊勢崎線に乗って、こっちへ向かってるかもしれない」

「だったら、どうして杉田さんはイノケンに連絡をしてこないんだ？」

メタボンの問いに、リョーイチが黙り込んだ。それはぼくとわび助も同じだった。なぜ杉田さんは電話をかけてこないのだろう。その理由がわからなかった。

「……本当に、番号を書いたメモをなくしちゃったのかな」

わび助がつぶやいた。それもないとはいえない。可能性としては有り得る話だ。でも、だとしたら病院に直接電話をかけてきてもいいんじゃないだろうか。それとも、そんなことさえ考えつかないぐらい、杉田さんという人はバカなのか。

いや、そうとは思えない。電話で話しただけの印象しかなかったけど、杉田さんはそういうことについてはちゃんと頭が回るタイプだと感じられた。

「……とにかく、オレたちじゃ駄目だ。どうしようもない。ねーさんを励まして、力づけることができるのは、杉田さんしかいないと思う」

リョーイチが重々しい声で言った。おそらく、その通りなのだろう。

今まで、ねーさんは気丈に振る舞ってきたけど、これから一分一分と時間が経っていくにつれ、ねーさんにのしかかってくる重圧は、ぼくたちには想像することさえできないものだ。

その時、ぼくの胸ポケットに入れておいたケータイから、フルボリュームの着信音が流れ始めた。自分でも信じられないほどの早さで、ケータイを開いた。

着信表示のところに、公衆電話、という文字が並んでいた。ということは、つまり。

「もしもし、井上です。杉田さんですか?」

「そうだ」

疲れ切った声がした。嫌な予感がぼくの胸を貫いた。そのまま病室を出て、廊下で話を続けた。

「杉田さん、今、どこにいるんですか？」

「……成田空港だ」

「どうして」ぼくは思わず叫んでいた。「どうして成田に？　春日部じゃないんですか？　間の合うはずじゃなかったんですか？」

「今から春日部へ向かう。わけはその時話す。とにかく、桃子に代わってもらえないか」

ぼくは病室へ急いで戻り、ねーさんにケータイを渡した。杉田さんからです、と言うと、ねーさんがゆっくり手を伸ばして、ケータイを耳に当てた。

杉田さんが何を言ったのか、何を話そうとしていたのか、それはぼくたちにはわからなかった。ねーさんがひと言だけ言って、電話を切ったからだ。

「嘘つき」

ねーさんがそのままぼくにケータイを返した。ぼくは慌てて電話に向かって呼びかたけど、返事はなかった。そして、電話がかかってくることもなかった。

9

昼の十二時を過ぎて、さすがに家族だけの方がいいだろうということでぼくたちが病室を出ていこうとしたら、いいの、とねーさんが言った。

「いいでしょ？　ここまで来たんだから、最後まで一緒にいてよ」

「最後じゃないすよ」

リョーイチがぼそりとつぶやいた。わかってるって、とねーさんが微笑んだ。

「手術の直前までってこと。ね、気にしないでいいから、とにかくここにいてよ」

わかりました、とぼくたちは半歩だけ後ろに下がった。やっぱりこの場は、ねーさんは家族と話すべきだとみんなが感じていたからだ。

ねーさんが手を伸ばした。その手をお母さんが握った。何も言わないまま、大粒の涙だけがお母さんの目からこぼれ落ちた。ねーさんがそっと指を伸ばして、その涙を拭った。

「ママごめんね。泣かせちゃって……親不孝だね、あたし」

お母さんが首を振った。何度も何度も振った。ぼくは思わず顔を伏せてしまった。

ぼくは当事者じゃない。だから、本当のところはわからない。だけど、ねーさんとお母さんが何を思い、何を伝え合おうとしているのか、わかるような気がした。

それは家族の問題で、ぼくたちみたいな他人が首をつっこむことじゃない。だから、うつむくしかなかった。そういうことなのかもしれない。自分でも、よくわからなかった。

桃子、と呼ぶお父さんの声が聞こえて、ぼくは顔を上げた。お父さんは泣いていなかった。ねーさんが差し出したもう一方の手をしっかり握って、桃子、とくり返した。

「……心配するな。必ず手術は成功する」

振り絞るような声でお父さんがそう言った。うん、とねーさんがうなずいた。

「そんなの、わかってるって。相変わらず、パパは心配性だね」

「まったくだ」お父さんが苦笑を浮かべた。「本当に、父さんはいつもくだらない心配ばかりしている……お前の言う通りだ。何もかもうまくいくに決まってる」

「そうだよ」

答えたねーさんの声が、かすかに震えていた。ねーさんは見栄っ張りで、意地っ張りで、誰かの前でそんなふうに声を震わせたことなんて、一度もなかった。

ねーさんは脅えている。何もかも、すべてに対して。だけど、それを悟られたくないから、必死で頑張ってる、笑みさえ浮かべながら。

それから、三人はほとんど話さなかった。ただ名前を呼び合うだけで、あとは互いの手を強く握りしめているだけだ。そして、気が付くと看護師さんたちが集まり始めていた。

「桃子ちゃん……そろそろ時間よ」

はい、とはっきりした声でねーさんが答えた。

それじゃいくわよ、と看護師さんたちがパジャマ姿のねーさんの上に、シーツみたいな白い布をかけた。

ねーさんの手を放したお父さんが頭を深く下げた。「娘を、娘をよろしくお願いします」

「大丈夫ですよ」

二人の看護師さんが前に進み出て、ストレッチャーを押し始めた。

「大丈夫だってば」ねーさんの声がした。「待っててね。すぐ戻ってくるから」

まるで近所のコンビニに行く時のような言い方だった。お父さんは頭を下げたまま、進んでいくストレッチャーを見送っている。お母さんはねーさんの手を握ったまま、ストレッチャーの脇を歩き続けていた。

ぼくたちはその場で立っているしかなかった。ぼくたちには何もできない。安易な慰めの言葉さえかけられない。それほどまでに、目の前の現実は強烈だった。

廊下を進んでいったストレッチャーが、一番奥のエレベーターの前で止まった。看護師さんの一人がエレベーターのボタンを押し、もう一人がお母さんの腕をそっと引いた。

いつもは、いつまで待ってても来ないエレベーターの扉が、こんな時だけすぐに開いた。二人の看護師さんが元の位置に戻り、ストレッチャーをエレベーターの中に押し入れた。

後に続こうとしたお母さんを、看護師さんが手で制した。お母さんが崩れ落ちるようにその場に座り込んだ。ゆっくりとエレベーターの青い扉が閉まった。

気が付くと、みんなが泣いていた。ぼくは泣いていた。ぼくだけじゃない。リョーイチも、メタボンも、わび助も、みんなが泣いていた。大丈夫だ、と顔を上げたお父さんがつぶやいた。

「あの子は……強い子だ。必ず、無事に戻ってくる」

誰に対して言ってるのか、それはわからなかった。たぶん、自分自身に言いきかせていたのだろう。

ぼくたちは相変わらず黙ったまま、その場に立ち尽くしていた。

10

お父さんとお母さんは病室でねーさんを待つと言った。ぼくたちは病院の中にある談話室へ行くことにした。

二人だけにさせてあげた方がいいという気持ちもあったけど、正直にいうとぼくは怖かった。最終的にねーさんは病室へ戻ることになっている。その姿を見るのが怖かったのだ。

午後三時少し前、ぼくのケータイに電話がかかってきた。

「井上か？」

杉田さんだった。はあ、とぼくはちょっと投げやりに答えた。あんた、遅すぎるんだよ。

「どこにいる？」

「病院の三階にある談話室ってとこです。患者さんたちが集まって話したり、雑誌とかが置いてある部屋なんですけど……」

電話がいきなり切れた。話を最後まで聞かない人だ。

「誰からだ？」

リョーイチが言った。杉田さんだ、とぼくは答えた。遅いんだよねえ、とメタボンがつぶやいた。

「どっからかけてきたんだ？」

「さあ。春日部の駅からか、それとも病院のロビーか」

そこまで言ったところで、ぼくたちは一斉に黙り込んだ。談話室に若い男が飛び込んできたからだ。

身長は百八十センチほどだろうか。全体的に痩せているけど、体中が筋肉で覆《おお》われている感じがした。おそらく体脂肪率は五パーセント以下ではないか。

髪の毛はけっこう長くて、首ぐらいまである。赤茶けているのは、日焼けのせいだろう、もちろん、顔は真っ黒だ。

目付きが異常に鋭くて、鼻も尖っている。全体的な印象でいうと、木彫りの人形のような顔だった。

二つに分けたら、美男子の側に入るかもしれないけど、むしろ狼に育てられた人っぽい。何ていうか、野性味溢れるというか、独特のエネルギーみたいなものが全身を包んでいたのだ。

ペイズリー柄の茶色いシャツ、真っ白なズボン、濃い茶のローファー。今時流行《はや》らないスタイルだなあ、と思いながら、ぼくたちは立ち上がった。これが例の杉田さんでなかったら、ほかの誰だというのだろう。

「井上はどいつだ」

思った通り、その人が杉田さんだった。それにしても、いくら先輩とはいえ、いきなり〝井上はどいつだ〟はないだろう。もうちょっと普通に、挨拶とかできないのかと思ったけど、ご指名なので仕方がない。ぼくです、と手を上げた。

「桃子は?」

もしかしたら、本当にマジで狼に育てられたのかもしれない。杉田さんという人は、一切修飾語とか使わないんだろうか。

質問が単純な分、答えるのは楽だったけど、何だかものすごい昔の人と話しているような気もしてきた。ただ、答えないと殴られる、とぼくの本能が告げていたので、手術中です、と素直に答えた。

「お前さ、言っただろ。お前の役目は、俺が着くまで手術をさせないことだって」

「はあ」

確かに、そう言われた記憶はある。だけど、そんなのできるわけがない。

だいたい、ぼくらはねーさんの身内でもなんでもなくて、単なる後輩にすぎないのだ。手術を止める権利もなければ権限もない。

そして病院には病院の都合もある。緊急以外の手術はしない日曜日にやっているんだし、手術を待っているのはねーさんだけではないのだ。

「あのっすね、杉田さん」リョーイチが口を開いた。「確かに、オレらが手術を止めることができなかったのは認めますよ。だけど、それって話がおかしくないすか？　はっきり言いますけどね、あんたがちゃんと時間通りに成田に着いてりゃ、手術前にここへ来ることはできたはずなんですよ。いったい何をしてたんすか？」

挑発的な口調だったけど、それは当然の話だろう。どう考えたって、ぼくたちの責任がどうしたこうしたというより、杉田さんが間に合わなかったことの方が罪は重いはずだ。

「井上」杉田さんが言った。「こいつもお前の仲間か」

どこをそうすると、ここまで高圧的なしゃべり方になるのだろう。やっぱり狼人間なんだと思いながら、そうです、と答えた。杉田さんがリョーイチをじっと見つめて、名前は、と聞いた。

「そんなことより、何で遅れたのか、それを説明してくださいよ。オレの名前なんか、どうでもいいでしょうが」

リョーイチにしては珍しいほどの正論だった。そして、その言葉が正しいことを、杉田さんも悟ったらしい。がっくりと肩を落として、手近の椅子に座り込んだ。

「……どうしようもなかったんだ」

そう言いながら、何度もテーブルを叩いた。誰かが止めなければ、テーブルは真っ二つに割れていただろう。話を聞かせてください、とぼくは言った。

11

ぼくたち四人は杉田さんを取り囲むフォーメーションを取った。とにかく、説明してもらわないと話が始まらない。杉田さん、と代表する形でメタボンが尋問を開始した。

「あなたは、木曜日の夜、モロカイ島にいたわけですよね。日本では金曜だったわけですけど」

そうだよ、デブ、と杉田さんがうなずいた。口の悪さは天下一品だ。

「そして、ここにいるイノケンからの連絡を受けて、あなたはモロカイ島からジェットボートでオアフに渡った。次の日、ハワイでは金曜、こっちは土曜だったわけですけど、その日の便に乗れば、桃子先輩の手術の時間に間に合うことはわかっていた。そうですね」

「そうだ」

「あなたはとにかくオアフまでたどり着いた。どういう手段でかはわかりませんし、あまり聞きたくもありませんけど、とにかく日本行きの直行便のチケットを手に入れた。その時点で、あなたはオアフからイノケンに電話をかけた。ぼくの計算だと、あなたは少なくとも春日部に日本時間の土曜の夜九時ないし十時に着くことができたはずです。もちろん、飛行機ですから、多少の遅れはあったかもしれません。もしかなりのディレイで四時間以上遅れたとしたら、土曜のうちに春日部に着くことはできなかったはずです。なぜなら、成田空港で夜の十時十四分発の京成本線に乗らなければ、十一時四十九分の牛田《うしだ》発の東武伊勢崎線に乗ることができないからです」

立て板に水というか、流れるようなメタボンの説明に、杉田さんはぽかんと口を開けたままだった。

「もちろん、電車だけが交通機関ではありません」メタボンの話が続く。「早い話、タクシーで成田から春日部を目指してもいい。ですが、かなりの金がかかることは間違いないでしょう。そして、あなたにそれほどお金の余裕がなかったことは、容易に想像のつく話です。仮に終電に間に合わなかったとしたら、ぼくなら成田空港の近くで野宿でもして朝を待ちますね。幸い、季節は夏です。それほど困りはしなかったでしょう。そして、始発を待って春日部を目指す、これが最善の策だったでしょうね。ですが、あなたはそれをしなかった。つまり、あなたは土曜に日本に着いていなかったということになります。なぜですか？　ネットでアメリカン航空の遅延情報をチェックしていましたが、とくには入ってきませんでしたのであなたの乗った便は、間違いなく土曜日中に成田空港に着いていたはずです」

「井上、井上」杉田さんが囁いた。「こいつはあれか、ミステリーの読み過ぎか？　シャーロック・ホームズの跡継ぎなのか？」

「というより」ぼくは答えた。「メタボンはプロのオタクなんです」

納得した、というように杉田さんがうなずいた。

「デブ、いやメタボンって呼んだ方がいいのかな？　すべてお前の言う通りだ。予定だと、俺は九時半ぐらいにこっちに着くはずだった。俺もこう見えて、いろんな国へ行ったし、日本へ戻ってきたことだって何度もある。春日部への終電が十時過ぎの電車だっていうのは、経験上知っていた。万が一、それに乗れなくても、翌朝、つまり今朝の始発に乗れば、朝の七時か八時には春日部に着くことができるのもわかってた。だけど、無理だったんだよ」

「無理って？」

「運が悪かったとしか言いようがない」杉田さんが肩をすくめた。「俺が乗った飛行機に、急病人が出たんだ」

ドラマかよ、とリョーイチがつぶやいた。いや、マジなんだ、と杉田さんが言った。

「俺も初めて見たよ。キャビンアテンダントが、お医者様はいらっしゃいますかって乗客に聞いて回るのをね。病人ってのは、四十歳ぐらいの白人でさ。俺みたいな素人《しろうと》が見ても、相当ヤバイ状態だってのはすぐわかった。顔色が青を通り越してどす黒くなっててな、脂汗で全身がびっしょりだった。そんなオッサンが腹を押さえてのたうちまわってたんだぜ。幸か不幸か、乗客の中に医者がいた。その診断によると、腸閉塞《ちょうへいそく》ということだった。今すぐ手術をしないと危険だって話になって、最終的に機長が下した結論っていうのが、ハワイへ戻ることだった。乗客はみんな怒ってたさ。もちろん、俺もだ。本当に、マジでハイジャックしてやろうかと思ったぐらいだけど、そんなことをしても余計に面倒になるだけだ」

その通りだろう。この人にしては妥当な判断だ。

「とにかく、飛行機はハワイへ取って返すことになった」杉田さんが話を続けた。「俺たち乗客もそれに従うしかなかった。そしてハワイに着いてから、給油だなんだといろいろあって、時間ばかりがどんどん過ぎていった。結局、再出発したのは今から十時間ぐらい前のことだ。出る前に井上に電話をするべきだったんだけど、そこまで頭が回らなかった。そして成田に着いたのがつい二時間ほど前だったってわけだ。十二時半を少し回ったぐらいだったかな」

そんなことがあったのか。これはあとからわかったことなのだが、杉田さんが乗った飛行機はコードシェア便だったそうだ。ちょっと難しい話でぼくもよくわからないんだが、なんでも世界の航空会社は仲良しグループみたいなものをつくっていて、飛ぶ飛行機に空席が出ないように仲間内で席を融通しあっているそうだ。杉田さんは現地でアメリカン航空の臨時便のチケットを取ったが、そのチケットで飛ぶ飛行機はなんとＪＡＬだったのだ。

メタボンはアメリカン航空の情報をチェックしていたけど、本当はＪＡＬをチェックしなければいけなかった。もっとも、ＪＡＬの運航状況を知らせるページには「コードシェア便の情報は含まれておりません」とあった。ぼくたちはどうすればよかったのか。神様、教えてください。

「あとはお前らもわかってるだろ。俺は成田から井上に電話をした。とにかく、声だけでもいいから、桃子を励ましたかったんだ。もっとも、その電話もすぐに切られちまったんだけどな。俺の話はそんなところだ。さて、それでだ。ひとつだけ教えてほしいことがある。手術は何時頃終わるんだ？」

ぼくたちは顔を見合わせた。それはぼくたちも知りたいことだったのだ。

手術の前に、主治医の先生にも聞いてみたのだけれど、正確なところは何とも言えない、と言われていた。三、四時間とみているが、というのが先生の答えだった。

「どっちにしても、手術は全身麻酔で行われるそうです」ぼくは聞きかじった話を杉田さんに伝えた。「手術が終わればわりとすぐに、麻酔からも覚めるそうですけど、今日の面会は無理だってはっきり言われました。それに、本人の精神的な問題も考慮に入れなければならないから、面会の許可をいつ出せるのか、はっきりしたことは何も言えないって……」

「精神的な問題って何だ？」

「ねーさんは……ねーさんは足を切るんですよ！」いきなり立ち上がったわび助が怒鳴った。「それが本人にとってどれだけショックなことなのか、本人じゃなきゃわかんないじゃないですか！　片足がなくなるってことを本人が受け入れるまで、どれぐらい時間がかかるかは、誰にもわからないってことですよ！」

座れよ、とリョーイチが静かにわび助の肩に手をやった。荒い息をついていたわび助が、糸の切れた操り人形みたいに、椅子の上に崩れ落ちた。

「そうか……そうだな……そうかもしれない」

杉田さんがつぶやいた。それきりぼくたちは黙り込んで、石のように動かなくなった。いつまでも、いつまでも。

12

手術が終わったという知らせがあったのは、夕方五時ぐらいのことだった。これはねーさんのお父さんから聞いた話だけど、手術は完璧に成功したそうだ。でもそれは、ねーさんの片足が完全に切断されたということでもあった。

「君たちには……心配をかけたね」

ありがとう、とお父さんが礼を言った。あとでみんなで話したことだけれど、ねーさんのお父さんはすごく立派だった。

自分の娘が骨肉腫に冒《おか》され、足を切断しなければならないという残酷な状況になっても、最初から最後まで毅然《きぜん》としていた。ぼくの親父だったら、何をしていたかわからない。そして、それはみんなも同じだった。

「いずれにしても、手術は無事に終わったが、まだ君たちと会わせる段階ではないと思う」お父さんが説明してくれた。「今日のところは、いつまでいてもらっても仕方がない。お医者さんの話によると、桃子の精神状態が落ち着いてさえいれば、明日にでも面会は可能だそうだ。だから、今日のところはみんな帰ってもらった方がいいとおじさんは思う」

「……明日、来てもいいですか？」

わび助が尋ねた。面会できるかどうかは別として、来るのは構わない、とお父さんが言った。

「ただ、君たちにその勇気があるかい？」

勇気。お父さんの言う通りだった。昨日まで、いや今日の手術前まで、ねーさんは病人ではあったけれど、それまでと何ら変わるところはなかった。

でも、明日からは違う。ねーさんの右足はもうなくなってしまったはずだ。そのねーさんに会い、今までと同じ態度で接することができるかどうか、お父さんが言っているのはそういう意味だとぼくは思った。

今まで、ぼくたちはそこまで考えていなかった。というより、何も考えていなかったというべきだろう。ねーさんの手術が、あまりリアルに感じられなかった。

それは、ねーさんがいつも通り明るくふるまっていたからだ。だからぼくたちは普通にねーさんと話をしたりすることができた。だけど、これからはどうなるのだろう。見当もつかなかった。

「ぼくたちは……どうしたらいいですか」

そう尋ねたぼくに、それは君たちが自分で決めることだ、とお父さんが諭《さと》すように言った。井上、と杉田さんがぼくの肩を強く叩いた。

「おじさんの言う通りだ。どうしたもこうしたもない。お前、そんなにあいつのことを信用できないか？　足が一本なくなっちまったのは、もちろん本人にとってそれ以上ないほどショックなことだろう。だけど、あいつは負けない。そんなことに負けるような女じゃない。俺は……あいつを信じてる。どうもこうもない。俺はあいつの顔を見るために、この病院へ来る」

そうなのか。そういうことなのか。もう何が何だかぼくにはわからなくなっていた。

確かに、杉田さんの言っていることは正しい。ねーさんは、足の切断手術を受けたことなんかに負けるような人じゃない。それはぼくだってよくわかってる。

でも、そうなんだけど、やっぱりショックは大きいはずだ。ぼくたちが今までみたいに気楽な調子で接していいものかどうか。

かといって、深刻な顔をして病室を訪れるっていうのも、ねーさんにとっては辛いことだろう。どうすればいいのか。

「俺は明日、昼の十二時に病院の正門にいる」杉田さんが宣言した。「お前たちがどうすんのか、それは自分で決めろ。来た方がいいと思ったら来ればいい。来ない方がいいと思うなら、来なければいい。自分で考えろ」

じゃあな、と言って杉田さんがその場を去っていった。いったいどこへ行くつもりなのだろう。実家にでも帰るのだろうか。

でも、そんなことを考えてる場合じゃなかった。明日、ぼくは、ぼくたちはどうすればいいのか。それを考えるのが先だ。

そして、杉田さんが言った通り、それはみんなで相談するようなことじゃない。自分で考えて、結論を出さなければならない問題だ。

リョーイチが、メタボンが、わび助が、それぞれ静かな足取りで談話室から離れていった。最後に残ったぼくは、その場に立ったまま、どうするべきなのかを真剣に考え続けた。

13

翌日、十二時ちょうどにぼくは病院へ行った。ひと晩考えて、考え抜いた上での結論だった。

会わなければならない。変な遠慮や配慮は必要ない。むしろ必要なのは、今までと同じようにふるまうことだ。

ねーさんは大きなショックを受けているだろう。当たり前だ。簡単にいうけど、足を切断するなんて大手術だし、一度切断した足はもう二度と返ってこない。それについて、ねーさんが受けた精神的なダメージは、想像することさえできない。

でも、だからこそ、ぼくはねーさんの側にいなければならないと思った。ぼくがいたからといって、何が変わるものでもない。そんなことはわかってる。

だけど、ほんの少しだけ、一パーセントだけでもぼくがいることでねーさんのショックが和らぐとしたら、意味がないわけじゃない。そう信じたからこそ、ぼくは病院へと向かったのだ。

病院の正門のところに、腕組みをした杉田さんが立っているのが見えた。白のチノパン、何だかよくわからない柄のシャツ。近づくのもはばかられるぐらい、怖い顔をしていた。

それでも、進むしかなかった。ぼくに気がついた杉田さんが、おす、と片手を上げた。こんちは、とぼくも軽く頭を下げた。

「ジャストだな」

杉田さんが腕時計を見ながら笑みを浮かべた。見直したよ、井上、と杉田さんが言った。

「意外と根性あるじゃんか」

ぼくは首を振った。根性とか、そういう問題じゃない。来なければならないと思ったから、ぼくはここへ来た。それ以外に意味なんてなかった。

「……ほかの奴らは？」

「わかりません」

じゃあ、行くか、と杉田さんが言った。ちょっと待ってくださいよ、とぼくはそれを押しとどめた。

「もう少し待ちましょうよ。杉田さんは知らないでしょうけど、あいつらは時間に少しルーズなところがあって……」

「俺は十二時にここで待つと言ったはずだ。お前も聞いただろ」

いや、それはそうなんだけど、五分や十分待ったところで、何か失うものがあるとでもいうのだろうか、この人は。ていうか自分は昨日何時間遅れたと思ってるんだ。

もう少しだけ待ちましょう、と説得していたところに、両手にコンビニのビニール袋を下げたメタボンが近づいてくるのが見えた。

「へえ」感心したように杉田さんが言った。「あのデブだけは来ないと思ってたけどな」

どうも、と汗だくになったメタボンが挨拶した。何を買ってきたんだ、と尋ねると、お菓子、という答えが返ってきた。

そうだよなあ。聞くだけ損した感じだ。メタボンの中で、お見舞いイコールお菓子となっているのは、考えるまでもないことだった。

それから五分ほど待っていると、わび助が現れた。驚いたことに、わび助は自分の店のワゴンを運転して病院まで来ていた。

「ごめんなさい、遅れました」

運転席からわび助が言った。いや、それはいいけど、何で車で来たんだ？　見つかったらヤバイだろう。

「最悪なんだよ」わび助が肩をすくめた。「家を出ようとしたら、ぼくのスーパーカブが動かないんだ。エンジンの調子が悪いみたいで、いろいろ試してみたんだけどどうしても動かなくて……もうどうしようもないと思って、車で来たんだ」

ちょっと病院の駐車場に車を停めてくるから、と言い残して、わび助が正門から病院の敷地へと入っていった。それから十分ぐらい待ったけど、リョーイチは現れなかった。

その間、二回、リョーイチのケータイに電話してみたけど、電源が入っていないため、かかりません、というアナウンスが流れるだけだった。リョーイチは来ないのが、何となくわかった。責めるつもりはない。それもまたひとつの選択肢なのだから。

車を停めてきた、というわび助がぼくたちのところへ戻ってきた。杉田さんが時計を見た。十二時半になるところだった。

「行くか」

それだけ言って、杉田さんが歩きだした。ぼくたちはそのあとに従った。正直に告白すると、その時ぼくの足は震えていた。どういうことになるのだろう。不安だけがぼくの胸に広がっていった。

14

杉田さんを先頭に病院へと向かう途中、ねーさんのお母さんとばったり出くわした。お母さんの話だと、ねーさんは手術直後、麻酔から覚めたとたん、クリームパンが食べたいと言ったそうだ。

どうしてクリームパンなのかはよくわからないけど、いかにもねーさんらしい話で、笑っちゃいけないのはわかってたけど、つい笑ってしまった。

昨夜ひと晩中、お母さんとお父さんはねーさんの側についていたらしい。でも、ねーさんにそれほど動揺している様子は見られなかったという。

もちろん、ねーさんは例によって周りの人を暗くさせないために、わざと明るくふるまってることぐらい、ぼくたちにもよくわかってたけど、精神状態が最悪でないとわかって、ぼくはちょっとだけほっとした。

お父さんは朝になって会社へ行き、今はお母さんとねーさんの二人きりだという。ちょっと顔だけ見に行ってもいいですかと尋ねたら、たぶん大丈夫だと思うけど、一応一緒にいたい、とお母さんが言った。こっちとしても、その方が心強いというものだ。ぼくたちはお母さんと病室へ向かった。

「桃子？　起きてる？」

病室の外からお母さんが声をかけた。起きてますよ、という何だか妙な丁寧語の返事があった。お母さんがドアを開いた。

「桃子、あのね、いつものあの子たちが、お見舞いにきてくれたんだけど、どうする？　会う？」

やっほー、という声がした。どうやら大丈夫らしい。ぼくたちは病室へと入っていった。

ねーさんの様子は、見た限りそんなに変わっていなかった。顔色が少し青くてむくんでいるのは、やっぱり大手術の後だからだろう。

だけど、それ以外にこれといって大きな変化はなかった。下半身に毛布をかけていたせいもあって、足を切断したのも見ただけではわからない。パジャマ姿のねーさんは、いつも通りのねーさんだった。

「あの……ねーさん」ぼくが代表する形で尋ねた。「……どうですか、具合は」

「いいわけないでしょうに」ねーさんが暗い声で言った。「足、切ったんだよ。それで調子がいいなんて人がいたら、会ってみたいもんだって……なんてね。自分でも意外なんだけど、そんなに調子悪くないよ。まあ痛みはあるけど、気持ちとしても、あっさりしてるっていうか、わりとさっぱりした感じなんだ。まあ、これからいろんなとこで困ったりするんだろうけど、あんたたちも助けてくれるだろうし、まあ大丈夫なんじゃない？」

「あの……ねーさん、これ」

メタボンがビニール袋を差し出した。正直言って、ぼくはお見舞いに何か持ってくるとか、そんなところまで考えが及ばなかったから、メタボンの気配りにはちょっと感心していた。でも、もしかしたらメタボンにとって、お見舞いというのはイコール食べ物、ということとなのかもしれなかった。

その証拠に、ねーさんがビニール袋の中を見ている間に、自分で勝手にチョコとかを取り出してぼりぼりと食べ始めていた。お見舞いというよりも、自分が食べたいものを買ってきたというのが本当のところなんだろうなって思った。

「すみません、ねーさん。ぼく、何にも持ってきてなくて」

わび助が頭を下げた。いいのいいの、とねーさんが手を振った。

「そんなね、食べ物ばっかあっても困るし。何しろこっちは動けないんだから、食べてばっかじゃ太っちゃうでしょ？　でも、食べる以外に楽しみないから、これってかなりヤバイと思うんだよね」

ねーさんの唇が不意に閉じた。ぼくたちの後ろに杉田さんが立っていることに気が付いたからだ。

何しに来たの、とねーさんが低い声で聞いた。何って、見舞いだよ、と杉田さんが答えた。

「何で昨日来てくれなかったの？」

ねーさんが表情を変えずに尋ねた。飛行機が遅れたんだ、と杉田さんが言った。いきなり、ねーさんがメタボンの持ってきていたお菓子を投げつけた。

「帰ってよ！　帰って！　あんたの顔なんて、見たくもない！」

チョコレート、ガム、ポテトチップス、とにかくありったけのものが杉田さんに向かって投げつけられた。それだけでは足りないとばかりに、ねーさんは手近にあった枕とかCDとか雑誌とか、そんなものまで力いっぱい投げつけ始めた。

「桃子、やめなさい！」

お母さんが叫んだけど、ねーさんは物を投げるのをやめなかった。プラスチックのコップ、食器、ケータイ、とにかく何でもだ。いきなり鈍い音がした。ねーさんの投げた陶器の花瓶が杉田さんの額に当たって、きれいに二つに割れていた。

杉田さんは一切動かなかった。避《よ》けるそぶりさえ見せなかった。どうしてなのかはわからないけど、とにかく杉田さんは動かなかった。額からひと筋、血が流れていた。

「やめて、桃子！」

お母さんがベッドの上のねーさんに覆いかぶさった。体の自由を奪われたねーさんの口から、罵《ののし》りの言葉が続けざまに飛んだ。

「帰れ！　帰れってば！　どこにでも帰んなよ！　あんたになんか、来てほしくない！」

そう叫んだねーさんの顔は、今まで見たことがないぐらい怖かった。鬼のような表情。

「ねーさん、待ってください。話を聞いてあげてください。杉田さんが遅れたのにはわけがあって……」

前に出たぼくの顔に、重いファッション雑誌が飛んできた。反射的に避けようとしたけど、そのまま鼻に当たってしまった。折れたんじゃないかと思えるほど痛かった。

「うるさい、イノケン、お前も出ていけ！　みんな出てけ！　こんな奴と一緒に来るなんて、あんたらサイテーだ！　何でわかんないの、バカ！」

「ごめんなさいね、みんな。とにかく一度出ていってもらえる？」ねーさんの体を押さえながら、お母さんが言った。「まだ手術が終わったばかりで、気が高ぶってるの。ね、わかってあげて。お願いだから」

「また来ます」杉田さんが初めて口を開いた。「明日も来ます」

「二度と来んな、バカ！」

ねーさんの叫び声だけがこだましました。ぼくたちはそのまま病室をあとにした。

15

それでも、ぼくたちは毎日のようにねーさんの見舞いに行った。ぼくとメタボンは陸上部の練習があったので、どうしても遅い時間になってしまうことが多かったけど、その分わび助が早い時間に行ってくれていたので、ねーさんにとってはむしろちょうどいいようだった。

ぼくやメタボン、そしてわび助が見舞いに行くと、ねーさんはいつものねーさん流に優しく迎えてくれた。どっちが病人かわかんないよね、とわび助が言ったけど、ホントにそんな感じだ。

ぼくたちはねーさんを見舞うために病院へ行くのだけれど、帰りにはなぜか励まされるようなことが多かった。変な話だけど、本当にそうだったのだから仕方がない。とにかく、ぼくたちに対してねーさんは心の扉をちゃんと開いて待っててくれた。問題なのは杉田さんだ。

杉田さんに関しては、完全に面会謝絶状態が続いていた。毎日、杉田さんはねーさんの病室を訪れる。だけど、ドアが開くことはなかった。ぼくも一度見たことがあるのだけど、ねーさんのお母さんが一生懸命謝っていた。

こんなに毎日来てくれているのに、本当に申し訳ないと思うのだけど、桃子はあなたに会いたくないと言っている。理由はわからないけど、本人の意志は固いようだ。おそらく、あの子はこの先もあなたと会おうとはしないだろう。本人を刺激したくないから、とりあえずしばらくは来ないでほしい。そんなことを言っていた。

ねーさんの頑固さも相当なものだったけど、杉田さんもそれに負けず劣らず頑《かたく》なだった。お母さんに説得されても、どう言われても、毎日同じ時刻に現れて、同じように面会を断られていた。

ぼくやメタボンと一緒に病室へ入ろうとしたこともあったけど、それもダメだった。あの男が一緒なら、あんたたちとも会わない、とねーさんは宣言した。どうにもならなかった。

そんなふうにして、半月ほどが過ぎた。その頃になると、ねーさんが骨肉腫に罹って、足を切断する手術をしたらしい、という情報はかなり多くの人の知るところとなっていた。

陸上部の部員、クラスの人たち、学校の先生とか、そんな人たちもお見舞いに来るようになっていた。正直言って、ねーさんにとってそれはわずらわしい場合もあったと思うのだけど、いつでもねーさんは見舞い客を歓迎した。スマイルはプライスレスだというけど、あんな感じだ。

結局、その半月の間に、ねーさんはのべ五十人ぐらいの見舞い客と会ったと思う。ただし、杉田さんだけは別だった。いつでも門前払いだった。

ぼくもメタボンもわび助も、黙っていたわけじゃない。杉田さんがなぜ手術に間に合わなかったのか、その事情は十二分に説明したつもりだ。

杉田さんが乗っていた飛行機に急病人が出て、その飛行機が一度ハワイへ戻らなければならなくなったこと、だから手術に間に合わなかったのであって、決して杉田さんの責任ではないと何度も言った。でも、無駄だった。ねーさんがぼくたちの話に耳を貸してくれることはなかった。

それからまた一週間が経った頃、杉田さんがぼくたちを呼び出した。無理だな、というのが杉田さんの発した第一声だった。

「桃子が怒ってる気持ちが、俺にはよくわかるんだ。俺はあいつと約束した。必ず手術前にあいつと会うって。だけど、どんな理由があったにせよ、とにかく俺はその約束を破っちまった。あいつが怒ってるのは、そのせいなんだ」

確かにねーさんにはそういうところがある。つまらないところで意地を張ったり、ムキになったりするようなところだ。

それにしても、さっぱりした性格が特徴であるねーさんにしては、あまりにも怒りが長く続いていることに、ぼくたちも驚いていた。いつものねーさんなら、三日も経てば、まあしょうがないか、となったはずなのだ。

「というわけで、俺はハワイへ戻る。桃子にそう伝えておいてくれないか」

「……本当に、ハワイへ戻っちゃうんですか？」

わび助が言った。最初は何だかわけのわからないおっかない人だと思ってたけど、杉田さんは話してみるとてもいい人だった。

この数週間、お茶を飲んだり、時には一緒にファミレスとかでメシを食ったりしたけど、外見に似ず、杉田さんは思いやりのある人で、たとえば老人とか妊婦なんかに対してはものすごく親切だった。

あれは決して意識しているのではなく、生まれつきなんだろう、とぼくたちはよく話し合ったものだ。それぐらい、杉田さんの行為は自然であり、さりげないけれど、いつでも優しかった。

それだけではなく、杉田さんはトークの名手でもあった。さすがに高三の二学期だか三学期だかで退学を決めたというだけのことはあり、確かにとても変わった人であることは間違いなかったけれど、一緒にいて笑いが絶えることはなかった。

杉田さんはぼくたちと違って世界中を旅して回っているような人なので、その体験談を聞いてるだけでも面白かった。他人の影響を受けやすいメタボンは、ぼくも大学行ったら世界中を回るんだと言っていた。そんなことは絶対に無理だ。

要するに、ぼくたちは杉田さんというよくわけのわからない人を好きになっていた。だけど、杉田さんはハワイへ戻るという。そして、それを止めることが誰にもできないこともよくわかっていた。

杉田さんはフーテンの寅《とら》さんみたいな人かもしれない。いつでも、どこでも、ここではないどこかへ行きたがってる。ひとつところに落ち着くことがどうしてもできない人。

「日本に帰ってきた時は、電話してください」

「ねーさんの機嫌が直った頃を見計らって連絡ください」

「体にだけは気をつけてください」

やっぱりお前らは後輩だな、と杉田さんが笑った。そのまま、手を振って春日部駅の方へ向かっていった。八月も終わりに近づいた、くそ暑い日のことだった。

16

その数日後、ねーさんの歩行訓練が始まることになった。手術直後だと患部が腫《は》れるので、一カ月やそこらで義足を装着することなんてできないらしいけれど、最近は技術も進んでいるため、うまくすれば手術後数週間で歩行訓練を始めることができるねーさんみたいなケースも増えているそうだ。

特に、ねーさんは若いし、回復力も普通の人と比べてすごくあるらしかった。陸上部元エースの名前は伊達《だて》じゃなかったということだ。

お医者さんの話だと、義足をつけて歩くのは、自分の二本の足で歩くのと比較して、何倍ものエネルギーが必要だという。だから義足歩行するというのは、相当の体力と忍耐力とが必要になるのだけど、幸いなことに陸上部出身のねーさんはその両方共を持ち合わせていた。

歩行訓練のためには、まず義足が必要になる。でも、これはいってみれば仮義足で、練習用のようなものだ。

切断部分がどんどん痩せていく時期に使うための義足で、安全用のパーツとかもついている。極端にいえば、補助輪つきの自転車を想像してもらえばいいのかもしれない。義足は足の治り具合によって、新しいものに変えていくということを、初めてぼくは知った。

病院内にはリハビリルームがある。そこでねーさんは義足を使った歩行訓練をしなければならない。

まずは体の両脇にある平行棒を使ってのバランス感覚を養う訓練だ。それができるようになったら、次は松葉杖をついての歩行訓練ということになる。

だけど、こんなことは見ているだけだからあっさりと言える話で、実際には平行棒を使った訓練でさえも、ねーさんにとっては苦痛でしかないようだった。ねーさんは我慢強い方だから、痛いとかそういうことは一切口にしなかったけど、お医者さんの話では、残っている足の部分を、ソケットと呼ばれる部分にはめて立ち上がるのは、大人でも泣き出すことがあるぐらい、辛いものだということだった。

そして、もちろんただ立つだけではほとんど意味がない。歩行訓練というぐらいだから、歩かなければならなかった。

だけど、歩くたびソケットが肉に食い込むようで、その痛さは今までねーさんが体験したことのない種類のものだったらしい。だからねーさんは少しでも痛さを軽減するために、左足だけで歩くような歩き方をするようになっていた。

それじゃ意味がない、とリハビリの先生が言ってたし、それはその通りなんだろうけど、仕方がないんじゃないのかとも思った。何しろ、見ているだけで痛みが伝わってくるようだったからだ。

そして、ぼくたちには応援すること、励ますことしかできない。そんなの、口で言うだけだったら何とでも言える。

だからといって、代わりにぼくたちが義足で歩き回るわけにもいかない。歯がゆかったけど、それが現実だった。

それでも、痛いとか、辛いとか、やりたくないとか、泣き言を並べながらも、ねーさんはリハビリルームに通うのをやめようとはしなかった。もちろん、若くて、体力があったからこそ、それができたということもあったのだろう。

ねーさんは歩行訓練を始めて約十日後にはバランスの取り方を覚えた。痛いんだよね え、と言いながらも、さすがに嬉しそうだった。

その次の段階として、松葉杖を使った歩行訓練が始まった。最初は怖いとかいろいろ言ってたけど、ぼくたちが両脇からいつでもフォローできるように支えていたり、リハビリの先生の熱心な指導もあって、だんだんと松葉杖を使った二足歩行ができるようになっていった。

この頃になると、たとえばトイレとかへ行く場合でも、誰かの手を借りずに自力で行くことができるようになっていた。努力は報われるものだ、とぼくたちは思った。

義足を新しいものに変えたりしながら、歩行訓練は続けられた。手術をしてから約ひと月半経った九月の終わりに、ねーさんはいよいよ松葉杖を持たずに、自分の足だけで歩く訓練を始めた。

それこそ危なっかしいもので、何の支えもないからねーさんはすぐ転んだり倒れたりした。もちろん、ぼくたちもついていたし、両脇にはマットが敷いてあったから、それで怪我をしたりすることはなかったのだけれど。

ただ、意外と言えば意外なぐらい、ねーさんは自力歩行の訓練が苦手だった。もうやめる、と泣きながら言ったこともある。

運動神経がいい人なら、ひと月やそこらで自力歩行の練習を始められるらしい。リハビリの先生もそう言っていた。

松葉杖での歩行訓練まで、ねーさんは何もかも順調だったといってもいい。だからこそ、自力歩行の練習を始めることになったのだけれど、やっぱりそれは早すぎたのかもしれなかった。

ねーさんは、どっちかといえばチャレンジャーな人だ。だから、自力歩行訓練についてもどんどんトライしていくのだろうと思っていたけど、意外とそうでもなかった。

ねーさんに言わせれば、松葉杖があるのに、何で無理やり義足で歩かなければならないのかということになるし、理屈ではその通りだ。松葉杖を使えば、大概のところへねーさんは行くことができたし、そのスピードも決して遅くなかった。それで十分じゃないの、と言われたら返す言葉がぼくたちにはなかった。

これはぼくの憶測だけど、ねーさんは義足で歩くのがカッコ悪いと思っていたようだった。義足で歩くというのは、やっぱり自分の足で歩くのとわけが違う。

どうしても、ねじれたような歩き方になってしまうのは仕方のないことだし、ねーさん自身もそれはわかっていたのだと思うけど、やっぱりそれが嫌なんじゃないか、とぼくは思っていた。

特に、ねーさんはそれまで県内でも有数のランナーだったわけだし、おそらくプライドみたいなものもあったのだろう。それなのに、足を引きずるようにして歩かなければならないというのは、やっぱり辛かったはずだ。そうでなければ、ねーさんほどの人が訓練を嫌がるはずがない。

本人にやる気がないのに、訓練がうまく進むはずがなかった。リハビリの先生も、それはよくわかっていたのだろう。しばらくの間は松葉杖で歩く練習を続けるということになった。

「まだまだ先は長いんだし、ここでジタバタしたってしょうがないって」

そうっすね、とぼくたちは答えた。ちょっとねーさんらしくないなって思ったけど、それはぼくたち他人にはわからないことだ。ねーさんは松葉杖に頼りすぎてる感じもあったけど、とにかくそんなふうにして歩行訓練がゆっくりと進められていった。

17

「ダッシュ！」

草野の声が響いた。十月初めの月曜日のことだった。その頃あった全国高校駅伝埼玉県予選会で、うちの学校はどういうわけかみんなが好タイムを出し、十一月下旬にある関東高校駅伝大会への出場が決まっていた。そしてさらになぜかはよくわからないのだけど、夏休みの間ずっと練習をさぼっていたぼくもその選手の一人として選ばれていた。おかしいなあ。ぼく、短距離の選手なんだけどなあ。

草野は草野で、秋の新人戦に出場することが決定していた。草野はぼくの目から見てもかなり素質はあるし、けっこういいところまでいけるのではないか、と部のみんなからも期待されていた。

部長のゲンカクがぼくと草野のコンビをそのままにしておいたのは、一応男女の違いもあってぼくの方がいいタイムを持っていたから、草野にとっていい目標という意味もあったのだろうし、隙あらば練習をさぼるぼくに対してのお目付役として、草野が最もふさわしいということもあったのだろう。適材適所とはこのことだ。

駅伝の練習も始まっていたけど、実際の試合は十一月下旬だ。秋の新人戦はその前にある。

とりあえず、今はぼくより草野の方が練習を控えるべき時期だったけれど、どういうわけかぼくたちの関係は草野の方がちょっと上で、草野の方針通りに練習スケジュールは組まれていた。そして、月曜日はぼくの練習の方がより重視されることになっていた。

草野。お前、そんな場合じゃないだろうに。

「ダメです。先輩はちょっと目を離すと、すぐどこかへ消えちゃいますから」

「そんなことないって。駅伝なんて、そうそう出る機会はないんだから」ウォーミングアップをしながらぼくは言った。「おれだって、少しはやれるところも見せたいっての」

「じゃあ、練習してください」

正論を言うところが誰かに似てると思ったら、それはねーさんと同じだった。まったく、最近は女子が強くなって困る。

「井上先輩って、もっと速く走れると思うんです。フォームだっていいし、潜在的な能力もあると思うし」

そして全体に説教臭いのも、女子たちに共通するところだ。潜在的な能力って、一年のお前にそんなこと言われたくないよ。

「ただ、何ていうんですか、メンタルな部分が弱いっていうか。ここ一番ってところで、力を発揮することができないみたいな。ありますよね？　ここで頑張らないとダメだ、みたいなところって」

大きなお世話だってば。そんなことお前に言われる筋合いはないっての。こっちは中学からずっと陸上やってるんだから、そんなことは十分以上にわかってるんだよ。

逆に言えば、あんまり長いこと走ってばかりだったから、どうも草野の言うところの、ここで頑張らないとダメなのがどこなのか、わからなくなっているという気も確かにするのだけれど。

「おれのことはいいからさ、草野は自分の練習をした方がいいんじゃないの？　新人戦、もうすぐだろ？」

「あたしはちゃんと自分の練習をやってますから、誰かさんとは違います」

どうして最近の女子はこんなに皮肉もうまくなったのだろう。不思議だ。

「あの……菅野先輩、どうなんですか？」

草野が声をひそめて言った。ただ今、歩行練習中、とストレッチをしながらぼくは答えた。

「年明けか、遅くても来年の春ぐらいまでには、自力で歩けるようにしたいと思ってるみたいだよ。まあ、今は松葉杖がないとどうにもなんないようだけど」

「そうですか……よかったですね。それなりに順調ってことなんでしょ？」

まあ、そうだ。でも、ちょっとだけぼくには不満みたいな、そんな気持ちがあった。ねーさんだったら、もっと早く自力で歩けるようになってもおかしくないはずなのに。

「だけど、順調だと井上先輩としてはちょっと嫌なんじゃないですか？」

「どういう意味？」

「だって、菅野先輩がこのまま順調に退院しちゃったら、もうお見舞いに行くって口実がなくなっちゃいますもんね」

　思わず感心してしまった。それはその通りかもしれないけど、やっぱり順調なのは悪いことじゃないだろう。

「あのね、それとこれとは関係ないの。練習は練習。見舞いは見舞い。わかる？」

　どうなんですかね、とつぶやいた草野が、とにかく練習しましょう、と言った。わかりましたよ。やる時はやりますよ。ぼくだって、別にやる気がまったくないわけじゃないんだし。

　しかも、どういうわけだか駅伝の選手に選ばれたこともあるし、ねーさんのリハビリはそれなりに順調だし、いろんなことがうまく回ってきているのも確かだった。来年の三月まで、ぼくは部活を続けていくつもりだし、タイムによっては特例としてそのまま三年生になっても部に残ることができるかもしれない。だから、やる気がないわけではないというのは本当だ。

　問題は、やる時はやりますよというのはぼくの口癖なのだけれど、いつがそのやる時なのかがよくわからないことだ。でも、たぶん今がその時なのだろう。周囲の状況から考えると、それが結論だった。

「さて、それじゃ練習でもしますか」

　ぼくがそう言った時、グラウンドの向こうから車椅子を押してくるわび助の姿が見えた。車椅子に乗っているのは、もちろんねーさんだった。

「どうしたんすか、ねーさん」

外出許可が出たんだよ、と汗だくになった顔を拭いながら近づいてきたわび助が言った。

「それで、どこ行きたいですかって聞いたら、陸上部の様子が見たいっていうんで、ぼくが付き添いって形でここまで連れてきたわけ」

「ありがとね、わびちゃん」

ねーさんが松葉杖を使って立ち上がった。部員のみんなが一斉《いっせい》に近づいてきた。

「わかったから。どうなってるのか、あとでちゃんとみんなに話すから」ねーさんが人の輪をかき分けるようにしながら言った。「そんなことより、今は練習の時間でしょ。ほら、みんなそれぞれ自分の練習しなさいよ。あたしのことはその後でいいんだから」

でしょ、イノケン、とねーさんがぼくを見た。わかりましたよ。走りますよ。走ればいいんでしょ、走れば。

「草野、練習するぞ」

はーい、と草野が返事をした。ぼくはスタートラインに立った。

Vol.4

In the hospital

1

ねーさんの様子は、それほど変わらなかった。義足による自力歩行について、あんまりやる気が感じられなくて、基本的には松葉杖がなければ動こうとしない。

そういう状態が長く続きすぎると、足の筋肉が落ちていって、本当に歩けなくなってしまうかもしれないとリハビリの先生は心配していたけど、何しろ本人にその気がないのだからしょうがない。それに、松葉杖を使っている限りにおいては、ちゃんと義足になっている右足も使っているので、しばらく様子を見ることにしましょう、というのがいつもの結論だった。

十月の終わり頃になって、ねーさんは退院した。もちろん通院は毎日のことだし、リハビリも続けなければならなかったけど、それはやっぱり大きな変化だった。

そしてねーさんは松葉杖をつきながら学校へ来るようになった。それ以上休んでると、卒業できなくなるという事情もあったようだ。

ともあれ、ねーさんは復学した。ぼくたちは学年が違うからよくわからないけど、クラスの人たちはみんなねーさんに対してすごく同情的だったらしい。ただ、ねーさんに言わせると、そういうのってけっこう面倒くさいんだよね、ということだった。

「だってさぁ、今までろくに話したこともない子とかが、大丈夫なの？　とか言って話しかけてくんのよ。そんなさあ、大丈夫なわけないじゃん。こっちは足一本切ってるんだからさ、それぐらい見りゃわかるでしょうに。なのに、ごちゃごちゃ同情っぽいこと言ってきてさ。相手にしてらんないっての」

ねーさんの言っていることももっともだけれど、クラスの人たちが何かと声をかけたがるのもわかるような気がする。そのへんはどっちもどっちなのだろう。

ねーさんは授業が終わって放課後になると病院へ行く。その付き添いは主に部活のないわび助の役目だった。

病院からの帰り方はいろいろで、ねーさんのお父さんが車で迎えにくることもあったし、ぼくとかメタボンが病院へ行って、そのままタクシーで家へ送り届けることもあった。時にはわび助が例の軽の白いワゴンでこっそり家まで送ることもあった。

このへんがねーさんの不思議なところで、ねーさんはクラスメイトたちに迷惑をかけるのは嫌がったけど、ぼくたちに対してはそうでもなかった。というか、積極的に迷惑になるようなことをする場合さえあった。

使い勝手のいい子分、というのがぼくたちの役回りということなのだろう。それはそれで別に構わなかったのだけれど。

それ以外の部分では、平和な毎日が続いていた。秋の新人戦で草野は自己ベストのタイムを出したものの、決勝には進めなかった。

相当悔《くや》しかったらしく、半泣きになっていた。前から思っていたことだけれど、やっぱり草野はかなり負けず嫌いの性格だった。

十一月の下旬、今度はぼくの方の駅伝があった。たまたま秋の予選会でうちの学校はいいタイムを出していたけれど、まぐれはそうそう続くもんじゃない。残念ながら、という言葉も使えないほどの惨敗に終わった。

まあしょうがない。うちの学校ならその程度だ。とにかく関東大会に出場できただけで立派なものだと思う。

そうこうしているうちに、十一月が終わろうとしていた。陸上部の場合、十二月に入るとトラック競技よりも、筋トレとか外周の走り込みの方が主となる。そろそろそういう季節か、とぼくは思っていた。

2

正直なところ、この頃になるとぼくたちはねーさんが片足を切断していることをつい忘れてしまうことさえあった。それぐらい普通にねーさんは学校に通ってきていたし、前と変わるところはなかった。ただ、いつでも松葉杖を抱えていることを除けばの話だけれど。

うちの学校は一応制服はあるけれど、着用が義務づけられているわけではない。だからねーさんはいつもジーンズで学校に来ていた。それもあって、外から見ている限りねーさんが義足なのはわからなかった。

松葉杖をついて歩く時、ちょっとだけ金属音みたいな音が聞こえてくることもあったけど、それもそんなに気になるようなことではなかった。本当に、松葉杖さえついていなければ、いわゆる健常者と何も変わるところはなかったといってもいいだろう。

「ねーさん、そろそろ」

この頃、ぼくたちは顔を合わせるたびそう言っていた。そろそろ松葉杖をつかなくてもよろしいんじゃないでしょうか、という意味だ。それはつまり、リハビリに精を出して、自力歩行の練習をしてもいいんじゃないすか、ということだった。

だけど、その話をするといつも必ずといっていいほどねーさんは不機嫌になった。本来努力家であるねーさんが、どうしてそんなに自力歩行の訓練を嫌がるのか、ぼくたちには理由がわからなかったけど、察するところ要するにやっぱり、足をひきずって歩くのなんて嫌だ、ということのようだった。

ねーさんには埼玉県下でもトップクラスのアスリートだったという実績がある。だからこそ、そういう発想になるのはわかるような気もした。

「でも、そんなこと言ってたら、いつまでたっても松葉杖を離せなくなりますよ」

これはぼくの意見ではなく、リハビリの先生の意見だった。ぼくたちはその先生とねーさんの両親に、自力歩行の練習を始めるように説得してほしいと頼まれていたのだ。

「だって、別に困んないもん」

ねーさんの返事はいつも同じだった。松葉杖があれば、どこへでも行けるし、移動も楽だ、という意味だ。

それはそうかもしれないけど、リハビリの先生に言わせると、いつまでも松葉杖に頼っていると、精神的に依存心が生まれてしまい、松葉杖がないと動けなくなってしまうということだった。

「でも、別に困んないし」

いくら言っても、返事は同じだった。困ったものだとは思うのだけれど、本人が不自由を感じていないと言うのだから、どんなに言葉を尽くしても意味はなかった。ねーさんはもう完全に自力で歩くのをやめたようだった。

らしくないよな、とぼくやメタボン、そしてわび助は話し合ったけど、だって前のあたしとは違ってるんだから、らしくないも何もないでしょと言われるのがわかっていたので、とにかく顔を合わせたら、松葉杖についてはもうそろそろ、と言うだけしかできなかった。無力というか何というか、情けないったらありゃしない。でも、それがぼくらのキャラクターだから、しょうがないのだけれども。

それ以外の部分では、ねーさんは前の自分をすっかり取り戻していた。ぼくたちはちらちらと横目で見ているだけだったけれど、クラスでも友達とかとうまくやっているようで、問題は何もなかった。

時々、陸上部の練習をのぞきに来ては、好き勝手なことを言って帰っていくのも前と同じだ。そんなふうにして、季節が過ぎようとしていた。

3

リョーイチから連絡があったのは、十二月最初の日曜日のことだった。ねーさんの手術が終わった直後から、その見舞いに来なくなったリョーイチとはしばらく話をしていなかったので、どうしたんだろうと思っていたら、ねーさんの様子はどうか、と聞かれた。やっぱりリョーイチも気にはなっていたらしい。

そりゃそうだろう。ぶっちゃけた話、ぼくたち三人のねーさんに対する気持ちというのは、単純に言えば憧れにすぎなくて、本当にねーさんとつきあうとか、そんなことは考えられもしなかった。

でもリョーイチは違った。女の子たちから人気のあるリョーイチが、どんなアプローチがあってもそれを断っていたのは、ねーさんのことを真剣に異性として好きだったからだというのは、ぼくが一番よくわかっていた。

逆に言えば、だからこそリョーイチは足を切断するという大手術を受けたあとのねーさんに会うことができなかったのだろう。気持ちはわからなくもない。

「お前が思ってるほど、悪くはないよ」ぼくはケータイに向かって言った。「むしろ、調子は戻りつつある感じだな」

「オレ……オレな、正直に言うわ。オレ、やっぱりねーさんのこと好きだ」

「知ってるよ」

「お前らと一緒にすんな。オレは本気なんだ」

怖いくらい真剣な声だった。わかってるって、そんなこと。

「今から……もう一度ねーさんに会いに行ってもいいと思うか？」

「そりゃ、いいんじゃないの？　ねーさんも喜ぶと思うよ」

「オレ、この四カ月、ずっと考えてたんだ。ねーさん足を切ったわけだろ？　ていうことはさ、前のねーさんとはやっぱり違うわけじゃねえか」

「そうでもないぞ。口の悪さなんかは、さらに磨きがかかったというか……」

「そんなことを言ってるんじゃねえよ」ちょっと怒ったような口調だった。「それはそうかもしんないけど、もっと……心の奥底の部分で、いろんな意味でねーさんが変わっちまったんじゃねえかって。それをずっと考えてたんだ。だけど、もう迷いはなくなった」

「迷い？」

「オレの気持ちは変わんないってことだよ。ねーさんが足を切ろうが腕を切ろうが、ねーさんはねーさんだ。オレはねーさんが好きだ。ねーさんがオーケーしてくれるなら、つきあってほしいと思ってる」

「待てって。お前、考えすぎてどうかしちゃったんじゃないのか？」

「どうもしてねえよ。思った通りのことを言ってるんだ」

そうすか。まぁ、気持ちは自由だ。誰にもリョーイチを止める権利はない。

「それで……告白しようと思ってる」

「マジでか？」

マジだ、とリョーイチが答えた。

「来年、ねーさんは卒業する。あの人はもともと成績もよかったから、どっかの大学へ入るだろう。そうしたらもう、オレにチャンスはない」

「いや、そうでもないんじゃない？　おれらはいつだってねーさんに会えるわけだし」

「イノケン、だからお前はバカだっていうんだ。ねーさんだぞ？　あのねーさんだぞ？大学に行きゃあ行ったで、人気者になるのは間違いない。もちろん、すぐに彼氏ができるとかそんなことはないと思うけど、いずれはそういうことになる。その前に手を打っておかないと、オレは一生後悔することになる」

一生の後悔ときたか。いや、それはそうかもしれないけど。

「それで、頼みがある。ねーさん、まだ病院通いなんだろ？　お前、病院には毎日行ってるんだよな？」

「まあ、絶対ってわけじゃないけど、だいたいはそうだな」

「一緒に来てくれないか。ていうか、オレを連れてってくれ。そして勇気をオレにくれ。一世一代の勇気をだ。ねーさんに告白するために、オレの背中を押してくれ」

何というか、これ以上ないほどワガママな頼みだったけれど、この間、悩みに悩んで出した答えがそれだというのなら、つきあうのもやぶさかではない。

もちろん、ぼくだってねーさんのことは好きだ。好きじゃなかったら、十七歳の夏を病院ですごしたりはしなかっただろう。

だけど、リョーイチの気持ちの重さにはかなわないと思った。好きという想いの中にも、いろんな種類があるのだということを、高校二年の冬にして、初めて知ったような気がした。

「わかったよ。いつでもいいぜ、こっちは。部活終わりに、メタボンとおれはほとんど毎日病院へ通ってる。だから、その時一緒に来ればいい。そして、思いのたけを述べろよ。骨は拾ってやる」

「ありがとう」

やめてくれ、気持ち悪い。そんなつもりで言ったわけじゃない。要するに特攻隊員を前にして、言うべき言葉を言ったまでのことだ。感謝などされる筋合いではなかった。

翌日の待ち合わせ場所と集合時間を決めてから、ぼくは電話を切った。とりあえずこの話をメタボンとわび助にも伝えてやらなければ。そして、歴史的な瞬間に立ちあってもらうことにしよう。ケータイのメールは本当に便利だ、と思った。

4

翌日の夕方六時、ぼくたち四人は久々に勢揃いした。別に三人でも不足はなかったのだけれど、やっぱり四人の方がしっくりくる。

余計な挨拶は必要なかった。行こうぜ、というぼくの号令の下、四人で病院を目指した。

もうすっかり顔なじみになっている看護師のお姉さんに、桃子先輩を見ませんでしたかと聞くと、さっきまで中庭の方にいたと思うけど、という答えが返ってきた。ぼくたちはそっちの方へ向かった。

この病院には、さまざまな用途に使われる広い庭があるのだけれど、それとは別に、もう少し小さな庭が病院の裏手にあった。

中庭というのは通称で、特に正式名称はないらしい。ぶっちゃけると、設計ミスのためにそんなスペースができたという噂もあったぐらいで、あまり何かの役に立つ場所とはいえなかった。

ただ、何の役にも立たない場所というのにもそれなりの意味がある。つまり、何の役にも立たないということは、必然的に誰も来なくなる。だから、考え事をしたい時とか、誰にも会いたくない時なんかに、中庭は有効利用されることになっていた。

中庭へ入るためには、一度病棟の中を横切らなければならない。途中にガラス窓があり、その向こうが中庭だ。看護師が言ってたように、確かにねーさんはそこにいた。

もう十二月の初旬で、外はひんやりと寒い。ねーさんはジーンズとトレーナーの上に、何かコートのようなものをはおっていた。座っていた椅子の横には二本の松葉杖があった。

ねーさんらしくもないことだ、とぼくは思った。あんなところで、一人ぼんやりとたそがれているなんて、どう考えてもらしくなかった。

寒いのか、時々ねーさんは両手に息を吹きかけていた。何をするでもない。ただ黙って椅子に腰掛けているだけだ。だけど、リョーイチにとってはこれ以上ないぐらいベストなタイミングといえるだろう。

「リョーイチ、行け。行って、さっさと告白しろ」

「誰か来ると、話がまた面倒になるしね」

「無理だとは思うけど、やらずに後悔するよりやって後悔した方がいいって、小学校の校長先生が言ってたぞ」

よく考えてみると、確かにこれ以上いいシチュエーションはめったにないような気がしてきた。

ねーさんは学校に戻ってきてから、自分が足を切断したことを隠さなかった。もちろん隠そうとしても隠しとおせるものではないから、それは当たり前のことなんだけど、自分からどんどん話をするのが常だった。

その意味で、クラスメイトとか、陸上部の部員たちは余計な気を遣わずにすんだ。ねーさん自身、腫《は》れ物《もの》に触れられるような扱いを避《さ》けたかったのだろう。だからこそ、自分から積極的に手術をしたことを話したのだ。

それはそれでよかったけれど、その分励ましてくれたり、病院に来る人なんかも増えていた。

だから、いつもねーさんの周りには人がたくさんいた。まさか、みんなが見ている前で告白なんてできるはずがない。

ところが、どういうわけか、今日に限ってねーさんは一人きりだった。これはもしかしたら天の配剤かもしれない、とぼくは思った。

リョーイチが、明日告白する、と宣言したまさにその日、誰もねーさんの周りにいないというのは、何か運命的なものがあるのではなかろうか。

「行けって、リョーイチ」ぼくはリョーイチの肩を押した。「ぼやぼやしてると、誰か来るぞ。検査とかだってあるかもしれない。行くなら今しかない」

「ああ……そうだな」

かすれた声でリョーイチが答えた。しっかりしろよ、とメタボンが真剣な声で言った。

「イノケンの言う通りだよ。これはチャンスだって、ゼッタイ」

「悔しいけど……リョウくんに譲るよ。今回のこれは、リョウくんの想いがあったからこそのシチュエーションだと思う」

言いかけたわび助に向かって、リョーイチが首を振った。何だお前。いきなりここへ来てドタキャンか？　ヘタレか、お前は。

「ダメだわ、オレ」リョーイチが言った。「ねーさんのあんな姿見てたら、告白なんてできるわけないって」

「どんな姿だよ。ていうか、あんなに一人ぼっちでさみしそうにしてるねーさんを、少なくともおれは見たことないぞ。たぶん、いろんなことがあって、気持ちが少し弱ってるんだと思うな。だからこそ、逆にチャンスなんだよ」

ぼくの言葉に、またリョーイチが首を振った。

「弱ってる女の心に付け込むようなことはしたくない」

「何をカッコつけてんだ、お前は」

「いや、カッコつけてるわけじゃない。はっきり言うと、無理だってわかったんだよ、ねーさんのことを見て。たぶん、ねーさんにはちゃんと好きな人がいる。その人が迎えに来てくれるのを、ずっと待ってるんだ」

「それって……」

「言わなくてもいいだろ。みんなわかってることじゃねえか」

リョーイチが哀しそうな笑みを浮かべた。そのまま、ぼくたちはいつまでもガラス窓越しにねーさんの姿を見ていた。

5

結局、ねーさんが中庭から病院内へ戻ってきたのは、それから三十分ぐらい経ってからのことだった。行き先はわかっていた。リハビリルームだ。

だからぼくたちは先回りして、リハビリルームに隠れていた。ちょっと驚かせてやろうと思ったのだ。

ねーさんはそういう意味で非常に単純な人で、リハビリルームのドアを開けたとたん、ぼくたちが現れたことに対して、文字通り腰を抜かさんばかりに驚いていた。しかも、その中にリョーイチがいたのだから、なおさらだった。

「何で全然来てくれなかったのよ」松葉杖で体を支えながらねーさんが文句を言った。「いきなり来なくなるから、どうしたのかと思うじゃない、こっちとしては」

「まあその、いろいろありまして」

もごもごとわけのわからない言い訳をリョーイチがしようとした時、リハビリの先生が入ってきた。いつものように、自力歩行の訓練をするためだ。

手術が終わり、義足を装着するようになってから、早いもので約三カ月が経っていた。平行棒を使ったバランス訓練、松葉杖による歩行訓練と、順調にメニューをこなしてきたねーさんが、どうしても義足で歩くことができなかったのは、何度も触れた話だ。先生に言わせれば、義足はねーさんの足に対してうまく馴染《なじ》んでいるから、痛みはほとんどないはずだという話だった。問題は勇気ということらしい。

要するに、松葉杖とか、他人の支えがなくても一歩ずつ足を踏み出していけるかどうかは、ねーさんの気持ちにかかっているという意味だ。

もちろん、トライは何度もしていたが、義足をつけた右足で踏み込む時、どうしても力が入らないまま、倒れてしまうのだ。

そんなこともあって、最近のリハビリ訓練は、左の松葉杖を外して、右だけを使う、というやり方に変わっていた。つまり、左足は普通に歩く。右足については松葉杖を使う。

ただし、意識をしてなるべく松葉杖に力を入れないようにすること、と先生は指示した。それを続けていけば、いずれは右の松葉杖がいらなくなるのだそうだ。

ただ、簡単にそうはいうけれど、なかなかうまくいかないのも事実だ。

ねーさんは少しでも右の松葉杖を使わないようにすると、右側へ向かって倒れてしまう。それでも、このやり方以外に方法はないとみんながわかっていたから、とにかく続けるしかなかった。

いつものようにねーさんが右の脇に松葉杖を挟んで、スタート地点に立った。今日の最初の補助役はメタボンとリョーイチだった。本当はぼくの順番だったのだけれど、どうしても自分がやりたいというので、リョーイチに譲ることにしたのだ。

「始めて」

リハビリの先生が言った。ねーさんが左足を前に出した。ねーさんの左足は何の障害もない。けど、義足の右足に体重がかかるわけで、どうしても松葉杖によりかかるようになる。

「松葉杖に頼らないで。ゆっくりでいいから」

先生が声をかけた。わかってます、というようにうなずいたねーさんが、次は右足と松葉杖を一緒に前に出した。とりあえず、そこまでは大丈夫だった。次の一歩はまた左足だ。

その時、ぼくの尻ポケットから着信音が鳴りだした。ケータイだ。ぼくは液晶画面を確認してから、リハビリルームから出た。そこにあった文字は、番号通知不可、というものだった。

非通知ではない。番号通知不可だ。ぼくの頼りない知識によれば、それは海外から電話がかかってきた場合にのみ記される文字だった。

「もしもし？」

「井上か？」

「杉田さん！」小走りで廊下を進みながら、ぼくは通話口を手で覆った。「今、どこにいるんですか？」

「カナダだ。そんなことはどうでもいい。ちょっと頼みがある」

「何ですか」

「今月、といってももうすぐの話なんだが、十二月の二十日に俺は日本に寄る」

寄る？　どういう意味だろう。しかも、二週間後の話じゃないか。

「カナダからハワイへ行く便が、成田で一度降りるんだ。トランジットっていって、要するに乗り換えだな。予定だと成田への到着時間は日本時間の午後二時、ハワイへの出発時間は同じく午後六時。つまり、その間の四時間、おれの体は空いているってことだ」

「それで？」

「……桃子を空港まで連れてきてほしい。どんな手を使ってもいい。それはお前に任せる」

「待って下さいよ」思わず声が大きくなった。「杉田さんがこっちへ来ればいいじゃないですか」

「聞いてなかったのか？　俺には四時間しかないんだ。成田から春日部まではどんなに急いでも一時間半以上かかる。それから戻ったんじゃ、六時の便に間に合わない」

「勝手な人ですねえ」
「そういう男なんだよ、俺は」杉田さんが笑った。「細かいことはまた連絡する。とにかく、十二月二十日だ。それだけは覚えておいてくれ。頼んだぞ」
通話がいきなり切れた。いったい何がどうなっているのやら。

6

まったくもって身勝手な人だ、と憤慨《ふんがい》しつつ、ぼくはリハビリルームへ戻った。だけどなあ、結局のところぼくの性格からいって、杉田さんに言われた通りのことをしちゃうんだろうなあ。命令に弱いのは幼稚園の頃から変わらないぼくの性格だ。

ただ、今回押し付けられたミッションは、結構どころか相当難しいものであることをぼくは知っていた。ねーさんを成田空港まで連れていって杉田さんと会わせる？ いやいや、口で言うのは簡単だけれど、そううまくいくとは思えない。

それは手術のあと、杉田さんがねーさんの病室に顔を出した時の反応ひとつ取ってもすぐにわかることだった。あの時のねーさんの暴れっぷりたるや、凄まじいものがあった。

その後、毎日杉田さんは病院に来ていたけど、ねーさんは話すどころか顔を合わせることさえ拒否した。一人面会謝絶というか、とにかく徹底的に杉田さんを拒絶するその態度は最後まで変わらなかった。

もちろん、その根底には複雑な想いがあったのだろう、とぼくたち全員がわかっていた。「元カノ」って言っていたけど、杉田さんが高校を中退してからも、ねーさんはやっぱり杉田さんのことが好きで、だけどその杉田さんが手術前に来ると約束していたのに間に合わなかった。

それに対する怒りというか反発心というか、いろんな感情がごちゃごちゃに絡み合って、その結果として顔も見たくないということになったのだろう。可愛さ余って憎さ百倍というところだろうか。ホントに女心は難しい。

だけど、どっちにしてもねーさんは意地っ張りな人だ。今さら、杉田さんともう一度だけでいいから会ってほしいといくら頼んだところで、素直にうなずくはずもなかった。とにかく、どうにかして自発的にねーさんが杉田さんに会うことに同意しなければ、成田空港どころか春日部駅まで連れていくのも無理だろう。

あれからずいぶん日が経っているから、もしかしたらねーさんも意地というか見栄というか、何と呼んでもいいのだけれど、杉田さんと会うのを拒否したことを後悔しているかもしれない。だけど、誰よりも男気溢れるねーさんが、今になって、やっぱり杉田さんと会いたいとか言うことは考えられなかった。

さて、いったいどうしたものやら。騙して連れていくには、成田はあまりに遠すぎる。だいたい、騙されたとわかった瞬間、ねーさんはそのまま春日部へと戻ってしまうだろう。

まったく、杉田さんも無茶なことを言う人だ。いったいぼくに、ぼくたちに何ができるというのだろう。何もできるはずがない。

いったいどうすればいいのかと考えながらリハビリルームのドアを開いた。ねーさんの歩行訓練をメタボンとわび助が手伝っているのが見えた。リョーイチはといえば、少し離れたところで壁に背中をくっつけたまま座っていた。

これは仕方のないことで、歩行訓練の介助というのは結構疲れるものだ。もちろん、当の本人ほどではないにしても、こっちもおっかなびっくりでやっているために、最初のうちはどこに力を入れていいのかさえわからない。

簡単に言えば、ねーさんが倒れそうになった時、それを支えるのがぼくたちの役目なのだけれど、どこをどう支えていいのか見当もつかなかった。リョーイチが汗だくになっているのは、そのためもあった。

「どうよ」ぼくはリョーイチの隣に腰を下ろした。「疲れるだろ」

「こっちがそんなこと言っちゃいけないのはわかってるけど」リョーイチがぼそぼそと言った。「マジで神経使うな」

「お前がいない間、おれたちは三人でローテーションを組んでたんだぜ。わかるだろ。それがどれだけ大変だったか。そりゃねーさんの比じゃないのは百も承知だけどさ」

まあ、慣れればすぐに楽になるさ、とぼくはリョーイチの肩を叩いた。シャツのそのあたりが汗まみれになっていた。それで、とリョーイチがこっちを向いた。

「お前は何をしてたんだ？」

ぼくは杉田さんからかかってきた電話について、その内容をかいつまんで話した。リョーイチが、驚いた表情を浮かべた。

「十二月二十日って……お前、もう二週間もないじゃないか」

そうなんだよ、とぼくはひとつ大きく息を吐いた。

「どうするつもりなんだ？」

「まだ何も考えてない。とにかく、今はリハビリの時間だ。その後、みんなで相談しようと思ってる」

「相談って、お前……」

「グダグダ言うな、立て」ぼくは無理やりリョーイチを立ち上がらせた。「メタボンを見てみろ。あのでっかい体で、ずっと中腰になってるから、膝がガクガクだ。そろそろ交替してやった方がいい。いいか、リョーイチ。お前が戻ってきたのはそれでいい。おれたちは仲間だからな。だけど、戻ってくるからには、それなりにいろいろ働いてもらわなきゃならない。そういうことだ」

わかってるさ、というリョーイチを連れて、歩行訓練を続けているねーさんのところへ歩み寄った。交替するぞ、とぼくはチビとデブに言った。

7

「そりゃあ……難しいね」

わび助が言った。午後八時、病院を出たぼくたちは駅前のハンバーガー屋にいた。

わび助が難しいねと言ったのは、ぼくが杉田さんからかかってきた電話の話をしたからだ。確かに難しいだろう。

「そうなんだよ、難しいんだよ」ぼくはハンバーガーを食べながら答えた。「何しろ、ねーさんはああいう性格の人だからな。一回へそがねじ曲がっちゃうと、軌道修正は不可能に近い」

「うまく説得できないかな」

メタボンが三つめのハンバーガーを飲み込んだ。よく巨漢のタレントが、カレーは飲み物ですからと言うけれど、メタボンにとってはほとんどの食べ物がドリンク感覚になっているのは間違いなかった。

「できると思うか?」

尋ねたぼくに、さあ、と自信なさそうにメタボンが両手を広げた。正直なところ、そうとしか答えようがないだろう。さて、どうするか。

「だけどよ、そんなこと言ってたら、何にも始まらねえだろ」リョーイチがコーラをひと口飲んだ。「それに時間もない。ぶっちゃけ、ストレートに全部話すしかないんじゃないのか」

「ストレートが通じるんだったら、カーブもシュートもいらないよ」

ぼくはそう言った。ねーさんという人はそんなに素直ではない。というか、一筋縄ではいかない性格の持ち主だ。

素直にすべてを話して、それでうまくいく時もあるし、冗談じゃないわよという答えが返ってくる場合もある。早い話、反応の予測がつかないのだ。面倒な人だ、というのはぼくたち四人にもよくわかっていた。

「じゃあ、お前の言うカーブだかシュートってのは、どんな方法だ?」

リョーイチが少し怒ったような声で言った。ごもっともなことで、ぼくはまだそこまで何も考えていなかった。

「何かないかな、とは思ってるんだけどね」

「イノケンの言うこと、わかるよ」わび助が言った。「確かに、ねーさんと杉田さんを会わせるためには、相当な努力と時間が必要だろうね。何しろねーさんだし」

何しろねーさんだし、と言われてもほかの人にはまったく意味が通じないと思うけど、ぼくたちにはわび助の言葉の意味がよくわかった。何しろねーさんだもんな、あの人。

「ちょっとお前らも何か考えてくんないか。どうしたらねーさんを説得できるか。どうしたらねーさんを成田まで連れていくことができるのか」

「病院の問題もあるよ」メタボンがLサイズのオレンジジュースを一気飲みした。「いや、もう退院もしてるわけだし、学校も行ってるわけだから、外出許可とかは必要ないと思うんだ。でもさ、成田だろ？　そんな遠くまで行くの、医者が許してくれるかな」

なるほど、その通りだ。メタボンにしてはなかなか頭の回る発言だった。

「そうか……そういうこともあるよな」

リョーイチが言った。たぶん、霊感の強い人だったら、ぼくたち四人の頭の上に黒い雲が漂《ただよ》っているのがわかっただろう。問題は山積みだった。

「だけどよ、そんなこと言っててても始まんねえだろ。とにかく、何とかして打開策を見つけないと」

リョーイチがテーブルを叩いた。いや、まったくその通りなんですけど、でも、その打開策ってどこにあるんだろう。誰か教えてくれないものか。

それからぼくたちは黙々と残ったハンバーガーとフライドポテトをドリンクで胃に流

し込んでから席を立った。いったいどうしたものやら、とぼくたちの顔に書いてあったのは、今さら言うまでもないことだろう。

8

翌日、ぼくたちは自分の立場を決めかねたまま、授業や部活終わりにそれぞれ病院へと集まっていた。

杉田さんからの電話についてねーさんに話すべきか、それとも黙っているべきなのか。メチャメチャ難しい高等数学の問題を渡されたようなものだ。どこから手をつけていいのか、さっぱりわからない。

ぼくたちには悪い癖があって、面倒な事や厄介な事は後回しにしてしまう。そういうわけで、今回も対処は同じだった。

いつものようにねーさんのリハビリを手伝い、他愛のない話をしてねーさんを笑わせる。それもまた重要な仕事だし、義務としてはそっちの方が上かもしれない。だから、ぼくたちはいつものようにしていた。

ただ、ぼくたちがちょっと甘く見ていたのは、相手がねーさんだということだ。ねーさんの勘の鋭さはただ事ではなく、今までもぼくたちは何度も驚かされたものだ。そして、歩行訓練が終わったところでねーさんはこう言った。

「あんたたち、何か隠してるでしょ」

あまりにも自然な言い方に、思わず全員がうなずきそうになったほどだ。

「そんなことないっす」

「ないっす」

「ナイス」

これはメタボンだ。メタボンは下手なくせに時々変なダジャレを言う。正直、やめてほしいと思う。

「そうかな」松葉杖を器用に使いながら、ねーさんがリハビリルームの外に出た。「怪しい」

「別に怪しくなんかないっすよ」

ぼくは言った。ただし、声がちょっと裏返っているのに自分でも気づいていた。もうしゃべらないようにしよう。

「さあ、言いなさいよ」ねーさんが松葉杖を左右に振った。「言わないとどうなるかわかってるんでしょうね?」

そんなふうに言われても困る。しかも、目は何というか険悪な色を浮かべているのだ。どう答えていいのかわからない。

「リョーくん、どうなの」

リョーイチが左右に首を振った。

「メタボン」

メタボンが目を伏せた。

「わび助くん」

もうどこを見ていいのかわからなくなったわび助が目を上下左右に泳がせた。自白する時の犯人って、こんな顔になるんだろうなと思いながら、ぼくはわび助の顔を見ていた。

「言いなさい」

「あの……実はですね……」

そして自白が始まった。

9

最初はわび助が話してたけど、途中からぼくにバトンが渡された。まあ、仕方がない。実際に杉田さんからの電話を受けたのはぼくだからだ。

しどろもどろになりながらも、話を終えた。ふうん、とねーさんが言いながら談話室へと向かうエレベーターに乗った。

その間、ねーさんをはじめ、誰一人として何も話さなかった。沈黙というのもゴーモンに近いな、とぼくは思った。

エレベーターを降り、談話室に着いてから、ねーさんはソファに座った。ぼくらは横並びに立ったままだ。

「そんな顔しなくていいよ」ねーさんが笑った。「別に、あんたたちを怒ったりはしないから」

不幸中の幸いだと思ったのもつかの間、ねーさんが不機嫌な表情になった。

「怒ってるのはね、あいつよ。悪いのは全部あの男」

あいつ、というのはもちろん杉田さんのことだ。そうかなあ、そんなに杉田さん、悪いことしたかなあ。

「したわよ」先回りするようにねーさんが言った。「あいつはね、あたしとの約束を破った。手術の前には必ず来るって言ってたのに来なかった。そうでしょ?」

「いや、でも」メタボンが一歩前に出た。「そりゃ、ねーさんの言う通りですけど、杉田さんには杉田さんなりの事情があって。というか、杉田さんのせいじゃなくて問題は飛行機の中で出たっていう急病人なわけで」

「そんなのわかってる」

「だったら」

「でも、約束を破ったのは確かでしょ？　あたしはそれに怒ってるの」

「そりゃわかりますけど」リョーイチが言った。「でも、それって時と場合によるんじゃないすか？」

「男だったらね、ハイジャックしてでもこっちに来なさいっていうの」

ずいぶんとねーさんも無茶なことを言う。そんなことできるわけないじゃないか。

「それで何、今度は自分の勝手な都合に合わせて、あたしに成田まで来いって？　冗談じゃないわよ、何でそんな命令に従わなきゃいけないのよ」

「いや、命令ってことじゃなくて」ぼくは杉田さんを弁護するために言った。「ニュアンスも全然そんなんじゃなくて、ものすごく低姿勢で。何とかならないでしょうか、ぐらいの感じで」

すいません、杉田さん。ちょっと脚色してしまいました。

「そんなこと、あいつが言うわけないじゃないの」

ねーさんが横を向いた。しまった、全部バレてた。

「とにかくね、あたしはもう二度とあいつに会いたくないの。顔も見たくない。イノケン、あいつにそう伝えといてよ。そういうことなんであたしは成田になんか行かないって」

「いや、こっちからは連絡取れないんで」

「じゃ、連絡あったらそう言っといて。ああ、気分悪い」

ねーさんはぼくたちに背を向けた。さっさと帰れということだろう。失礼します、とぼくらは口々にぼそぼそ言いながら病院をあとにした。

10

ホントに厳しいかもしれねえな、と病院を出たところでリョーイチが言った。まだ外は明るくて、いつもより全然早い時間だった。

「何でそう思うの？」

わび助が尋ねた。だってよ、とリョーイチが唇を尖らせた。

「聞いてたか、ねーさんの話。ねーさん、一回も杉田さんって呼ばなかったんだぞ。あいつ、あいつって、そればっかしで。もうちょっと何かあれば、杉田さんのすの字ぐらいは言ってもおかしくないと思うんだよ。ねーさんはまだ絶対杉田さんのことが好きだと思ってたけど、もしかしたら、気のせいだったかな」

確かに、今日ねーさんは一度も杉田さんの名前を言わなかった。だけど、それって逆もあるんじゃないだろうか。つまり、意識しているからこそ、どうしても杉田さんと言えないというか、そういうことだ。

　だけど、そんなことをいくら考えても無意味だとわかっていたので、ぼくは黙っていた。本当のところはねーさんにしかわからない。

「どうするよ、おい」

　リョーイチが言った。どうすると言われても困る。正直、別に杉田さんの命令を聞く義理はない。

　ぼくたちにとって大事なのはねーさんだ。ねーさんの意に反するようなことはしたくない。それがぼくの正直な気持ちで、みんなもそうだったはずだ。

「じゃあ、もう放っておくわけだな?」

　それもわからなかった。放っておけばそれでいいのかもしれないけど、ぼくにはねーさんの本心が見えなかった。

　あれから時間がたったけど、杉田さんのことをまだ好きなのか、それとももう完全に眼中にないのか。後者であれば、本当にただ放っておけばいいのだが、ねーさんは口ではいろんなことを言っているけど、やっぱり杉田さんに対して何か特別な感情を抱いているような気がしてならなかった。

　だって、あんなふうに怒ること自体、ねーさんらしくない話だ。いつものねーさんなら、飛行機が遅れたんだったら仕方がないよね、ですむことだろう。それなのに、つまらないことにこだわっていつまでも文句を言っている。何かあると思ってるのは、ぼくだけではなかっただろう。それに、ねーさんが昨日中庭で見せたさびしそうな顔。

「お前ら、どう思う」

リョーイチが尋ねた。さあ、とわび助が両手を肩まで上げた。あのね、とメタボンが口を開いた。

「ぼくはね、思うんだけど、やっぱりねーさんは意地になってるだけのような気がする。たぶん、心のどこかでは杉田さんに会いたいって気持ちがあるんじゃないのかな」

「デブにしては、なかなか鋭い洞察力だ。何でそう思う?」

「だって、ねーさんはいつもだったらリハビリ終わりにポッキーとかチョコとかを、糖分補給とかいって必ず食べるんだよ。それが今日に限って何も食べていなかった。つまり、ねーさんは食べることさえ忘れてしまうほど悩んでるってことさ」

「いいか、デブ、誰でもお前と同じだと思うなよ。人間はどんな時でも何か食べてなきゃ死ぬってわけじゃないんだ」

リョーイチがメタボンを小突いた。待てよ、とぼくは二人の間に割って入った。

「いや、メタボンの言うことにも一理あると思うんだ。確かにねーさんはよくお菓子を食ってた。女の子なら当たり前っていえば当たり前の話だけど、それにしても今日は何も食べていなかった。変だと思わないか?」

ぼくも気づいていた。メタボンじゃないけど、ねーさんの態度は明らかにおかしかった。意地になっている以外の何物でもなかっただろう。

つまり、ねーさんは本心では杉田さんに会いたいのだ。でも、何しろねーさんのことなので、どこかで何かがねじくれて、死んでも会わないとかそういう結論に達してしまった。思えば面倒くさい人だ。

「じゃあ、どうする」

「説得するしかないだろうな」

無理だよ、とわび助が言った。まあ、その通りで、ねーさんを説得するというのは東京タワーを動かすぐらいに難しい。

というか、説得なんてできっこないだろう。ねーさんがその気にならない限り、ねーさんを動かすことは無理なのだ。

「どうするの？」

メタボンが言った。本当に情けない話だけど、ぼくらはどうすればいいのかわからなかった。どうしよう。どうする。そんな不毛な会話だけを繰り返しながら、ぼくたちは歩き始めた。

11

翌日からぼくたちはどうにかしてねーさんを説得するべく、行動を開始した。とはいえ、正面から行っても追い出されることはわかってたから、あくまでも裏口から、こっそりとかつひっそりとだ。たとえばこんなふうに。

「陸上部の試合が千葉であるんですよ。見に行きませんか？」

「リハビリ施設でいいところがあるらしいんですよ。見学だけでもどうですか」

「たまにはリハビリをさぼって、ピクニックとかどうすか。うまい空気を吸いに行くというか」

でも、何を言っても無駄だった。話が杉田さんに関係していると悟った瞬間、ねーさんは修行僧のように無言になる。いやホントに、そこまで意地になることないんじゃないのかなあ。

時間だけがどんどん過ぎていった。あと十日だと思っていたら、あっという間に一週間になり、気が付けば残り五日間となってしまった。ようやくぼくらがこれはホントにマズイかもしれないと思いだしたのは、二十日まであと三日を残すだけの十二月十七日になった時だった。

かといって、別にぼくたちもその間ぼんやりしていたわけじゃない。手を替え品を替え、言葉を尽くしてねーさんの説得にあたったつもりだ。

だけど、何をしても無駄だった。あのですね、とちょっと改まった口調で話しかけると、ねーさんは眠いとか何とか言いだして背を向けて目をつぶってしまうのだ。面倒くさい、と言いだしたのはリョーイチだった。

「何もよお、杉田さんに借りがあるわけじゃないんだしさ、無理に説得とかしなくてもいいんじゃねえの？」

そりゃまあ、その通りなんだけど、そんなこと言いだしたら話が終わってしまうじゃないの。

「でも、マジで無理かも」わび助が言った。「ねーさんが意地っ張りなのはよくわかってるけど、こんなに徹底してるのは初めてかもしんない」

まったくおっしゃる通りで、意地っ張りではありつつも、他人の話を聞かないわけではない、というスタンスのねーさんが、今回ばかりはまったくぼくたちの話に耳を貸そうともしなかった。個人的な話だけど、ぼくはちょっと女性恐怖症になりそうだった。

そしてまた一日が過ぎてしまい、十二月十八日になった。杉田さんとの約束の日まであと二日。でも、ぼくたちは何もできないままだった。

12

十九日の土曜日、ぼくは久々に部活に出た。ここのところ、かなりの割合でさぼっていたため、草野から何度も部活に出るようにという指令メールが来ていたためもあるし、もうひとつ言うと、もうねーさんを説得するのは無理だとわかっていたので、何もかもが面倒になっていたためでもある。要するに、気分転換だった。

ストレッチをしてからグラウンドをジョギングで走り始めた。のんびりとグラウンドを二周ほどしたところで、草野が腰に手を当てたままこっちを見ているのに気がついた。

「よお」

「よお、じゃないですよ、ホントに」

なぜか草野は怒りモードだった。というか、だいたいにおいて草野はぼくに対してちょっといらついた雰囲気で接してくる。なぜだ。

「よお、じゃなきゃ何なんだ？　ごきげんようとでも言えばいいのか？」

「そんなことを言ってるんじゃありません」草野がぼくの横に並んで走りだした。「もう諦めてますけど、一応井上先輩とあたしはペアなんですよ。別にあたしがそうしてほしいって頼んだわけじゃなくて、部長が勝手に決めたことなんですけど」

「だから？」

「だから、ちゃんと部活に出てきてほしいんです」

「出てきたじゃん、こうやって」

ああもう、と草野が髪の毛をはらった。

「そうじゃなくて、いきなり来るんじゃなくて、ちゃんと部活出るんだったら出るって言ってほしいんです」

なぜだ。そんな義務があるのか？

「ありますよ。一応はペアなんだし」

「あらそうですか、ごめんなさいね」

「すぐそうやってふざけるんだから」

別にふざけてるわけじゃない。ちょっと照れくさくなっただけだ。

それきり草野は黙ったまま、ぼくと並んで走り続けた。だんだんとペースが上がっていき、しまいには競走みたいになってしまった。そんなつもりじゃないってのに。

でも、そうやって走ってたら、何となくひとつの考えが浮んできた。ねーさんのことだ。

手術前、ねーさんは杉田さんと会うのを待ち望んでいた。それは間違いない。杉田さんが日本へ戻ってこられるかどうか、絶対とは言えないというぼくたちの意見に対して、あいつは来るって言ったら必ず来る、と何度も繰り返していた。

でも結局、杉田さんは手術前に来ることはできなかった。もちろん、ねーさんとしてもがっかりしただろう。失望した気持ちはよくわかる。

だけど、最終的に杉田さんは一日遅れたとはいえ、とにかく日本に帰ってきたのだ。しかも、ねーさんに会うというただそれだけのために。

それなのに、なぜねーさんはあんなに頑なまでに杉田さんと会うのを拒否したのだろう。手術の前に会うのと、手術の後に会うのと、そこにどれだけの違いがあるというのだろうか。

そこまで考えて、ぼくは何となくねーさんが思っていることがわかったような気がした。ポイントは手術の前か、後か。それだ。

「草野」走りながらぼくは言った。「何か、お前にヒントをもらったような気がする」

「ヒント？」

何ですか、と草野が首を傾げた。そりゃそうだろう。草野にわかるはずもない。

「もう一周走ったら、おれ、帰るわ。行かなきゃならないところがあるんだ」

「菅野先輩のところですか」

「いい勘してるな」

「だって、先輩の行くところなんて、ほかにないでしょ」

失礼なことを言う奴だ。ほかに行くところなんていくらでもある。ただ、今はねーさんのところに行かなければならない。そういうことだ。

「まあ、いいですけど」草野が諦めたように言った。「でも、たまには部にも顔を出してくださいね」

「わかってる」

そう、わかってる。もうちょっとでいろんなことが終わる。そうしたら、必ず部活に出てくるよ。

「草野、ラスト一周だ。マジで走ろうぜ」

「はい」

ぼくたちは、せーの、と言ってからダッシュをかけた。急に風が吹いてきて、ぼくたちの背中を押した。ぼくは足に力を込めた。

13

病院に顔を出すと、いつものようにねーさんが、やりたくてやってんじゃないのよこんなこと、と言わんばかりの雰囲気をあたりに撒《ま》き散らしながらリハビリに取り組んでいた。ヘルプにまわっていたのはメタボンとわび助の二人だ。ぼくは立ったままのリョーイチのところへ近寄った。

「どうよ、調子は」

「変わらねえな」

リョーイチがそう言った。まあ、そうだろう。昨日だって同じだったのだ。それがいきなり一夜明けたら劇的に回復してるなんて、あり得ない。

「杉田さんから連絡は?」

あれから、杉田さんから二度電話があった。内容は同じだ。

「ねーさん、何か言ってたか?」

ぼくの問いに、リョーイチが首を振った。ぼくたちは杉田さんから与えられたミッションに基づき、それぞれに、あるいはチームを組んでねーさんの説得に当たっていたのだけれど、ねーさんがうなずくことはなかった。それこそ、動かざること山のごとしだ。

「あたしはね、あんな男と会いたくないの」

ねーさんの最後の決め台詞はいつもそれだった。そこまで言われると、こっちとしても説得も何もあったもんじゃない。

どうすればいいのかと悩んでいるうちに、いよいよ杉田さんが成田空港に降り立つ日は明日になってしまった。いったいどうしたものやら。

「どうするよ。どうやって説得するんだよ」

リョーイチがちょっとつっかかるような口調で言った。いや、そんなことを言われても、ぼくだって困る。

ただ、ぼくは何となくヒントを得たような気がしていた。なぜねーさんはあれほど会いたがっていた杉田さんと会うのを拒否するようになったのか。そのポイントは、手術の前か後かということだ。

手術の前には会いたがっていた。

手術の後には会うことを拒否するようになっていた。

考えていくと、自《おの》ずから答えはひとつだった。ねーさん、とぼくはリョーイチと共に近づいていった。

「どうしたの、イノケン」松葉杖にもたれるようにしながらねーさんが言った。「今日、部活じゃなかったの？」

「まあ、そうなんですけど、やっぱりちょっと気になって、こっちに来ちゃいました」

「そういうの、あんまり良くないと思うな。やっぱ部活は部活だよ。もうじき休みなんだし、ちゃんとやんないと……」

「わかってます……ねーさん、杉田さんが明日、日本に戻ってきます」

「何度も聞いたよ」ねーさんがぶっきらぼうに言った。「だけど、あたしには関係ない。あいつが帰ってこようと、どこへ行こうと、どうでもいい」

「どうでもいいとは思えないんですけど」

「勝手に思ってれば」

　さ、始めよう、とねーさんが言った。横からメタボンとわび助がねーさんの体を支えた。

「勝手に思ってるだけなのかもしれません」その姿を見ながらぼくは大声で言った。「だけど、どうしてもそれだけとは思えないんです。ねーさん、ねーさんは本当は杉田さんに会いたいんでしょ？」

「別に」

　ねーさんが松葉杖をつきながら歩きだした。右の義足は、ようやく床に触れるか触れないかというところだ。

「だって、そうじゃなきゃおかしいじゃないですか。あれだけねーさんは手術前に杉田さんが来るのを楽しみにしていたでしょう？　手術間際になっても、ねーさんは杉田さんが来ることを信じていた。でも、結局杉田さんは間に合わなかった。ねーさんが杉田さんと会うことを拒否するようになったのはそれからです。そうじゃないですか？」

「あたしはね」立ち止まったねーさんが額の大粒の汗を拭った。「嘘をつく人が嫌いなの。あいつは来るって言った。でも来なかった。そんな奴と会って、どうしろっていうわけ？」

そうじゃないでしょう、とぼくは一歩前に進み出た。

「ねーさん、ねーさんが杉田さんに会いたくない、会えないと思っているのは、手術をして、足を切ったからだ。そうなんでしょう？」

ものすごい勢いで松葉杖がぼくを目がけて飛んできた。ねーさんが投げたのだ。

ぼくはねーさんを見つめた。ねーさんの目に、怒りの色が浮かんでいた。

14

「イノケン、あんた何言ってんの？」

ねーさんが顔を真っ赤にして怒鳴った。構わず、ぼくは話を続けた。

「ねーさん、ねーさんは杉田さんのこと、やっぱり好きなんですよ。たぶん、ねーさんが自分で思っている以上に。だからねーさんは自分の足で立っている姿で最後に杉田さんに会っておきたかった。最後に会うっていうのは、文字通りそういう意味です。きっと、ねーさんは手術が終わったら、杉田さんと会わないつもりだったんじゃないかって思ってます。違いますか？」

「何なの、あんた。名探偵なわけ？」

そんなつもりじゃない。ただ、そう感じたのだ。

ねーさんは杉田さんのことを本当に好きだった。おそらく、今でもそうなのだろう。ただ、好きであるというだけでは埋められない穴ができてしまった。それがつまり、ねーさんの足の手術だ。

ねーさんはいつでも、杉田さんの前では、昔の菅野桃子のままでいたかった。でも、現実には骨肉腫のために足を切断しなければならなくなった。

つまり、昔の菅野桃子とは違ってしまったことになる。単純に言えば、スカートをはくことさえ抵抗があるだろう。一緒の速さで歩くこともできないかもしれない。

ねーさんは、そんな自分の姿を杉田さんに見せたくなかった。だから、杉田さんと会うことをあれほど拒み、もちろん成田空港になんか絶対に行かないと言っているのだ。

ねーさんは自分のことをきれいな思い出として杉田さんの胸の中に残しておきたかったということになるのかもしれない。いや、間違いない。そのはずだ。

「そうじゃない」ねーさんが言った。「そんなの関係ない。あたしは、ただ、嘘をつくような人と会うつもりはないって言ってるの」

「杉田さんは嘘なんかついてません。それはねーさんが一番よくわかってるはずじゃないですか」ぼくは言い返した。「杉田さんはほとんど不可能な状況の中から、最善を尽くして日本に戻ってこようとしていた。ねーさんに会うっていう、ただそれだけのためにです。だけど、不運なアクシデントが起きて、確かに杉田さんは手術前に来ることができませんでした。でも、それって約束を破ったとか、嘘をついたとか、そういうのとは違うんじゃないんですか？　嘘をついているとしたら、それはねーさんの方です」

「嘘？　あたしが？」

「本当は杉田さんに会いたいのに、会いたくないって言ってるのは、明らかな嘘じゃないですか」

メタボンとわび助がおろおろしながらぼくたちの間を往復していた。何をしていいのかわからないのなら、じっとしてろ。

「あたしは嘘なんかついてない」

「ねーさん、もうそんなことを言ってる場合じゃないんです。杉田さんは明日の二時に成田に着いて、六時には日本からまた出ていってしまうんです。会うためには最後のチャンスになるのかもしれないんですよ。いや、そりゃ本当に最後になるかどうかはわかんないですけど、しばらくの間、会う機会がなくなることは確かでしょう。意地を張るのはやめて、杉田さんに会いに行きましょう」

「わび助くん」ねーさんが言った。「松葉杖、取ってきて」

わび助が言われた通りにした。ねーさんが二本の松葉杖を抱えて、リハビリ用のバーから離れた。

「あたし、もう帰る。そろそろパパが迎えにくる頃だから」

「ねーさん」

「それに、これ以上くだらない話を聞いていたくないし」

「ねーさん」

「メタボン、車椅子持ってきて。着替えるから。着替えが終わったら、一階の待合室まで連れてってもらえる？　悪いんだけど」

はあ、ともっさりとした声でいいながら、メタボンがぼくを見た。ぼくが口を開こうとした時、ねーさんが鋭い声で言った。

「早くして。着替えたいんだから」

わかりました、と言いながらメタボンが車椅子を押し始めた。そのあとをわび助が追いかけていく。リハビリルームに残されたのはぼくとリョーイチだけになった。

15

諦めるつもりはなかったけど、ねーさんの背中は何もかもを拒絶していた。今、声をかけたところで無視されるのはわかりきっていたから、ぼくは黙ってねーさんがリハビリルームを出て行くのを見つめていた。

「本当にそうなのか？」リョーイチがつぶやいた。「今、お前が言ったことって……」

「そりゃわかんないけど、でもたぶん間違ってないと思う。ねーさんは杉田さんって人が好きで、最後に会いたい人っていうのもやっぱり杉田さんで、その時は昔のままの姿で会いたかったんだと思う。足を切ってしまったら、もう二度と会うつもりはなかったというのは想像だけど、でもたぶんそういうことなんだと思うよ」

「足なんかどうだっていいじゃねえか！」リョーイチが怒鳴った。「重要なのはもっと違うことだろ？」

その通りだ。でも、ねーさんにとってはそうじゃなかった。気持ちはわからなくもない。

好きな男の前にいる時は、ちゃんと昔のままの自分でいたい。そしてその姿を覚えておいてほしい。そうねーさんが考えていたとしても不思議ではなかった。

「女心ってやつですかね」

「くだらねえ。そんなところでカッコつけるのなんて、ねーさんらしくもないと思わねえか？」

それもまた、リョーイチの言う通りだと思う。でも、ねーさんの気持ちも、ぼくには何となく理解できた。

「これからどうすんだよ」

「誠心誠意、説得するしかないだろうな」

「時間がないぜ」

わかってる、とぼくはうなずいた。

「おれはおれの役目を果たした。次はお前の番だ。メタボンもわび助も、説得役には向いてないからな」

「オレが？」

驚いたようにリョーイチが自分を指さした。正直言ってはなはだ頼りないけれど、消去法で考えていくと、残るのはリョーイチだ。

「これからねーさんは家に帰るだろう。時間を見計らって、電話で説得しろ」

「何でお前がオレに命令するんだよ」

「今はそんなこと言ってる場合じゃないんだよ。もうねーさんはおれに対して意固地になっちまった。ああなったら、あの人はダメさ。何を言っても聞いちゃくれない。だけど、今のところお前の言葉に対しては聞く耳も持っているだろう。頼むよ、リョーイチ、もうお前しか残ってないんだ」

「オレ、自信ない」リョーイチが首を振った。「説得とか、そういうの、オレ向いてないんだよ」

「そんなことを言い出したらきりがない。いいか、リョーイチ。ねーさんも、本心では杉田さんに会いたいのにそう言えなくなってる。そこをうまく説得するんだ」

「できるかな、オレに」

「できると思ってやれば、何でもできるさ」

そんな無責任な発言、久しぶりに聞いたよ、とリョーイチが苦笑した。

「まあ、でも確かにしょうがないだろうな。オレが話してみるよ。ほかに手はなさそうだ」

「頼んだぜ」

「任せとけ……とは言えないんだけどな」リョーイチが気弱な顔になった。「なあ、何時頃電話すりゃいいかな」

知るか、そんなの。少しは自分で考えろ。

「頭を使え」

それだけ言って、ぼくはその場から離れた。

16

仮にねーさんがリョーイチの説得に応じたとしても、問題はまだいくつかあった。そのひとつは時間だ。

ぼくたちのいる春日部から成田空港駅までは、だいたいだけれど電車で二時間ぐらいかかる。でも、これは時刻表の上での話で、実際にどうなるのかはまだよくわからない。それに、ねーさんの足のこともある。乗り継ぎをする際、ねーさんは松葉杖をついて歩かなければならないだろう。当然、普通の人よりそのスピードは遅くなるはずだった。

ぼくはメタボンに頼んで、春日部から成田空港駅までの行き方と時間を尋ねた。メタボンは、うーんと一回だけ唸って答えを出した。さすがだ。

それによると、コースはこんな感じだ。東武伊勢崎線で北千住に出る。そこで準急に乗り換えて、牛田《うしだ》という聞いたこともない駅へ行く。そこから京成《けいせい》本線に乗り換えて、京成八幡《やわた》駅まで出る。そこからは京成本線の特急で成田空港駅まで一本だ。

つまり、三回の乗り換えが必要ということになる。杉田さんが成田に着く午後二時に成田空港駅にいるためには、春日部駅を午後十二時一分発の電車に乗らなければならない。トータル一時間五十八分の行程だ。

もちろん、これはすべてが理想的にいった場合の話だ。電車を乗り換えるといっても、ねーさんの足のこともある。最悪の場合、誰かがねーさんを背負っていけばいいのだけれど、不確定要素が多いのは確かだった。

だから、ぼくはもう一時間を全行程にプラスすることにした。つまり、三時間かかる可能性を考慮に入れたのだ。

その場合、午前十一時ぐらいには春日部駅を出なければならなくなるわけだけど、それ自体について何か問題があるとは思えなかった。十一時に出ようが十二時に出ようが、ねーさんにとっては同じことだろう。それはぼくたちにとってもだ。

だから、それについて何も心配する必要はなかった。問題があるとすれば、ねーさんがリョーイチの説得に応じなかった場合だ。そして、その可能性は決して低くない。ていうか、むしろ高い。

正直なところ、ぼくたち四人は誰かを説得したりするのに向いてないのよ、ホント、マジで。そういうタイプの人種ではないのだ。

だけど、ほかにどうしようもない。メタボンは自分が何を言っているのか、すぐにわからなくなってしまう男だし、わび助は無類の口べただ。あの三人だったら、まだリョーイチがまともなのだが、そのリョーイチにしても思い通りにならないと、すぐに投げ出す癖がある。

もし、リョーイチが失敗したら、その時は明日、全員で最後の説得するしかない、とぼくは考えていた。一人ずつでは無理なことでも、四人の力を合わせれば何とかなるかもしれない。そう考えるしかないじゃないか。

夜になって、リョーイチから短いメールが届いた。そこにはこう書かれていた。

〈サクラチル〉

大学受験じゃないんだから、何を馬鹿なことを言ってるのだろう、あの男は。とにかく、説得は失敗に終わったらしい。そうと決まればプランBだ。

もうこの頃になると、ぼくは最後の手段ともいうべきプランCについても考え始めていた。プランCとは、要するにねーさんを無理やり連れ出して電車に乗せ、成田空港駅まで行くという無謀極まりない作戦だった。でも、これしかないじゃない？　ほかにどうしろっていうのさ。

17

翌日の日曜日、ぼくたちは朝から病院でねーさんを待っていた。

ねーさんのリハビリに休みはない。平日は、学校へ行ってから放課後に病院へ行くのだけれど、土日は朝十時からリハビリルームに入っていた。

待っている間、ぼくはリョーイチにクレームをつけていた。昨夜、リョーイチからメールが届いたのは八時ぐらいのことだった。八時って、あまりに早すぎないか？　説得をするのが目的なんだから、もっと時間をかけて、ゆっくりと交渉に臨んでもいいんじゃないか。

「だってよ、何時に電話したらいいかわかんなくてよ。寝ちまったらマズイだろ？　だから早めに電話したんだよ」

「いったい何て言ったんだ？」

「細かいことは抜きにして、とにかく杉田さんに会いにいきましょうって」

バカだなお前は、とぼくは言った。

「細かいところが大事なんじゃないか」

「そりゃそうかもしんないけど、ねーさんの心のそんな細かいところまで、オレにはわかんないっつうの、マジな話が」

バカが開き直ると始末に負えない。リョーイチのことは放っておいて、ねーさんが来るのを待つことにした。

そんなに長く待つ必要はなかった。いつでもそうだけど、ねーさんは時間に正確な方だ。

リハビリルームの扉が開いたのは、十時ちょうどのことだった。今日はお母さんが一緒に来ていた。

いつもすみません、と頭を下げられて、ちょっと困ってしまった。なぜかというと、別にぼくたちは博愛精神に富んでいるわけでもないし、ボランティアをしているつもりもない。

ねーさんが大変だから来ているだけの話で、ほかの人だったら放っておいただろう。だから、わざわざすみませんとか言われると何となく居心地が悪くて困ってしまうのだ。

「先生は？」

ねーさんが聞いた。一時間ぐらいしたら様子を見に来るそうです、とわび助が答えた。

「それまで、自主練をやっててほしいと伝えておくように言われました」

そう、と言ってねーさんが松葉杖をメタボンに渡した。着ているのは上下共にグレーのジャージだ。上から赤のウインドブレーカーをはおっている。

夕方迎えに来ますので、と言ってお母さんがリハビリルームをあとにした。立ち上がったねーさんが、行かないからね、といきなり言った。

「な、何の話ですか」

気圧《けお》されたようにメタボンが後ろへ下がった。行かないっつったら行かないのよ、とねーさんがぼくを見た。

「ねーさん、無理強いはしません。行きたくないというのを、無理やり連れ出しても仕方がないと思ってますから。その代わり、事実だけを言います」

「何よ」

「ここ、春日部から成田空港までは電車で二時間かかるってことです」

「そうなんだ」

「途中、乗り継ぎが三回あります。ぶっちゃけますけど、ねーさんのその足だと、普通の人と比べたらかなり時間がかかると思います。だから、乗り継ぎがうまくいかない場合も十分に考えられます」

「だから何よ」

「成田空港まで、三時間は見ておいた方がいいってことです。今、十時です。そして杉田さんが成田空港へトランジットのため降り立つのは午後二時。その時間に間に合わせるためには、ねーさんは十一時にはここを出なければなりません」

「イノケン、何言ってんだかよくわかんないけど、言うのは自由だから聞くよ。でもね、はっきり言っておきますけど、あたしはあんな男と二度と会いたくないの。わかる？ 会いたくないの」

それは嘘だった。ぼくだって、漫然と一年半もの間、ねーさんを見てきたわけじゃない。表情ひとつ、目の光ひとつ取っただけで、何を考えているのかある程度察しはついた。

そして、ぼくの直感が間違っていなければ、今、ねーさんは明らかに嘘をついている。杉田さんに会いたくないはずがない。本当は会いたいのだ。

「まあ、どうでもいいけど」ねーさんがウインドブレーカーを脱いだ。「イノケンもやることが陰険になってきたよね。昨日の夜なんかリョーくんまで使って、あたしとあいつを会わせるように説得させるなんて」

「そんなことないっすよ」

おかしいなあ。ぼくはねーさんのためを思っていろいろしてるのに、何でここまで悪く言われなきゃならないんだろうか。

だけど、それは八つ当たりに近い感情だとわかっていたから、ぼくは黙っていた。黙ってるしかないじゃないの、こんな場合。

「どっちにしても、あたしは行かない。会う気なんてないんだから」

「こっちも、強制するつもりはないです」

「じゃあ、もうその話はなかったことにするから。それでいいよね」

「いや、それは無理です。ぼくは杉田さんに頼まれました。今日の二時から六時まで成田空港にいるから、そこにねーさんを連れてくるようにって。そしてぼくは約束しました。ねーさんを必ず連れていくと。だから、最後まで諦めません」

「人の気持ちを無視して、勝手に約束なんかしていいと思ってるの？」

「ねーさんだって、そうしたいだろうと思ったんです。ねーさんも、本当は杉田さんと会いたいと。だから、ぼくは約束したんです」

残念でした、とねーさんは言った。

「外れ。そんなつもりはありません」

ねーさん、と呼びかけたぼくを無視して、メタボン、とねーさんが言った。

「松葉杖返して。ちょっとトイレ行ってくる」

「一緒に行かないで大丈夫すか？」

「大丈夫だって」

照れたように笑ったねーさんが、松葉杖をつきながらリハビリルームを出ていった。義足を引きずる音が響いた。

18

リハビリといっても、ねーさんの場合、やることは単調といっていい。

というのも、ねーさんは既に義足をつけている。だからあとは、松葉杖に頼ることなく自力歩行ができるようになるための訓練だ。

もちろん、一人ではまだ危ないから、ぼくたち四人の中の誰かが補助役に回る。具体的にはねーさんと一緒に歩くということだ。

いつもはぼくもその役を務めるのだけれど、イノケンは嫌だ、とはっきり言われたので、今日のところは見ているしかなかった。ねーさんが、イノケンは嫌だ、と言っているのは、例の杉田問題があるからで、他意がないのはわかっていたけど、それでも正面からそんなことを言われるのはなかなかショックで、ぼくもそれなりに傷ついた。

ねーさんはおっかなびっくり右足の義足を踏み出しながら、一歩ずつ歩いていく。やったことのないぼくたちにはもちろんわからないことだけど、何しろ結構長いこと見ているので、気分だけは何となくわかった。転んだりするのが怖いのだろう。

そのために補助役としてぼくたちがいることはいるのだけれど、何が起きるのかは誰にもわからない。

だからねーさんの歩みはゆっくりしていた。のろのろ、といってもいいぐらいだ。そして、それはリハビリの先生の方針でもあった。

速く歩くことが目的ではなく、バランスの取れた、しっかりした歩き方ができるようになること。それが第一の目標だった。速く歩いたりするのはそのあとでいい。

ぼくたちから見れば、右足を引きずるようにして歩いているねーさんはやっぱり辛そうで、ゆっくりとした歩き方ではあるけれど、額はもう汗でびっしょりだった。時々立ち止まっては、大きく息を吐く。

始めてからまだ三十分も経っていないのに、疲れているのは明らかだった。右足に力を入れることができないから、体のほかの部位に余分な力が入って、だから余計に疲れてしまうのだろう。

「頑張りましょう、ねーさん」補助役に回っていたわび助が言った。「あと一周したら、一回休みますか？」

「休まない」

ねーさんが歯を食いしばって言った。いつもなら、すぐ休みたいとか言うくせに。もちろん、それには理由があるのだろう。杉田さんに対する意地、という理由が。休みを入れてしまえば、またぼくに何か言われる。それが嫌で、ねーさんは休まないと言っているのだ。

「いや、でもいつもより結構歩いてますよ」メタボンが声をかけた。「ちょっと休憩入れた方がいいんじゃないすか？」

「うるさいなあ、もう」立ち止まったねーさんがバーにつかまって言った。「人がたまにやる気見せてるんだから、こういう時は応援しなさいよ」

「ねーさん」ぼくは壁の時計を見た。「十一時です。今出れば、杉田さんに会えます」

「そんなこと言ってほしくない」

「意地になることないじゃないですか」

「うるさい」

いきなりねーさんがその場に座り込んだ。ちょっとしたストライキ状態だ。そんなねーさんにかける言葉を、ぼくたちは思いつかなかった。

19

ねーさんがトイレへ行くのと入れ替わるようにして、リハビリの先生が入ってきた。様子はどうかな、と聞かれてちょっと困った。様子といわれても何と答えていいのかわからない。

「いつもより熱心にやってるみたいです」

かろうじて、という感じでリョーイチが答えた。何かあったの？　とまた聞かれたけど、それには答えられなかった。

しばらく経ってねーさんが戻ってきた。リハビリの再開だ。先生がしばらくその様子を見ていたけれど、特に何も言わず、そのまま続けるようにとだけ言ってリハビリルームを出ていった。

「人のことだと思って」バーにつかまりながらねーさんが言った。「これって結構疲れるんだよ」

「わかってますってば」

「それなのに、こんな面白くも何ともないことを、そのまま続けろとか言われてもさ」

「でも、続けるしかないじゃないですか」

ぼくたちの励ましが功を奏したのか、ねーさんが再び歩き始めた。やってらんないよお、とか何か変な歌を口ずさみながら、三歩進んではひと息入れる、みたいな感じでゆっくりと歩いている。まあ確かに、そんなねーさんの気持ちもわからなくはないのだけれど。

それから何度も休憩を挟みながら、ねーさんはリハビリ歩行を続けた。陸上部にいた時もそうだったけど、ねーさんはやっぱり努力の人だと思う。

もしぼくが同じ立場になったら、こんなに長く続けることはできないだろう。それどころか、周囲の連中に当たったりするかもしれない。

でも、ねーさんはそんなことはしなかった。このところ、杉田さんの件があるから、ぼくに対してはあまりいい顔をしなかったけれど、それはちゃんと理由があってのことだ。その意味で、ねーさんには感心してしまう。よくこんな単調なリハビリを続けていられるものだ。

「ねーさん、そろそろ昼休憩にしませんか?」

リョーイチが言った。早くない? とねーさんが立ち止まった。

「今、何時よ」

「もう十二時です」

ぼくが壁の時計を指さした。なんか時間が経つのが早いよね、とか何とか言いながら、休もうか、とねーさんが腕を伸ばした。わび助がその手に松葉杖を渡した。

「今日はいつもより頑張ってるから、早く感じるんですよ」

そう言ったぼくに、そうかなあ、としきりに首を捻りながらねーさんが近づいてきた。

「とにかく、談話室に行きましょう。メタボンが準備してますから」

わかった、とうなずいたねーさんが松葉杖を使って歩きだした。その動きは決して遅いものではなかった。

20

平日は学校があるから、リハビリは二時間から三時間ぐらいで終わる。でも、土日は朝から始めて、やる気と体力さえ続けばリハビリルームを閉める夜八時までやってもいいことになっている。

もちろん、そんな無茶をねーさんはしたことがなかったし、そのつもりもないようだったけれど、嫌だ退屈だつまんないと言いながらも、やっぱり早く自力歩行ができるようになりたいのか、土日のリハビリは結構長時間やることが多かった。

それもあって、土日は病院で昼食を取るのがぼくたちの習慣になっていた。ただし、ねーさんはもう退院してしまっているので、病院食は出ない。だいたい、ねーさんは病院食そのものが嫌いだった。それでどうなったかというと、メタボンが昼食係に就任した。

それはつまり、ぼくたち全員の分の弁当を作ってくるのだ。しかもあのデブがなぜ？というぐらい見栄えのいい、うまい弁当を作るのだ。確かにメタボンは、口に入るものなら何でも食べる男だが、それでもやっぱりマズイものよりはおいしいものの方が好きらしい。

ぼくたちが談話室に入っていくと、ちょうどメタボンがテーブルのセッティングを終えたところだった。

「本日はBLTサンドでございます」

メタボンが言った。ベーコン、レタス、トマトをきれいに挟んだサンドイッチがひと口大に切り分けられていて、しかも上から楊枝《ようじ》で止めてある。手の込んだことをする奴だ。

「あと、スクランブルエッグもございます」

どうでもいいけど、そのございますっていうの、やめてくんないかなあ。お前の口から聞くと、何かものすごい違和感があるんだけど。

「まあ、とりあえずねーさん座ってくださいよ」

ぼくたちはねーさんをいつもの席に座らせた。こういうことは習慣だから、だんだんと自分の座るポジションが決まってくる。ねーさんはいつも誕生日席に座ることになっていた。

「お好みでケチャップ、マヨネーズをお使い下さい」

メタボンがポケットから小さな包みを取り出してみんなに配った。ドラえもんみたいな男だな、こいつは。

「何か今日、人が少ないね」

ねーさんが言った。談話室には平日でも人が大勢溜まっている。土日だと、お見舞いの人なんかもいるから、平日より人が多い。でも、今日は確かに少なかった。

「たまにはそんな日もありますよ」

リョーイチが言った。そうそう、とわび助がうなずいた。

「むしろ、人がいない方がいいじゃないですか。いろいろ遠慮とかしなくていいし」

「そりゃそうなんだけど」

手づかみでBLTサンドを食べたねーさんが、メタボンはすごいね、と微笑んだ。

「よくこんなにおいしいものを作れるよね。誰かに習ってるの？」

誰にも、とメタボンが首を振った。それは本当らしい。メタボンには、一度食べたことがあるものの味をほぼ忠実に再現できる才能があった。

「前に、ママと銀座のレストランで食べたことがあるんだ」座りながらメタボンが言った。「その時のことを思い出しながら作ったんだけど、どうかな」

本当に味はよかった。素晴らしいといってもいい。ただし、自分の母親のことをママというのはやめてくれ。お前の口からそんな言葉を聞くと虫唾《むしず》が走る。

「イノケンはそう言うけど、ママと一緒に行ったのは本当なんだからしょうがないだろ」

そんなことを言ってるんじゃない。誰と一緒に銀座のレストランに行こうと知ったことか。ただ、ママっていう呼び方をやめろと言ってるんだ。

ぼくたちはしばらく無言のままメタボンの作ってくれたサンドイッチを食べることに専念した。何だかんだで一時間があっという間に過ぎていった。

「いや、メタボン、グッジョブ」リョーイチが親指を立てた。「今後も期待してるぜ」

「ここの調理室を使わせてくれたらなあ」片付けながらメタボンが言った。「本当は、もっとあったかいものを食べてほしいんだよね、ねーさんに」

「いいのよ、メタボン。そこまで気を遣わなくても」

「いや、気遣いなんかじゃないっす」メタボンが太い首をぶるぶると振った。「何かね、いっつもサンドイッチとか、軽食に近いものばっかりでしょ？　もっと本格的に作りたいというか」

何もそこまでしなくてもいいと思う。というか、いったい何を作りたいのだろう、この男は。フランス料理のフルコースか？

「じゃ、ねーさん、リハビリ始めますか」

「もうちょっとゆっくりさせてよ」

いいですけど、とぼくは時計を見た。

「もう午後一時です。ねーさん繰り返しますけど、今ならまだ十分間に合いますよ」

とたんにねーさんが無口になった。今、そんなことは言われたくない、ということなのだろう。

もちろん、ぼくもおとなしく引きさがった。ただし、三時半がタイムリミットです、と言うのは忘れなかった。

杉田さんの乗り継ぎ便が発つのは六時だ。三時半にここを出れば、一瞬会うことはできるだろう。逆に、それまでにここを出なければ、成田空港で待っている杉田さんに会うことはできない。

「うるさい」

それがねーさんの答えだった。

21

時間というのは不思議なもので、たとえばつまんない授業中の時間が経つのは遅い。一分が一時間ぐらいに思えるほどだ。

だけど、放課後とか、みんなでテキトーに遊んでいる時間は早い。早すぎるぐらい早く感じる時もある。あれはいったいどういう感覚なのだろうか。

昼食休憩を終えて、リハビリルームに戻った。ぼくたちには別にやるべきことがない。あるのはねーさんだけだ。

そして、ねーさんが退屈しているのは見てればすぐにわかった。何しろ朝から同じことの繰り返しなのだから、そりゃ飽きもするだろう。やりたくないという気持ちもよくわかる。

それでも、リハビリはやらなければならない。これは先生に聞いた話だけど、一日休むというかサボったりすると、足や体が歩き方の感覚をすぐ忘れてしまい、元の状態に戻るまでしばらくかかるそうだ。そのへんは陸上競技とよく似ている。

ねーさんもそれはよくわかっているのだろう。やらないというわけではなかった。ただ、露骨にやりたくない、という雰囲気を体中から放出していただけのことだ。

「まあ、ねーさん、のんびりいきましょう。時間はありますから」

午後からリョーイチがねーさんの補助役を務めることになっていた。わかってる、と言いながらねーさんが壁の時計をちらっと見た。一時十五分。

「ちょっとリョーくん、松葉杖持っててくれる？　ゴメンね」

とんでもない、とレディをエスコートする紳士のようにリョーイチが言った。ねーさんがバーに手をかけた。

「マジで、ゆっくりでいいですからね」

リョーイチが声をかけた。うなずきながらねーさんがゆっくり歩きだした。

メタボンは洗い物をしに行っているので、今、ここにはいない。わび助が不安そうな目でぼくを見た。

いいんだ、というようにぼくは首を振った。結局のところ、最後の決断を下すのはねーさん自身だ。ぼくたちには何もできない。

ねーさんが一歩ずつ、足を引きずるようにしながら歩いている。その脇にはリョーイチがぴったりと張りついていた。

ぼくたちはじっとねーさんの様子を見ていた。授業中ほど退屈なわけじゃないけど、感覚として時間の進み方はかなりゆっくりしていた。

ぼくたちにとって時間とはそういうものだったけれど、ねーさんにとってはどうだろうか。やっぱり同じようにゆっくりと進んでいるのだろうか。

(そんなはずない)

ぼくはそう思っていた。ねーさんの中で、時間は猛烈なスピードで進んでいるはずだ。なぜなら。杉田さんと会うためのタイムリミットが刻々と迫っていたからだ。

壁の時計は一時半を指していた。あと二時間以内にここを出なければ、杉田さんと会うことはできなくなる。ねーさんにもそれはよくわかっているはずだった。

「あんな奴と会いたくない」

今日、ねーさんは何度そんなふうに言っただろう。だけど、それが本心から出た言葉でないことを、ぼくは知っていた。ぼくだけじゃない。リョーイチも、メタボンも、わび助も、みんなそれはわかっていたはずだ。

でも、とにかく今の段階では、ねーさんはまだその態度を変えようとはしていなかった。杉田さんと会いたくない、という立場を取っている。

だけど、もしぼくの予想が当たっていれば、どこかでねーさんは崩れるはずだ。必ずその瞬間は来る。問題は、いつその時が訪れるかだった。

22

二時半になった。

メタボンもとっくに戻ってきていて、ねーさんのリハビリを手伝い始めていた。確かにこういう時、体の大きい奴は何かと便利で、ねーさんが転んだりした時にそれを受け止めるのはメタボンにうってつけの役割だった。

「休みましょうよ」

ぼくはそう言った。何だかんだでねーさんは一時間以上歩行訓練を続けている。嫌だ、足が痛い、気分が乗らない、とかいろんなことを言うわりに、ねーさんはそのへん頑張り屋だった。誰かがストップをかけなければ、いつまでも歩き続けていただろう。

「休憩？」メタボンが言った。「だよね、そろそろ休まないと」

わび助がねーさんに松葉杖を渡した。リハビリルームの中央には大きな丸テーブルがあって、そこで休むことができるようになっている。

松葉杖をついてそのテーブルのところまで来たねーさんが椅子に腰を下ろした。ぼくがアイスボックスからポカリスエットを取って渡すと、ありがと、とひと言言ってからごくごくと飲んだ。

「どうですか、調子は」

わび助がねーさんに聞いた。あんまりよくない、とねーさんが答えた。

「よくわかんないんだけど、義足のソケットのところが痛い」

「無理するからですよ」リョーイチが言った。「もうちょっと、適度に休み入れないと」

ねーさんはあまりしゃべらなかった。時々ポカリスエットのボトルに口をつけては、何かを考えているように首を傾げているだけだ。

いつものねーさんなら、休憩時間にはうるさいぐらいしゃべるので、これはかなり珍しいと言えた。ねーさん、とぼくは声をかけた。

「二時半を過ぎました。あと一時間です」

「え？　何？」

わざとらしくねーさんがうつむきながら言った。仕方がない。もうちょっと説明してやらないと。

「杉田さんはもう成田に着いています。さっき電話がありました。怒られちゃいましたよ、今、どこにいるんだって」

「電話？」

本当についさっき、五分ぐらい前に杉田さんからぼくのケータイに電話があったのだ。予定通り、杉田さんは二時に成田空港に着き、トランジットのため外に出ていた。そこにあった公衆電話からぼくに電話をかけてきていた。

「事情は話しました」ぼくは話を続けた。「今、ねーさんが病院にいること、リハビリをしていることも伝えました。さっさとこっちへ来るようにしろ、と言われました」

「行かない」ねーさんがぽつりと言った。「行きたくない」

「本気ですか？　それならそれでいいんですけどね。ただ、時間は待ってくれません。このままねーさんが本当に動きださなかったら、タイムアップということになります。六時の便で杉田さんはハワイへ行ってしまうでしょう」

「イノケン、くどいよ」初めてねーさんが顔を上げた。「あたしは行かないって言ってるの」

「くどく聞こえたらすいません。ただ、今ならまだ間に合いますよって、それだけ言いたかったたんです」

はいはい、とねーさんがうなずいた。三時半です、とぼくは壁の時計を指さした。

「自分で言ってても、くどいと思いますけど、三時半がリミットです。それまでにここを出なければ、杉田さんと会うことはできません。もし、少しでも会いたいと思う気持ちがあるのなら、すぐに言ってください。ぼくらも一緒に行きますから」

ねーさんが鼻歌を歌い始めた。何と言うか、わざとらしい人だなって思った。どうしてこんなに素直じゃない人が世の中にいるのか、ぼくにとってそれは大いなる謎だった。

それからしばらくして、義足の接続部分を見ていたねーさんが、もうちょっとやろうかな、とつぶやいた。

「やりますか」

リョーイチが立ち上がった。どうぞ、とぼくが言った。

「でも、ねーさん、三時半がリミットです。今、ぼくに言えるのはそれだけです」

ねーさんは何も答えず、松葉杖をわび助から受け取って、ゆっくりと立ち上がった。

ねーさんは基本的には聞き分けのいい人なのだけれど、ひとつ間違えると手がつけられなくなることがある。もしかしたらぼくは間違ったボタンを押してしまったのかもしれなかった。

(その時はその時だ)

つぶやきながら、ぼくはジーパンのポケットに突っ込んでおいたケータイに触れた。

23

三回、鐘の音が鳴った。つまり三時だ。

ねーさんが動きを止めて時計を見た。もうぼくはあえて何かを言う必要を感じていなかった。あとはねーさんの問題だ。どうすることもできない。

ただ、今日、今までの時間の中で、ぼくは可能な限りねーさんの心にボディブローを打ち続けてきたつもりだ。そして、それがようやく効いてきたのが、この時間だった。

ねーさんは明らかに様子がおかしくなっていた。さっきまでとは違い、立ち止まる時間が長くなっている。何か考えているのは明らかだった。

時々、ぼくの方をちらちらと見てるのもわかっていたけど、あえて無視した。ねーさん、すべてはねーさん自身が決めなきゃならないことなんですよ。そう思っていたからこそ、ぼくはねーさんの視線を無視していたのだ。

それからしばらくの間、ねーさんは何をどうしていいのかわからないようだった。歩くには歩いているのだけれど、ほとんど右足を使っていないからリハビリにも何にもならない。リョーイチとかわび助がそれを注意しても、言葉は耳を素通りしていくだけのようだった。

そして三十分後、小さな音を立てて鐘がひとつだけ鳴った。

「三時半です」

ぼくは言った。その瞬間、ねーさんがバーに手をかけたまま立ち止まった。何かが起きようとしているのが肌でわかった。

「……どうしよう」

ねーさんの唇からつぶやきが漏れた。よく見るとねーさんは泣いていた。ねーさんの頬にひと筋の涙が伝っていた。張りつめていた糸が切れた瞬間だった。

「……どうしよう。あたし、バカだ」

「バカですよ。むきになって」

「ホントだ……あたし、何でこんな……むきになっちゃったんだろう」

ねーさんがそのまま床に腰を下ろした。声は冷静だったけど、涙だけはあとからあとから頬を伝って流れ落ちていた。

「どうしよう……もう間に合わない？　もう会えないの？」

「ずっと言ってたじゃないですか。三時半がリミットだって」

「そう……そうだけど……ああ、もう、あたしったら」

バカだ、ホントにバカだ、と言いながらねーさんが涙を拭いた。

「本当は会いたかったんでしょ？」

ぼくの問いに、会いたい、とねーさんが囁くような声で言った。

「何でむきになってたんですか」

「わかんない……そんなのわかんない……ねえ、もう本当に間に合わない？」

「会いたいんですね？」

「会いたい！」

よろしい、とぼくはうなずいた。

「メタボン、時計を元の時間に戻せ」

椅子に乗っかったメタボンが壁の時計を外して、後ろ側の蓋を開けた。しばらくすると、また鐘の音が三回聞こえてきた。

「どういうことなの？」

ねーさんがふらふらと立ち上がった。倒れないようにわび助がその後ろにぴったりついた。

「今朝、ねーさんがこっちへ来てから、時計の針を三十分進めておいたんです」

「それって……？」

「つまり、今はまだ三時だってことです。ねーさん、急ぎましょう。今、ここを出れば十分間に合います」

それは、昨日の夜からぼくたち四人の間で決めておいたことだった。どうせねーさんは意地になって会いたくないとか言い張るに決まってる。

ぼくたちだって、伊達に一年半、この人を見てきたわけじゃない。無理に勧めれば貝のように固く閉ざしてしまうのはわかりきっていた。あくまでも、本人の意思で、成田空港へ行かせるようにしなければならない。

そのためには、タイムリミットを設定することが必要だった。ねーさんの本心はわかっていた。本当は杉田さんに会いたいに決まってる。ただ、プライドとか、意地とか、そんなものが邪魔してるだけだ。

だったら、その心理的な壁をこわせばいい。それには時計の時間を変えてしまうのが一番だというのがぼくたちの考えだった。ねーさんは本当に最後の瞬間まで、自分の態度を変えようとしないはずだ。でも、もし本当に間に合わないとわかったら？

その時、初めてねーさんは自分の心に素直になるだろう。ぼくたちが待っていたのはこの瞬間だった。

「行きましょう、ねーさん」

リョーイチが言った。だって、とねーさんが自分の着ている服を見た。

「あたし、ジャージだよ？」

「そんなの気にするような人じゃないでしょ、杉田さんって」

行くぞ！　とぼくが叫んだ。メタボンがねーさんを背中に乗せた。

24

ぼくとリョーイチが最初にリハビリルームを抜けて、病院の外に出た。駅までは走ればすぐだ。

「先に行って、切符買っとくから」

「すぐ行く」

ねーさんを背中に乗せたままメタボンが答えた。わび助は松葉杖の係だ。

「うまくいったな」

走りながらぼくは言った。まあな、とむっつりした顔でリョーイチが答えた。

「仕方がないだろ。お前がねーさんのことを好きなのはよくわかってる。それはおれたちだって同じだ。だけどさ、ねーさんの幸せっていうのかな、そういうことを考えたら……」

「黙って走れ」

リョーイチはさぞや複雑な心境だろう。気持ちはわかる。だけど、世の中仕方がないことってあるんじゃないのかなあ。

すぐに駅に着いた。人数分の切符を買おうとして、ぼくは異変に気づいていた。それはリョーイチも同じだった。

「何かあったのか？」

「わからん」

アナウンスが流れている。よく聞くと、こんなことを言っていた。

〈東武伊勢崎線は、浅草で人身事故があったため、運転を見合わせております……〉

「マジでか？」

怒鳴ったぼくより、リョーイチの行動のほうが素早かった。近くにいた駅員をつかまえて、何がどうなってるのかを確認していたのだ。戻ってきた時、その顔は死人のように青かった。

「ダメだ。しばらく復旧の見込みはないって」

「しばらくってどれぐらいだ？」

「わかんねえよ、そんなこと！　オレにわかるはずないだろうが！」

そこへねーさんを背負ったメタボンと、松葉杖を抱えたわび助がやってきた。ぼくは手短に状況を伝えた。ねーさんが口をぽかりとあけた。

「何なの、それ？　わざと？」

いやホントに、わざととしか思えない。何でこのタイミングで事故が起きるのか、誰かがねーさんと杉田さんを会わせるのを邪魔してるとしか思えなかった。

「どうする？」

「どうするったって、お前……」

ぼくはケータイを取り出して時間を確かめた。三時十五分。このままではもう間に合わない。何か奇跡でも起きない限り。奇跡？

「おい、魚まさに行くぞ！」

どうするつもりだ、とリョーイチが言った。いいから、とぼくは叫んだ。

「ぼくんち行って、どうするの？」

わび助が言った。行けばわかることだ。今は説明をしている時間がない。

「行くぞ！」

ぼくたちは走り始めた。

25

来たはいいけどよ、とリョーイチが魚まさの前ではあはあと息を切らしながら言った。

「それで、どうすんだよ」

「考えがあるんだ」

「どうする、つもり、なのさ」

今にも倒れてしまいそうな声でメタボンが言った。さすがのメタボンでも、ねーさんを背負ったまま病院から魚まさに走るのはキツかったらしい。いや、そういうことじゃないか。もともと、メタボンは持久力がないもんな。

「どうするもこうするもない。電車が止まっちまってるんだ。諦めるしかないだろうがよ」

リョーイチが言った。そうだよ、と言ったわび助の肩をぼくは叩いた。

「それがそうでもないんだ。ひとつだけ、成田空港に行ける可能性が残ってる」

まさか、という目でわび助がぼくを見た。そう、そのまさかだよ。ぼくはわび助の肩に置いていた手に力を込めた。

「車だ。車でここから空港へ向かうんだ」

「車？　タクシーってことか？」

リョーイチがあたりを見回した。違う、とぼくは言った。

「タクシーなんか当てになるもんか。急いでくれって言ったって、言うことを聞いてくれるかどうかはわからない。タクシーなんかじゃなくて、もっと確実に早く着く車がある。そうだろ？」

「おい、イノケン。まさかお前……」

「そうだ。これで行くんだ」

ぼくたちの目の前に、軽の白いワゴンがあった。アホかお前は、とリョーイチが言った。

「これっていったって、だいたいわび助は免許を持ってないんだぞ」

「でも運転はできる」

「そりゃ……確かにできなくはないかもしんないけど」

できるか、とリョーイチが尋ねた。ムリムリムリ、とわび助が首を振った。

「イノケン、そんなことできないよ。ぼくが運転できるのは、このへんの慣れた道だけだ。それだってホントは違反だし、まして成田空港なんて、行ったこともないし」

「誰にでも初めてってことはあるさ」

「人のことだと思って気楽に言うなよ」

「人のことじゃない」ぼくは言った。「おれたちも一緒に車に乗る。何かあった時は死ぬも生きるも一緒だ」

「冗談じゃないよ。そんなバクチみたいなことできないって。だいたい、道だってわかんないんだし」

「いや、道ならわかるよ」メタボンが携帯電話を振りかざした。「ぼくの電話、ナビゲーションシステムもついてるんだ。だからどう行けばいいのかルート検索ぐらいできるよ。簡単さ」

簡単さ、じゃないよバカ野郎、とリョーイチがメタボンの頭を殴った。

「悪いけど、オレはそんな話には乗れないね。いいか、何度も言うようだけど、わび助は免許を持ってないんだぞ。しかも、高速道路を走らなきゃいけないことになる。わび助、お前高速走ったことあるのか?」

ない、ときっぱりわび助が首を振った。そうだろ、とリョーイチがうなずいた。

「世の中、できることとできないことがあるんだよ。ねーさんには悪いけど、もう諦めてもらうしかない。そうでなきゃ、駅まで戻って電車がまた走りだすのを待つしかないだろう」

「復旧のメドは立っていない、と駅員が言ってただろ？　待っていてすぐに電車が動きだすならそれでもいいさ。だけど、今すぐ動き出したって間に合うかどうかはわからない。だったら、ここは賭けてみるしかないんじゃないのか？」

「賭けるも何もないいんだってば。ぼく、高速なんか運転できないよ」

「やってみなきゃわからないだろうが」

「だから、やったことないんだってば」

ぼくたちのかみ合わない会話が続く中、ねーさんがメタボンの背中から滑り落ちるようにして地面に立った。

「わび助くん……イノケンが無茶なことを言ってるのはあたしもよくわかってる。危ないよね、そんなこと」でもね、とねーさんが頭を下げた。「もし、少しでも可能性があるんだったら、トライしてみたいの、ワガママなのはわかってる。だから、無理を通そうとは思わない。だけど、絶対にできない？　どうしても無理？」

「そりゃ……ねーさんの頼みだっていうんなら、何でもしたいと思います。でも、これはやっぱし……」

わび助が言った。ルートがわかった、とメタボンが大声を上げた。

「岩槻《いわつき》インターから高速に上がって、市川から東関道に出る。そこから成田インターまで一直線で、あとは新空港自動車道を通って空港だ」

「どれぐらい時間がかかるんだ？」

リョーイチが聞いた。二時間と少しって出てる、とメタボンが答えた。

「だけど、これは法定速度を守って走った場合だから、スピードを出せばもっと早く着くと思う」

「無免許でスピード違反か」リョーイチが顔を手でこすった。「どれぐらいの罰金になるんだろうな」

「罰金ですめばいいけどね」メタボンが言った。「完全な道路交通法違反だから、もしかしたら逮捕されちゃうかも」

物騒なことを言う奴だ。

「逮捕なんかされないよ」ぼくは言った。「そんなにやたらと取り締まりなんかやってないって。うまく走れば二時間もかからないかもしれない。そうすれば十分間に合う。杉田さんとねーさんが会うことも可能なんだ」

「なあイノケン、何でそこまでこだわってんだ、お前？」

そう、確かにぼくはこだわっていた。二人を会わせることに。

もちろん、杉田さんと約束したということもある。ねーさんの心情を思ってということともある、だけど本当は自分自身のためだった。

やっぱり、何だかんだ言ったところで、ぼくはねーさんのことを好きだ。もちろん無理なのはわかっている。諦めてもいる。だけど、やっぱり好きなものは好きだ。

そんな自分の未練がましい心にピリオドを打つため、ぼくはねーさんと杉田さんを会わそうとしていた。説明すればそういうことになるのだろう。

でも、今はそんな場合ではなかった。ぼくの心のうちをみんなに話しているような時間もない。今すぐにでもここを出なければ、何もかもが手遅れになってしまう。ここまで来て、そんな結末を迎えるのは嫌だった。

「わび助、頼む！　もうお前しかいないんだ」ぼくは頭を下げた。「お前は運転するだけでいい。ナビはメタボンがやってくれる。六時までに空港に着けば、ねーさんと杉田さんは会うことができる。お前は二人を会わせたくないのか？」

「……そんなことはないけど……」

「わび助」リョーイチがぼそりと言った。「行くか」

「リョウくん……」

「イノケンの言う通りかもしんない。もうほかに道はないんだ。いつ復旧するのかわからない電車を待って、時間を無駄に潰すか、それとも無茶を承知で車で空港を目指すか、そのどっちかしかないんだよ。そして、オレの見るところ、車で行った方が間に合う可能性は少しだけ高い。だったらやってみるしかないだろうが」

ねーさん、とわび助がほとんど聞き取れない声で尋ねた。

「そんなに、杉田さんに会いたいですか？」

「……会いたい」

ねーさんがきっぱりと言い切った。わかりました、とわび助がうなずいた。

「やってみます」

Vol.5

Let's go to the airport!

1

車は駐車場に停められていた魚まさの白いワゴンだ。

まずわび助が運転席に乗り込み、車を駐車場から出すことになった。ぼくたちが見守る中、わび助がエンジンをかけた。なんだかぎくしゃくした動き方で、車がゆっくりとバックし始めた。

「大丈夫かな、マジで」リョーイチが言った。「イノケン、やっぱり無理なんじゃねえのか?」

「無理でも何でも、ほかに方法はない」

ぼくは答えた。白いワゴンがゆっくりと動きだして、ぼくたちの前で止まった。リョーイチがドアを開けた。

「さあ、ねーさん、乗ってください」

ぼくとリョーイチの二人で、ねーさんを一番奥の席に乗せた。メタボンはナビゲーターを務めるから助手席だ。ねーさんが座ったのを確認してから、ぼくとリョーイチも車に乗った。メタボンが道を指示していた。

「まず岩槻のインターチェンジから高速に入ってくんないかな。東北自動車道に乗るんだ」

「岩槻のインターチェンジ？　それ、いったいどこにあるの？」

半ばわび助はキレ気味だった。対照的にメタボンは、例のもっさりとした話し方で道順を説明していた。

「うん、だからね、ここからスタートってことになると、南西方向に行けばいいんだ」

「南西ってどっちなの？」

「ねえ、南西ってどっちかなあ」

振り向いたメタボンが後部座席にいたぼくたちに聞いた。もしかしたら、本当に大変マズイ事態なのかもしれなかった。

「南西ってのはあれだろ。駅の南口がこっち側なんだから、こっち側へ走るのが南西ってことになるんじゃないのか？」

「道は何本もあるんだ！」わび助がハンドルを叩いた。「いったいどの道を行けっていうのさ」

「迷わず行けよ。行けばわかるさ」

「冗談言ってる場合じゃないんだってば！」

半狂乱になりながらクラクションを鳴らしていたわび助の横で、メタボンがグローブボックスからごそごそと何かを取り出した。

「地図、あったよ」

「あるんなら最初から出せっつうの」

リョーイチが後ろからメタボンの後頭部をはたいた。知らん顔でメタボンがページを開いた。

「とりあえず出よう。出たら左折すればいいみたい」

「みたいとか言うな！」

不安げな表情でわび助が叫んだ。メタボン、とぼくは言った。

「気持ちはわかるけど、確かにわび助の言う通りだ。みたいとか、だと思うとか、そういう言葉を使うのは極力やめてくれ。おれたちだって不安になる」

「だけどさあ、ぼくだってわかんないものはわかんないよ。たぶんとか、そんな言い方になっちゃうのもしょうがないだろ」

「いいか、デブ、よく聞け」後ろからリョーイチがメタボンの襟首を摑んだ。「オレたちはお前と運転席のチビに命を預けてるんだ。死ぬ気になってナビしろ。わかったか」

苦しい、とうめきながら、左折してくれとメタボンが言った。走りだした車がいきなり止まった。エンストだ。

「ねえ、本当に大丈夫？　やっぱり駅で待ってた方が……」

想像を上回る危険度に急に恐れをなしたのか、ねーさんが言った。正直、ぼくももしかしたらその方がいいかもしれないと思い始めていた。駅で待っていても、こんな鈍くさい車に乗っているのも、似たようなもんじゃないか。

「だ、大丈夫です」ギアを切り替えながらわび助が言った。「今のは、ちょっと緊張しすぎてエンスト起こしちゃっただけで、これからは大丈夫です」

大丈夫ではなかった。魚まさから国道へ出るまでの百メートルの間で、わび助は三回エンストを起こした。

「運が悪けりゃ死ぬだけさ、なんて歌が昔あったな」

リョーイチが言った。誰も笑わなかった。

2

今どき、いくら業務用の車輛といっても、マニュアル車は珍しい。オートマ車ならともかく、ギアのチェンジを必要とするマニュアル車を運転するのはわび助にとっても大変だったろうが、とにかく魚の匂いがぷんぷんする魚まさのワゴンは走り始めていた。

右だ、左だ、まっすぐだ、というメタボンの適当としか思えない指示に従い、わび助は車を走らせていた。腕はまっすぐ十時十分、顔をフロントガラスにぴったりくっつけるという独特のスタイルだ。時々バックミラーにわび助の顔が映ったけど、その目が血走っているのがはっきりとわかった。

「ほら、見てよ」メタボンが前方を指さした。「岩槻ＩＣって書いてある」

確かにその通りで、走っていた道の上にグリーンの案内板があって、そこには岩槻ＩＣ５００ｍ、と記されていた。

「ね？　ね？　言ったでしょ？　道はちゃんとわかるって」

「まだ最初の一本目じゃねえか」リョーイチが言った。「先はとてつもなく長いんだぞ」

大丈夫、大丈夫、とメタボンが歌うように言った。どういうわけかメタボンは極端に楽観的になっていた。たぶん、本当はメタボンが一番不安なのだろう。それを押し隠そうとしているうちに、開き直ってしまったのだ。

「どの車線を走ればいいの？」

わび助が聞いた。一番左、とメタボンが答えた。

「五百メートルなんてすぐだって。ほら、見えてきた。あそこから入ればいいんだよ」

メタボンが指さしたのは車線の一番右側だった。違うじゃねえかバカ、とリョーイチがメタボンの頭を小突いた。

「どこが左なんだよ。どこに目をつけてんだよ、お前は！」

あれ、おかしいなあ、と言いながら、やっぱり右、とメタボンが言い直した。わび助がウインカーも出さずに右車線に入っていった。危ないっつーの。

「わびちゃん、お願い。無理しないで」

ねーさんが言った。黙っていてください、とわび助が口の中で言った。視線は前しか見ていないのは明らかだった。

「おい、高速って金がいるんじゃないのか」

リョーイチが言った。その通りだ。ＥＴＣ搭載のわけないし。でも確か、入る時は券を受け取って、払うのは出る時のはずだ。わび助以外、全員、持っている金を全部メタボンに預けろ、とぼくは指示した。

「メタボン、お前はナビゲーターであると同時に会計係もやれ。極力わび助に負担をかけるな。いいか、わかったな」

財布ごと金を渡しながらぼくは言った。リョーイチ、そしてねーさんもぼくと同じようにした。

「高速、入るよ」わび助が言った。「入っちゃうよ！」

そりゃ入るしかないだろう。ここまで来たんだ。ほかに道はない。

「ヤバイなあ……坂道だよ。坂道発進、苦手なんだよ、ぼく」

「死ぬ気で走れ」リョーイチが命令した。「死ぬ気でやれば何でもできる」

「リョウくんはねえ、運転したことないからそんな気楽なことが言えるんだよ！」

「こっち向くな、わび助。前向け、前を」

確かに岩槻インターチェンジの料金所のところはなだらかな上り坂になっていた。そこでわび助は車を一時停止させ、通行券を受け取り、また発進させなければならない。できるのか、そんなこと。

「後ろから車が来ないといいんだけどね」メタボンが言った。「そうしたら、少しぐらい下がっても事故にはならないと思うんだけど」

だが、残念ながらそううまくはいかなかった。信号が変わり、岩槻インターチェンジの方へ走っていくと、後続車が二台いるのがわかった。しかも一台はベンツだ。

「誰かの行いが悪いに違いない」

ぼくはつぶやいた。間違いなくそうとしか思えない状況だ。それでも、とにかく進まなければならない。ワゴン車が料金所に突っ込んでいった。

「バカ！　スピード落とせ！」

「ぼくだってそのつもりだよ！」

わび助が怒鳴りながらブレーキを踏んだ。いきなり車が止まった。ヤバイ、またエンストだ。横からメタボンが異常に機敏な動きでサイドブレーキを引いた。

「落ち着きなって、わび助。とにかくあの券を取って」機械がはき出している通行券を指さした。「それからギアをニュートラルにして、もう一回エンジンをかけるんだ」

「言われなくてもわかってる！」

叫びながらわび助が窓を開けて身を乗り出し、細長い紙を引っぱって取った。そのまま投げつけるようにしてメタボンに渡した。

「ええと、どうするんだっけ」

「ギアをニュートラルにするんだよ」

ぼくが言った。まったく、わかってるとか叫んでたのは何だったんだ。

そうか、とうなずいたわび助がギアをニュートラルにして、エンジンをかけた。見事に一回でかかったのはいいけど、車はちっとも動かない。後ろからクラクションが鳴った。

「頼むから、焦らないでくれよ」

リョーイチがつぶやいた。何で動かないんだ、とメタボンが叫んだ。当たり前だ、バカ、とぼくは言った。

「ギアをローに入れなきゃ動くわけないだろ」

もうみんな興奮状態で、そんな簡単なことにも気づいていなかったのだ。わび助がギアをローに入れた。

「サイドブレーキを下ろして、クラッチだ」

わび助の右足がベタ足に近い感じでアクセルを踏んでいる。メタボンがサイドブレーキを下ろした。同時に、わび助がクラッチから足を離した。いきなり、車が前に向かってものすごい勢いで走りだした。全員の体が後ろに倒れた。

「無事か？」

「とりあえず、ケガはない。ねーさん大丈夫ですか？」

奇跡的にね、とねーさんが身を起こした。それを手伝いながら、急発進はやめろ、とぼくはわび助に向かって怒鳴った。だけど、わび助は何も聞いてなかった。わび助が見ているのは前だけだった。

3

ワゴンは走り続けていた。東北自動車道だよ、とメタボンが言った。埼玉スタジアムが見えた。

「こっからどうするんだ？」

リョーイチが聞いた。わび助は変わらず、ハンドルにしがみつくようにしながら前だけを見て運転を続けている。スピードメーターは百二十キロを指していた。

「このまま行くと川口に出る」メタボンが地図と携帯の画面を見比べながら説明した。「そうするとそのまま首都高速川口線になる。高速道路だからね、そんなに道順は複雑じゃないんだ」

「ありがたいことで。それで？　川口からは？」

「江北《こうほく》ジャンクションを抜けると、中央環状線に入る。そこから小菅《こすげ》・堀切《ほりきり》ジャンクションまで行く」

それ以上のことを今話しても仕方がない、とメタボンが言った。確かに一理ある。まだロングドライブは始まったばかりなのだ。

「何時頃、空港に着く？」

その方がよほど問題だった。ぼくたちが魚まさを出たのは、午後三時半ちょうどだった。はたして六時までに着くことができるのだろうか。

「制限速度の時速八十キロで走っていると仮定して」メタボンが携帯のナビ画面を指した。「到着予想時刻は十七時四十五分となっている」

「それじゃ遅すぎねえか？　杉田さん、飛行機に乗っちまうんじゃねえのか」

ただし、とメタボンがスピードメーターを見た。現在、わび助は時速百五十キロで飛ばしていた。

「このスピードが続けば、五時までには着くんじゃないかな。そうすれば何とかなると思うよ」

「わび助、頑張れ！　ファイトだ！」

「ここで男を見せてくれ！」

「やらなきゃならない時があるのはわかってるだろ？」

「うるさい！」

わび助が乱暴にハンドルを切った。車体が右へ左へと激しく揺れた。助けてくれ、誰か。死んじゃう。

「黙っててくんないかな、もう。ぼくだって必死なんだから」

泣きそうな声だった。すまんすまん、とぼくたちは謝った。

「とにかく、いい調子で進んでる。それは間違いない」

ぼくは言った。道はかなり空いていた。ガラガラと言ってもいいぐらいだ。もっとも、春日部を出たぐらいのところで、高速道路が詰まっているようなことなど考えにくいのも確かだ。混みだすとしたら、もっと都心に近づいてからだろう。

「道が空いているといいんだけど」

ねーさんがぽつりと言った。まったく、おっしゃる通りです。もうここまでくると、わび助の運転技術とか、そういう問題ではなくなっていた。道が空いているかどうか、それがすべてだ。

でも、とにかく今のところは順調だった。車は川口線を抜けて、江北ジャンクションから中央環状線に入った。わび助は百五十キロという猛スピードをそのまま維持していた。

「スピード、出しすぎなんじゃないの？」

助手席のメタボンが言った。ぼくたちも怖いことは怖いのだけれど、後部座席に座っているし、外の風景を無視しようと思えばできなくもない。だけど、ナビゲーターを務めているメタボンは外をどうしても見ないわけにはいかなかったから、よっぽど怖かったのだろう。

「うるさい」

言葉少なくわび助が言った。車の中が静まり返った。今、この車の中で誰が偉いかっていったら、わび助以上の人間はいない。もちろん、ねーさんも含めてだ。

何でもわび助の言う通りにしなければならなかった。それがどんなに無茶な要求であろうとも。

「今、何時？」

ねーさんが言った。四時を回ったところです、とリョーイチが答えた。

「うまくしたら……間に合うかもしれないね」

「そうっすね」

二人がひそひそと話している。その時、ケータイが鳴った。

「もしもし?」

「杉田だけど」

「杉田さん!」ぼくは思わず大声を上げていた。「今、どこですか?」

「それはこっちが聞きたいよ。おれはずっと空港にいるさ」

お前らどこにいるんだ、と聞かれた。ええと、とぼくはメタボンの肩をつついた。

「今、どこだ?」

「江北ジャンクションを過ぎたあたり。もうすぐ堀切ジャンクション」

そのままの内容を杉田さんに伝えた。どういうことだ、と杉田さんが声を低くした。

ぼくは改めて電車が人身事故で止まっているため、わび助が運転する車で空港に向かっていることを説明した。

「車って、お前ら高二じゃないか」

「そうなんですよ」

ぼくは間抜けな返事をした。だけど、ほかにどう答えろっていうんだ?

「いったい何考えてるんだ?」

「とにかく、杉田さんは待っててください。この調子で行けば、たぶん五時前後にはそっちへ着けると思います」

「この調子って……何キロ出してるんだ？」

その質問にぼくは答えられなかった。というか、答えたくなかった。

「桃子はいるのか？」

「います」

代わりますか、とぼくはねーさんに聞いた。いい、とねーさんが首を振った。

「会ったら、話す」

「会ったら話すって言ってます」

「何を話すっていうんだ。もう時間がないぞ」

「杉田さん、こっちも必死なんだから、いろいろ言わないでくださいよ。本当に、マジで命かけてるんですから」

わび助が真ん中の車線から追越車線へ急ハンドルを切った。ぼくたちの体が一瞬無重力状態みたいになって浮かんだ。

「杉田さん、第二ターミナルにいるんですよね？」

「さっきも言ったろ。第二ターミナルのJカウンターの前に立ってるよ」

「じゃあ、そのまま待っててください。なるべく早く行きますから」

そうしてほしいね、と言って杉田さんが電話を切った。杉田さんは海外暮らしが長いのに、携帯電話を持っていない。そんなものに縛られたくないからだそうだけど、こんな場合、ポリシーなんかどうでもいいから携帯を持っててほしかった。不便でしょうがない。

「間に合うかな」

ねーさんが言った。神様に祈りましょう、とぼくは答えた。結構真剣だった。

4

必死になって神様にお祈りをしたことなんて、今まで一度もなかった。だけど、今度ばかりは違う。それこそ必死こいて祈らなければならない状況だった。

わび助は平均時速百三十キロぐらいで走っていて、しかも視線は前しか向いてないから、横から別の車が割り込みとかをしてきたとしても対応が利かない。でも、ぼくたちはそんなわび助に命を預けるしかないのだった。

「わび助、そんなに極端に急がなくても」リョーイチが言った。「このペースだったら、かなり早い時間に成田空港に着けるぞ」

メタボンがナビタイムとかで調べた時の基準スピードは高速道路の法定速度である八十キロだ。今、わび助はその倍とまではいかないけれど、それに近いスピードで車を走らせている。リョーイチの言う通り、もう少し余裕を持って運転しても大丈夫なはずだったけど、わび助はぼくたちの忠告を聞く耳は持っていないようだった。

「……逃げちゃダメだ」

わび助がつぶやいた。何だって？

「逃げちゃダメだ。逃げちゃダメだ」

必死で自分に言い聞かせているその言葉は、エヴァンゲリオンの、碇《いかり》シンジのそれだった。アニメと現実を混同してほしくないと思った。

「メタボン、道は合ってるのか」

ぼくは聞いてみた。合ってる、と珍しく自信たっぷりの答えが返ってきた。

「ていうかね、空港までの道なんて、ほとんど一本しかルート取りは考えられないんだよ」

「今、どこだ？」

「堀切ジャンクションを過ぎたところだから、そろそろ葛西《かさい》ジャンクションに出るはず。そうしたら首都高湾岸線に入ればいいんだ」

「逃げちゃダメだ。逃げちゃダメだ」

わび助が同じ言葉を呪文のように繰り返している。何の意味があるのかわからないけど、それで精神の安定が保てるならそれでいいだろう。放っておくしかない。

とりあえず、道は空いていた。その点だけはラッキーだったといえるだろう。渋滞していたら、もうどうすることもできない。ただ黙って諦めるしかないのだ。

「ずっと空いてるといいね」

ねーさんがぼくの方を向いて言った。時々思うことだけど、ねーさんには他人の心を読む能力が備わっているのではないか。そうっすね、とぼくは答えた。

「そろそろ、海が見えてくるはずなんだけどな」

メタボンが言った。どれどれ、とぼくたちは外を見回した。

「ほら、葛西ジャンクションまであと一キロって、今看板みたいなのがあったでしょ。てことは、やっぱり道は合ってるんだよ。だとしたら、海が見えてこないとおかしいんだけどな」

「見えた」リョーイチがつぶやいた。「海だぞ、メタボン」

「グッジョブ、メタボン！」

車のスピードがまた少し速くなった。いかんいかん、とぼくとリョーイチは目配せを交わした。

「いや、もちろんわび助くんのドライビングテクニックがあっての話だけどね」

「わびちゃんがいなかったら、とてもこんなところまで来れなかっただろうし」

とにかく、嘘でも何でもいいからわび助の機嫌を取っとかないと、とんでもないことになる。事故でも起こしたら大問題になるのはわかりきっていたから、それからしばらくぼくとリョーイチはわび助をヨイショし続けた。

「さあ、首都高湾岸線だよ」

メタボンが前を指さした。車は走り続けていた。

5

「このまま順調に行くと、何時頃着くかな」

リョーイチがメタボンに聞いた。もうすぐ浦安だから、とメタボンが計算を始めた。

「もう半分以上は来ていると思うんだ。地図上では少なくともそういうことになってる。浦安を抜けたら、あとは結構早いと思うよ。ぼく、前にパパと空港まで行ったことあるんだけど、浦安越えたら一時間かからなかったような気がする」

そんな経験があったのならさっさと言え、と怒りだしたリョーイチをぼくは必死でなだめた。とにかく、今重要なのは一にわび助、二にメタボン。機嫌を損なってはいけない。

「今、四時十五分だ。ってことは、五時ぐらいに空港に着けるってことか?」

「何もなければね。事故とか」

不吉なことを言う奴だ。まあしかし、その可能性は低いように思えた。道は空いていたし、天気もいい。事故など起きるとはとても思えなかった。

というか、事故を起こすんだったらそれはわび助が起こすことになるだろう。だが、さすがに慣れてきたのか、わび助の体から少しだけ余裕みたいなものが感じられた。

「ペースはいいね」メタボンが口を開いた。「全然問題ない。この調子で行けば、五時までに着くのは確実だよ」

ねーさん、とぼくは呼びかけた。

「大丈夫ですよ。このまま行けば、杉田さんに会えます」

ホントに？　というようにねーさんが照れ笑いを浮かべた。ちょっと悔しいけど、すがすがしい笑顔だった。

「がんばれ、わび助。ゴールは近いぞ」

リョーイチがそう言ったけど、わび助はほとんど反応しなかった。まだやっぱり返事をするほどの余裕はないらしかった。

「これからどうなるの？」

ねーさんが尋ねた。ええとですね、とメタボンが地図を持ったまま後ろを向いた。

「ここから市川を通って、東関東自動車道に出るんです。そのまま四街道《よつかいどう》とか佐倉《さくら》とかを通過すればその先が成田インターで、新空港自動車道から空港ってことになります」

「何か、ずいぶん近い感じがするね」

「いや、距離は結構あるんですよ。ただ、今のスピードで走っていれば、どんなにかかっても一時間、それ以上はかからないでしょう。ねーさん、マジで間に合いますよ」

「何もかもがうまくいけば、でしょ？」

「うまくいかない理由が思いつかないぐらい、順調に進んでます」

メタボンの言う通りだった。どう考えても、間に合わないはずがなかった。

わび助がぐいぐいアクセルを踏んだ。そのたびに前の車を追い越していく。それは何だかゲームセンターのレースマシンのようだった。

「いいぞ、わび助。どんどん行け」

「やるじゃん、わび助。見直したぞ」

ぼくたちは勝手なことを言ってわび助を応援した。わかってる、と言わんばかりにわび助がまたアクセルを踏んだ。

「今、何時だ？」

リョーイチが言った。四時半、とぼくは腕時計を見た。

「おい、デブ。四時半だとさ。どうかな、この先の見通しは」

「このままいけば、五時までに必ず着く」

メタボンが断言した。いつもは優柔不断なことしか言わないメタボンにしては珍しいほど自信にあふれた発言だった。

「よし、あとはわび助がどこまでがんばれるかだな」

「走れ、わび助。走り切るんだ」

逃げちゃダメだ、とわび助がつぶやいた。逃げちゃダメだ、逃げちゃダメだ、逃げちゃダメだ。

6

ともあれ、すべてが順調だった。

車は宮野木《みやのぎ》ジャンクションを抜け、そのまま四街道を通過していった。杉田さんから電話があったのはその時だった。

「おい、井上」相変わらずの前置き抜きで杉田さんが言った。「今、どこを走ってる?」

「四街道です」

ぼくは答えた。結構いいペースだな、と杉田さんが言った。

「結構どころじゃありません」ちょっと反抗的な気分で言葉を返した。「よくやってる方だと自分でも思いますよ。まあ、実際には車を運転してるわび助と、ナビをしてるメタボンのおかげですけど」

「道の状況はどうだ。渋滞とかはないのか?」

「全然」余裕です、とぼくは答えた。「たぶん、みんなの行いが良かったんだと思います。ガラガラと言ってもいいぐらいで」

「ということは」杉田さんが言った。「今、四街道か……それじゃ、あと三十分もかからないうちに、こっちへ来られるな」

「たぶん、そうだと思います」

「待ってる、と伝えておいてくれるか」

「誰にですか？」

わかりきったことだったけど、わざとそう聞いた。桃子にだよ、と照れくさそうな声がした。

「桃子に、待ってるからって。そう伝えてほしい」

「そんなに長くは待たせないと思いますよ」

そうしてほしいね、とさっきとは違う調子で杉田さんが言った。

「何しろ、こっちは待ってるしかないんだ。ほかにやることがあるわけでもないし、一応雑誌とかも買ったりしてるんだけど、読んでも字が頭に入ってこないんだよ」

「それ、のろけですか？」

「そう取るなら取ってもらってもいい」杉田さんが答えた。「とにかく、待ってる。ひたすらに待ってるよ」

ぼくはねーさんの方を向いた。杉田さんです、と電話をかざしたけど、やっぱり返事は同じだった。

会うまで、声を聞くのはやめておきたいらしい。気持ちはよくわかったので、ぼくはもう一度電話を自分の耳に当てた。

「ねーさんも、早くそっちに行きたいって言ってます」

代弁したつもりだったけど、ねーさんがぼくの頭を叩いた。まったく、どうしてこんなことをされないといけないのだろう。

「とにかく急ぎますから」

「わかってる。任せたよ」

よろしく頼む、と言って杉田さんが電話を切った。いよいよですね、とぼくはねーさんに言った。

「いよいよじゃないわよ、あんな奴」

ねーさんが窓の外を見ながら言った。照れてる時のねーさんはいつもそうだ。視線を合わせようとしたりせず、必ずどこか別の場所を見ている。いかにもねーさんらしい話だった。

「まあ、ねーさんもそんなに照れることないじゃないですか」リョーイチが言った。

「久しぶりに会うわけですし、正直に自分の気持ちをぶつけた方がいいと思いますよ」

「ストレートにね」

ぼくは付け足した。そんなんじゃないわよ、とねーさんがいつにない口調で言った。何となくおかしくなって、みんなで笑った。わび助だけがまっすぐ前を向いたまま、ハンドルをしっかり握っていた。

7

何の問題もないはずだった。それでも、何かトラブルが起きてしまうのは、ぼくたちの誰かが悪いことをしたのか、それとも誰かのご先祖様がとんでもないことをしたためだと思う。

四街道を抜けて、佐倉、酒々井《しすい》と過ぎたところで、わび助がひと言、ヤバイ、とつぶやいた。わび助がしゃべるのは久しぶりだったから、みんなが驚いた。

「ヤバイって何だよ」

リョーイチが尋ねた。ガソリン、と短い答えが返ってきた。ぼくとリョーイチは車の速度計のあたりを見た。ガソリンスタンドのマークが赤く点滅していた。

「これって、ガス欠ってことか?」

「だと思う」

相変わらずわび助の答えは短かった。

「お前、ガス欠って今言うなよな。オレ、さっきこのマーク見たぞ。案内板に出てた」

リョーイチが呆れて言った。ったく、どこ見てんだよ。

「しょーがないだろ。運転するのに精一杯なんだから」

そうだ。この場合、わび助は責められない。

「と、とりあえず少しスピードを落としてみたら？」メタボンが言った。「そうしたら、ガソリンが長く保《も》つかもしれないじゃない」

指示通りわび助がアクセルを緩めた。時速八十キロまでスピードが落ちた。

「どうするよ、おい」

「あと、どれぐらい走れるんだ？」

みんなの質問が交錯した。わからないよ、とヒステリーを起こしたわび助がわめいた。

「こんなに長く走ったことなんてなかったんだ。いつもは、ガソリンがなくなる心配もなかった。こんな赤いランプが点滅するのを見るのも初めてなんだ」

ここに来て、ようやくわび助がちゃんとした話し方でぼくたちに説明をした。とはいえ、そんなことを報告されても困る。答えの出せない問題なんて、意味がないだろう。

「いや、待て」リョーイチが言った。「オレ、聞いたことがある。その赤ランプの点滅は、確かにガス欠を意味してるけど、だからといって今すぐガソリンがなくなってしまうわけじゃない、一種の警告なんだ」

「警告？」

「このまま放っておいたら、ガソリンがなくなってしまうってことだよ。だから、少なくともあと何キロかは走れるはずだ」

「はずだ、はいいけど、何の解決にもなってないぞ」ぼくは言った。「とにかく、ガソリンがなくなりかけているのは間違いない。そして、ガソリンがなくなっちまったら、車なんて何の役にもたたない」

ここまでさんざん世話になってきた魚まさのワゴンには申し訳ないけど、そういうことだ。走れない車なんて、ただの鉄の塊にすぎない。

「どうする？」

「どうする？」

みんなが同じ言葉を口にした。メタボン、とリョーイチが言った。

「空港まであと何キロあるんだ？」

「さあ、どうだろう……でも、成田空港まで十三キロって案内が出てたよ」

メタボンがいつものようにもっさりと言った。おい、いまぼくたちがどういう状況なのかわかってるのか？

「早く言えよ、このデブ。で、わび助、この車、あと十三キロ走れるか？」

今度はわび助に向かってリョーイチが聞いた。わかるわけないだろ、とわび助がまたわめいた。

「こんなこと初めてなんだ。あとどれぐらい走れるかなんて、わかるわけないじゃないか。もしかしたら、あと一キロも走らないうちに止まってしまうかもしれないし、空港まで走れるかもしれない。わかんないよ」

「どうする？」

「どうする？」

またみんなが同じようにどうする？　を連発すると、あのね、とメタボンが言い出した。

「高速、降りちゃえばいいんじゃない？」

「高速を降りる？」

うん、とメタボンがうなずいた。

「とにかく、今の状態がヤバイのはみんなわかってる通りだと思うんだ。ぼくもそう思う。いつ止まるかわかんない車に乗ってるなんて、不安だもんね。でも、高速を降りちゃえば、あとは何とかなるかもしれない。ガソリンスタンドだって絶対にあるよ、このへんに。何しろ高速道路の出入口なんだからね。スタンドがないわけないじゃん」

メタボンにしては説得力のある発言だった。それで？　とねーさんが聞いた。

「もう富里《とみさと》も通り越したんだ。次は成田で降りることができる。そこから空港なんて、そんなに遠くはない。タクシーだって走ってると思う。そこまでねーさんを連れていくことができれば、ミッション達成ってわけ。でしょ？」

「成田までガソリンが保つかな？」

リョーイチがつぶやいた。でも、それは言っても始まらないことだろう。あと何キロ走れるのか、それさえもわからないのだから、とにかく高速を降りるというのは名案だと思えた。そしてそれはぼくだけではなく、わび助も、ねーさんもそう考えたようだった。

「よし、わかった。メタボンのアイデア通りにしよう。成田インターで降りるんだ」

8

ぼくたちの車は佐倉インターを通過してからしばらく経ったところで、赤ランプが点滅し、それは続いていた。当たり前の話だけど、ガソリンを入れているわけではないのだから、点滅が止まるはずはなかった。

そして、いよいよ恐れていた事態が起きた。赤ランプがつきっ放しになってしまったのだ。考えるまでもないことだけど、ウルトラマンのカラータイマーと同じで、点滅している間はまだ何とかなる。それが、その点滅さえ止まったということは、いよいよ非常事態であることを意味していた。

「ダメかもしんない」

ハンドルを握っていたわび助がぽつりと言った。諦めるな、とリョーイチが叫んだ。

「何とかなるかもしれないだろ。最後の最後まで努力を」

「あれ」メタボンがリョーイチの言葉をさえぎるように叫んだ。「今、案内板見えなかった？」

「見た」ぼくは言った。「成田まであと二キロって書いてあった」

「わび助、頑張れ！　ファイトだ！　あと二キロ、何とか走らせろ！」

リョーイチが怒鳴った。気持ちはよくわかったけど、ここは精神論で何とかなるもんじゃないと思う。

赤ランプは真っ赤になっていた。いよいよもって、ガソリン切れということなのだろう。突然メタボンが両手を合わせて拝みだした。

「神様、仏様、何とかしてください！　あと二キロ、二キロでいいんです！　それだけ車を走らせてくれたら、何でもします。もうコンビニで買い食いするのもやめます！」

メタボンの口から出た発言としては驚くべきものだった。何しろメタボンはコンビニがあればそこで何かを買わなければならない〝歩くコンビニ〟なのだ。それが、コンビニでの買い食いをやめるなんて。

リョーイチが同じように叫んだ。「ちゃんと勉強もします。嫌いな英語の授業も真面目に受けます!」

しょうがない。ぼくもそれにならって手を合わせた。

「神様、今まですいませんでした。これからは気持ちを入れ替えます。具体的には部活をちゃんとやります。下級生の面倒も見ます。だから、今回だけは何とかぼくらの願いを聞き入れてください。早い話、成田インターまでこの車が無事到着するようにしてください、お願いします!」

ねーさんは何も言わなかった。ただまっすぐ前を見つめていただけだ。また標示板が見えた。

「あと一キロ」

ねーさんがつぶやいた。そうか、あと一キロか、赤ランプはつきっ放しだ。そんなこと知るか、あとは根性だ。がんばれ、魚まさの白ワゴン。何とかあと一キロを走り抜け!

「わび助くん、車を左に寄せて」ねーさんが冷静な声で指示した。「あと五百メートルだから」

わび助がウインカーをつけて左車線に入った。それからの数分間が、ぼくたちには一時間ぐらいに思えた。

車は料金所に入っていた。メタボンが高速料金を払っている。着いたのか。いや、確かに着いた。ぼくたちの祈りは通じたのだ。

9

そこまではよかった。だけど、わび助がアクセルを踏んでも、車はちっとも動こうとはしなかった。エンジンもかからない。車は完全なポンコツになってしまったのだった。

「仕方ない」降りるぞ、とぼくはメタボンとリョーイチに言った。「車を押すんだ。ここにいるわけにはいかない」

ラッキーだったのは、わび助が一番左の料金所を選んでいたことだった。そのまま車の後ろから押していくと、左側に空きスペースがあったので、そこに車を置くことにした。たかだか十メートルぐらいの距離だったから、そんなに面倒なことではなかった。

「さて、どうする」

ぼくは二人に聞いた。確かこういう時はＪＡＦを呼ぶって聞いたことがあるな、とメタボンが言った。

「ジャフ？　外国人か？」

「いや、そうじゃない。とにかく、車のトラブルが起きた時はそこへ連絡すればいいんだ。一種の保険会社みたいなものだと思う」

「なるほどね。じゃあ、そのジャフとやらに電話しようじゃないの」

「番号がわからない」

まるで掛け合い漫才のようだった。不毛な会話を続けている二人を放っておいて、ぼくは運転席のわび助の方へ向かった。

「車検証とかあるだろ？　たぶん、その中にお前の親父さん、ＪＡＦの書類も入れてると思うんだ」

しばらく車の中をごそごそ探し回っていたわび助が、これかな、と言って大きな袋を出してきた。中を改めてみると、車検証という文字が見えた。

「よし、車のことはおれたちで何とかしよう。でもそれより先にやらなきゃならないことがある」

「ねーさんでしょ？」

そうだ、とぼくはうなずいた。何のためにここまで来たのか。ねーさんと杉田さんを会わせるためだ。

「メタボン、この中じゃお前が一番力がある。ねーさんを背負って、タクシーが拾えるところまで行ってくれ。キツイのはわかるけど、お前にしかできない」

「わかってるよ」

メタボンが答えた。ねーさんが車の中から、ごめんね、と言った。

「何か、迷惑ばっかりかけちゃってるよね、あたし」

「そんなことないっすよ。ぼくたち、好きでやってるんだから気にしないでください」

「気にするわよ、あたしだって」

「似合わないすよ、そんな台詞」

失礼だわ、とか何とか言いながら、ねーさんが車を降りようとした。その時、わび助が車から飛び降りてきた。

「何だよ、お前は。今さら焦ってもしょうがないだろうが」

そうじゃない、とわび助が目を伏せながら言った。

「何がそうじゃないんだ？」

あれだよ、とわび助がこっそり指をぼくの背中の方に向けた。振り向いた時、あまりのことにぼくは思わず持っていた車検証の書類を落としてしまった。

何をそんなに驚いたのかといえば、そこに立っていたのが制服を着たお巡りさんだったからだ。一人は男、一人は女だった。

その二人が近づいてきて、ちょっといいかな、と言った。はあ、とぼくはうなずいた。

それ以外、返事のしようがなかった。

10

男のお巡りさんと、女のお巡りさんがのんびりした足取りで近づいてきた。ぼくはリョーイチと目配せを交わした。

(どうするよ、おい)

(どうにかするしかねえだろう)

(ねえだろうったってどうすんだよ)

(そんなのわかるわけないだろうが)

「どうかしましたか」

いきなり男のお巡りさんが尋ねてきた。はい、とぼくは反射的に答えた。

「ちょっとその、ガソリンが切れてしまったみたいで」

「ガソリン切れ？　ちゃんと入れてこなかったの？」

「いや、入れてきたつもりだったんですけど」

男のお巡りさんはまだ若い人のようだった。二十代後半ぐらいだろう。いったいこんなところで何をしているのか。

「ガス欠は困っちゃうよね」

男のお巡りさんが言った。優しそうな声だった。少なくとも人がいいのは間違いない、とぼくには思えた。

「いや、ホント、困っちゃいますよ」

ぼくは少しだけ笑いながら言った。そうだよねえ、とお巡りさんも笑いながらうなずいた。

「どうするつもり？」

「とりあえずJAF呼ぼうかって、そんな話をしてたんですけど。だよな？」

マンツーマンシステムだとキツイので、リョーイチに話を振った。そうっす、とリョーイチが首を振った。

「まあそうだよねえ。とりあえずそれしかないだろうね」お巡りさんが言った。「ガソリン、何リットルか入れてもらえば、すぐ走れるから。そしたらね、この先上り坂になってるからちょっとわかりにくいけど、坂を降りて右に行ったところにガソリンスタンドあるから、今度はちゃんと満タンにしてもらうんだよ」

「はい、そうします。ありがとうございます」

お巡りさんはよほど暇なのか、ぼくたちの周りから離れていこうとはしなかった。ぶっちゃけさっさとどっか行けよ、と思っていたのだけれど、まさかそんなこと言えるはずもない。

「大学生？」

いきなり女のお巡りさんが聞いてきた。そうっす、とリョーイチが答えた。

「どこか行くの？　見送り？　それとも出迎え？」

「見送り……ですね」

だよな、とリョーイチがぼくを見た。もちろん見送りだ。見送り以外の何ものでもない。

「どこへ行くの？」

また男のお巡りさんが聞いてきた。ほかにすることがないのかな、この人たち。

「ハワイっす」

「いいよね、学生は」男のお巡りさんが腕を組んだ。「いつでも、どこでも行けるもんな。ぼくらとは違うよ」

「いやそんな」ぼくは両手をこすり合わせながら言った。「お巡りさんだって、いいじゃないすか。カッコいいし、仕事は大変でしょうけど、責任もあるし、やり甲斐あるんじゃないですか？」

「そんなことはないよ。カッコいいって言われても、こっちは仕事だし。なあ、そうだよな」

女のお巡りさんに向かって言った。言葉遣いから考えて、どうやら男のお巡りさんの方が二、三歳年上のようだった。

「お巡りさんこそ、こんなとこで何してるんですか」

ぼくの質問に、通常のパトロールだよ、と男のお巡りさんが答えた。

「一日二回、この料金所を見回りにくるのさ」

何てついてないんだ、とぼくは心の中で思った。たとえばあと三十分前に着いていれば、お巡りはここにいなかっただろう。三十分後でも同じだ。まるで何か運命の巨大な手が、ねーさんと杉田さんが会うのを邪魔してるみたいだと思った。

「大変ですね」

「大変なことなんか何もないよ。別に何があるわけでもないし。君たちもやってみればわかるさ。退屈な仕事だよ」

「いや、退屈だからこそ、大変なお仕事っすねというか」

「そんなたいしたことじゃないよ……ところで、大学はどこなの？」

大学はどこなの、と言われても困る。何しろまだぼくたちは高校二年生で、受験についてマジメに考えたことさえないのだ。

「大学は、その、ワセダです。早稲田大学」

「へえ、偶然だな」男のお巡りさんが一歩ぼくたちに近づいてきた。「学部はどこなの？　いや、ぼくの妹も早稲田なんだよ」

「そりゃ偶然ですね」

学部？　早稲田の学部って何があったっけ。頭をフル回転させて出て来た答えは、文学部です、というものだった。文学部ならどこの大学もあるだろう。

「そりゃますます偶然だ。うちの妹も早稲田の文学部なんだよ」

しまった、失敗した。確かに、女子大生なら文学部の可能性が高いのは当然だ。それを考えてから学部を言うべきだった。

「大月《おおつき》っていうんだけどね。大月美香子《みかこ》。知らないかなあ」

男のお巡りさんは大月という名前のようだった。

「いや、ちょっとわかんないっすね。おれらも、ほら、誰でも知ってるってわけじゃないですし」

「早稲田、結構人数多いですからね」

リョーイチが助け舟を出してくれた。そうそう。とにかく人数多いですから。

「いや、でも偶然って面白いよね」男のお巡りさんが満面の笑みを浮かべた。「こんなところで妹の同級生に会えるとは思わなかったよ」

ていうか、こんなところでお巡りさんと長話をすることになるなんて思ってもみなかった。

「学校は大変かい？」

そろそろうざくなってきた。いいかげんこのお巡り、どっか行ってくんないかな。

「まあ、普通ですよ、普通」

そうだよな、とリョーイチに話しかけた。フツーフツー、とリョーイチが繰り返した。

まったく、役に立たない男だ。

「それにしても、妙な車に乗ってきたんだね」

男のお巡りさんがワゴンのボディに目をやった。

「魚まさって何?」

「あの、つまり、実家の車なんです」

「実家って?」

「魚屋やってるんです」

「君の家、魚屋さんなんだ」

ここまでいくつ嘘を重ねてきただろう。何が何だか、ぼくにはわけがわからなくなってしまっていた。

「まあ、そういうことです」

「ほかに車なかったの?」

「ちょっと、ほかになかったんで。仕方なくこいつに乗ってきたんですけど」

そうなんだ、と男のお巡りさんが言った。何でも言ったことは信じてくれる。いい人だ。

「誰が運転してきたの？」

それに対して、女のお巡りさんはちょっと厳しかった。最初から何かを疑っているようだった。

「ぼくです」

「オレが」

ぼくとリョーイチが同時に答えた。不審者を見るような目で女のお巡りさんがぼくたちを見た。

「つまり、交互に運転してきたってことです」

ぼくが言った。そうです、とリョーイチがうなずいた。

「ロングドライブなんで、何しろ。一人で運転するんじゃちょっと疲れちゃいますから」

「どこから来たの？」

東京です、と言いかけたぼくはその言葉を呑み込んだ。車のボディには魚まさの電話番号が入っていたからだ。それが０３で始まる番号でなかったのは言うまでもない。

「川越《かわごえ》です」

ぼくが答えた。早稲田の学生がどうして川越から来たの、とまた女のお巡りさんがねちっこい質問をしてきた。実家がそっちなんで、とぼくは言った。

「ああ、そういうこと」女のお巡りさんが運転席を見た。「じゃあ、この子は何なの？」

そう言いながら運転席のドアを二回叩いた。ゆっくりとドアが開き、わび助が降りてきた。

11

ぼくたちはみんな高校二年生だけど、ぼくもリョーイチも私服を着ていればどうにか大学生と言っても信じてもらえるかもしれない。でもわび助はダメだ。何しろ、体は小さいし、顔が幼すぎるからだ。

「あなたも早稲田の学生なの？」

女のお巡りさんが聞いた。いや、そうじゃないんです、とぼくが二人の間に割って入った。

「こいつは高校生です。まあ、言ってみればぼくたちの弟分みたいなもんで」

「弟分？」

「そうっす」

人間、一度嘘をついたからには、それを隠すためにまた嘘をつくことになるのは仕方のないところだった。そうっす、とぼくはもう一度繰り返した。

「地元で、つまり川越でよくつるんでいた奴なんですよ。それで、その頃世話になってた先輩がハワイに行くっていうんで、その見送りに来たんです」

「どうして運転席にいたの？」

女のお巡りさんの追及は鋭かった。それはですね、とぼくは答えた。

「ガス欠になっちゃったんで、車を押さなきゃならなくて……一番体重の軽いコイツにハンドルを任せたんです」

そうなの、と女のお巡りさんが言った。あたりの空気がじんわり重くなってきた感じだった。

「後ろの席に座ってるのは女の子？」

「女の子っていうか、先輩です」

「先輩？」

「あの、さっきも言ったと思うんですけど、前によくつるんで遊んでた人が今日ハワイに行くんですけど、その人の見送りに自分も行きたいって言って」

「怪我してるの？」

「ええ、まあ、ちょっと……」

そう、とまた女のお巡りさんが言った。どうした、というように男のお巡りさんがぼくたちの方を見た。

「そっち側にいる大きな男の子……あなた、ちょっとこっちへ来なさい」

女のお巡りさんがメタボンを呼んだ。真剣にぼくは神様に祈った。メタボンが余計なことを言いませんように。

「何すか」

メタボンがこっち側へやってきた。あなたは大学生なの？　と女のお巡りさんが質問した。

「いや、こいつも違うんです」ぼくは一歩前に出た。「こいつは、そのチビと一緒で、高校生なんです」

メタボンは体こそ大きいけれど、やっぱり高校生にしか見えない。ここはぼくとリョーイチだけが大学生だということにしておいた方が都合がいいと思ったのだ。

「高校生なの？　ずいぶん……大きいのね」

メタボンは体のサイズだけで見れば大人も顔負けの大きさだ。ただ、心はチキンだ。不安そうな目で男のお巡りさんと女のお巡りさんを交互に眺めている。その目はやめなさいっつーの。怪しまれるじゃないか。

「JAFの番号、わかったよ」メタボンが少し震える声で言った。「ここに書いてある」

「じゃあ、お前が電話しろ」ぼくは言った。「ガス欠で、成田の料金所のところにいるって言えばいいんだ」

ですよね、と男のお巡りさんに聞いた。それしかないだろう、とお巡りさんがうなずいた。

「いや、参っちゃいましたよ。何しろ親の車だし、JAFなんて今まで使ったこともないし」

「まあ、一種の保険みたいなものだからね。ぼくもあんまり聞かないな、本当にJAF使った人の話は」

ですよね、とぼくはもう一度言った。ここはもう媚《こ》びるしかないと思ったのだ。頼むからさっさと元いた場所に戻ってくれ。

「どうもお騒がせしました。もう大丈夫ですから」

「そうみたいだね」

男のお巡りさんが言った。ぼくはちょっとほっとしながらうなずいた。どうやら、何とかうまく切り抜けたようだ。どうもすみません、とぼくは頭を下げた。その時、女のお巡りさんの口が動いた。

「一応、免許証見せてくれる?」

「はい?」

「免許証」

何でだ、ホワイ。何を考えてるんだ、この女は。免許証、と女のお巡りさんがもう一度言った。

12

「免許証すか」

かろうじて、ぼくは言葉を返した。それだけでも十分に評価してもらいたい。この最悪のピンチに、話すことができた自分を立派だと思った。でも、それだけでは何の意味もなかった。

「あなたと、そこのもう一人で運転してきたんでしょ？」女のお巡りさんがぼくとリョーイチを指さした。「だったら、免許証持ってるはずよね」

「そりゃまあ、もちろん……です」

ぼくはうつむきながらリョーイチの顔を見た。唇が紫色になっていた。

「免許証っすよね。免許証、免許証と」

ぼくは着ていた服のあらゆるポケットを探った。

「あれ、おっかしいなあ……どこに入れたかなあ」

「あなたは？」

女のお巡りさんがリョーイチに聞いた。忘れました、とリョーイチがいさぎよく答えた。

「いつもは財布に入れてるんですけど、今日は出てくる時、財布ごと家に置いてきちゃったみたいで」

「みたいで、じゃないでしょ」女のお巡りさんが少しきつい表情で言った。「運転免許証の不携帯は違法行為よ」

「すいません」

リョーイチが頭を下げた。あなたはどうなの、と女のお巡りさんがぼくに顔を向けた。

「ええと、いや、ぼくは持ってきてるはずなんですけど、あれ、どうしちゃったかなあ。どこにいったんだろう」

ちくしょう、何てついてないんだ。思えば、最初からそうだった。ねーさんがむきになって動かなかったこともそうだし、電車が事故で止まっていたこともそうだ。それでもとにかくこうして成田まで来ることはできたのだ。それなのに、最後の最後でお巡りに捕まるなんて。

「ねえ、もう一度はっきり聞くわ。あなたたちは早稲田の学生なのね？」

まあ、そんなようなもので、とぼくは小さくうなずいた。リョーイチは横を向いたままだった。

「はっきり聞くけど、それ、嘘じゃないの？　本当はあなたたち、高校生なんじゃないの？」

女のお巡りさんが言った。そうなのかい、と男のお巡りさんが初めて真剣な表情になった。

「いや、それは誤解です。ぼくとこいつは早稲田に通ってます」

「確認しましょう。学生証は持ってるの？」

免許証の次は学生証か。ないものばっかり要求されてる気がした。

「学生証も財布に入れてるんで」リョーイチが口を開いた。「今は持ってません」

「あなたは？」

「そうですねえ」ぼくはまた体中のポケットを探るパントマイムを演じなければならなかった。「おかしいなあ、どこに忘れたのかな」

またあたりの空気がどんよりと重くなり、不自然な沈黙が流れた。さて、ここからいったいどうやってこの窮地を切り抜ければいいのだろう。

「さて、じゃあちょっと個別に話を聞くことにしようか」

男のお巡りさんがリョーイチに来るように合図した。うなずいたリョーイチが歩きだした。その時、ぼくは見た。リョーイチとわび助がアイコンタクトを取っているのを。

まさか、お前ら。

「あなたはこっちにいらっしゃい」

女のお巡りさんがぼくに言った。メタボン、とぼくは呼んだ。何よ、とメタボンが近づいてきた。

「ちょっと来てくれ」

「その子はいいの。あなたに来てほしいの」女のお巡りさんがぼくに向かって言った。

「早くしてちょうだい」

そこから先のことは一生忘れないだろう。まず、脇から男のお巡りさんに近づいていったわび助が、いきなりジャンプして、男のお巡りさんの腕にからみついたのだ。プロレスで言うところの飛び付き式腕ひしぎ十字固めを決めたということになる。

見ていて気持ちがよくなるほど、その技は完璧に決まったのだけれど、体重が違いすぎた。それだけではお巡りさんも倒れなかったと思う。だが、次の瞬間、リョーイチが男のお巡りさんに強烈なタックルをかました。

バランスを失ったお巡りさんの体がよろめいて、そのまま地面に倒れ込んだ。ぼくはぼくで、お巡りさんの空いていた右腕を脇固めに押さえ込んだ。

「メタボン！」そのままの体勢でぼくは叫んだ。「そっちのオンナをどうにかしろ！」

ゆっくりと近づいていったメタボンが、女のお巡りさんの体に自分の体を重ねるようにして倒れ込んだ。何がどうなったのかよくわからないうちに、柔道でいう横四方固めの体勢に入っていた。いくら警察官でも、自分の体重の倍はあるであろう男に抵抗できるものではなかった。

「離しなさい！　離せ、こら！」

男のお巡りさんが怒鳴った。いやいや、もうここまでしてしまった以上、離すわけにはいかない。ねーさん！　とぼくは叫んだ。

「車を降りて！」

ねーさん、早く！　とリョーイチもわめいた。わび助はひと言も発しないまま、男のお巡りさんの腕を固めている。ドアが開く音がして、ねーさんが松葉杖を持ってワゴンから降りてきた。

「ねーさん、あっちだ！」ぼくは坂道を顎で指した。「あっちへ行ってください！　運が良ければタクシーが捕まる！　それに乗って、空港まで行ってください！」

「そんな……無理よ、この足じゃ」

「この足もその足もない！」リョーイチが叫んだ。「ねーさん、早くしてくれ！　こっちもそんなに長くは保たないぞ！」

「杉田さんに会いたいんだろ、ねーさん！　だったら行ってくれ！」

ぼくの魂の叫びに、ようやくねーさんが反応した。坂道に向かって、松葉杖をつきながら歩きだしたのだ。

「行け！　ねーさん！　早く行け！」

「君たち、自分が何をしてるのかわかってるのか！」ぼくたちの体の下で男のお巡りさんが大声をあげた。「これは立派な犯罪だぞ！　公務執行妨害だ！」

「すいません、マジですいません」ぼくは脇固めの体勢を崩さないまま謝った。「すいません。だけど、どうしようもないんです」

「離しなさい！　君たち、離しなさい！」

「理由はあとで説明しますから」ぼくは言った。「本当に、マジで申し訳ないと思ってます。いくらでも怒られますから、とにかく今だけ見逃してください」

「君たちは何がしたいんだ？」

「あの人を空港まで連れていかなきゃならないんです。でも、車がガス欠になっちまったから、もうどうしようもない。最後の最後は自分で行ってもらうしかないんだ」

「何を言ってるのか、ちっともわからん」

「だから、あとで説明しますってば」

ねーさんが松葉杖をついて、一歩一歩進んでいくのが見えた。まどろっこしい動きだった。

「ねーさん、走れ！」リョーイチが叫んだ。「早くしないと間に合わないっすよ！」

「そうだ！　ねーさん、走ってください！」

わび助も叫んだ。ねーさんが一瞬動きを止めた。

「ねーさん！」ぼくたち三人が揃って叫んだ。「走れ！　ねーさん！」

「走れないよ、こんな足じゃ！」

ねーさんが怒鳴った。そんなことない！　とぼくたちは交互に叫んだ。

「ねーさんならやれますって！」

「急いでください！」

「さっさと行け、ねーさん！」

ねーさん、という呻き声がメタボンの口から漏れた。

「みんなの言う通りだと思います。早くしてください！」

ぼくたち四人は一斉に叫んだ。

「ねーさん！　ダッシュ！」

まっすぐ前を向いていたねーさんが、松葉杖を道路に捨てた。そして、ゆっくりと走りだした。

その姿は見ていて痛々しくなるほどだったけれど、でもねーさんは必死になって走っていた。坂道をものともせず、ゆっくりと、だけど着実なペースで走っていた。

「ねーさん！」

ぼくたちはもう一度声を揃えて叫んだ。

「ダーッシュ！」

ダッシュだ、ねーさん。ねーさん、あんた埼玉県下じゃトップクラスのランナーだっただろ。そりゃ確かに、今のねーさんは前のねーさんと違う。足が一本ないんだから。でも、ねーさんならできる。ねーさんなら走れる。そうだろ、ねーさん。ぼくたちが大好きなねーさんなら必ずできる。そんなねーさんだから、ぼくたちはねーさんのことが好きなんだ。

ねーさんは走り続けていた。もしかしたら普通の人が歩くぐらいのスピードだったかもしれない。決して速くはなかった。そして、ぎこちない走り方だった。だけど、あんなに美しいフォームで走るランナーを、ぼくは今まで見たことはなかったし、これからも一生見ることはないだろう。

「ねーさん！」ぼくは思い切り大きな声で言った。「ダッシュ！」

ねーさんが片手を上げた。頑張ってるという意味だ。ねーさん、頑張れ。最後はねーさんが自分の足を使って走るしかないのだから。

坂道をねーさんが進んでいった。しばらくするとねーさんの頭しか見えなくなった。そして、その姿がぼくたちの視界から次第に消えていった。

13

おい、という弱々しい声が体の下から聞こえた。男のお巡りさんの声だった。

「もういいだろう。離せよ」

「いや、離せないっす」ぼくは言った。「ねーさんが杉田さんと会えるまで、離すわけにはいかないです」

「誰だ、その杉田さんってのは」

「あとで説明します」

「今、説明しろ」

「話すと長いんですよ」

「どっちにしても、いずれはきちんと説明してもらわんといかんのだ。どうせ長い話なら、今話したって同じだろうが」

「そりゃまあ、そうなんですけど」

それがお巡りさんの作戦だとは気づかなかった。作戦というのは、つまりぼくたちの油断を誘うということだ。そして、そんな簡単な作戦に引っかかってしまうというのが、いかにもぼくたちらしいところだった。

あのですね、と言いかけたぼくの体の下から、お巡りさんが素早く右腕を抜いた。そのままの勢いで左腕を押さえつけていたわび助の腹のあたりを殴った。うめき声と共にわび助がお巡りさんの腕を離した。

それから先はあっさりとしたものだった。空いていた右足でリョーイチを蹴り飛ばしたお巡りさんが素早く立ち上がった。三対一だったけど、油断も隙もない訓練されたお巡りさんを倒すことは不可能だとすぐわかった。

じりじりと間合いを詰めていたお巡りさんが、不意にメタボンの方に向かった。上からメタボンをつかんで、女のお巡りさんを自由にした。警棒を抜くと、ぼくたちの方に近づいてきた。

「さあ、話してもらおうじゃないか」殺気立った声で男のお巡りさんが言った。「いったいどういうつもりなんだ？　何でこんなことをした？」

すいません！　リョーイチが頭を地面に伏せた。要するに土下座だ。でも、ほかにどうすることもできない。ぼくたち三人も同じように土下座した。

「そんなことしろって言ってるんじゃない。なぜこんなことをしたのかを聞いている」

「あの松葉杖の女の子は何なの？」

立ち上がった女のお巡りさんが聞いた。どうやらすべてを説明しなければならないらしい。そして、それはぼくの役目らしかった。ぼくは土下座をしたまま、説明を始めた。

なぜこんなことをしなければならなかったのか、その理由を。

「実はですね」

ぼくの口が勝手に動きだした。上目遣いに見ると、世にも凶暴な顔をした二人のお巡りさんがぼくのことを睨みつけていた。

14

「どういうつもりなんだ、ええ、おい！」

覚悟はしていたけれど、とにかく怒られた。十七年間生きてきて、これほど怒られたことはない。そしてこの先何十年生きていくにしても、これ以上怒られることはないと思った。

ぼくたち四人は当然のことながらアスファルトに並んで正座だ。その前を歩きながら、例の大月とかいうお巡りがものすごい声で怒鳴りちらしている。何があったのかと止まってしまう車もあったりして、料金所の辺りは騒然としつつあった。

もっとも、大月さんの怒りもわからなくはない。いくら三人がかりとはいえ、高校生に体を押さえつけられたまま動けずにいたというのでは、警察官としてのプライドもどこかへ吹っ飛んでしまっただろう。顔面を真っ赤にしながら、何なんだお前らは、ともう一度大月さんが怒鳴った。

「お前ら、テロリストか！」

そこまで言われたのにはマジで驚いた。そりゃ確かに世界は大変なことになっているのかもしれない。だけど、ぼくらみたいなのほほんとした顔のテロリストはどこにもいないだろう。

「さっきのあの女の子は何だ。ねーさんとか言ってたけど、お前たちの実の姉じゃないだろ！」

当たり前だ。ぼくたち五人が全員姉弟だったら、どんな両親なんだ、という話だ。

「何をしに空港に行こうとしたんだ！」

「見送りです」

やっとのことでぼくは答えることに成功していた。見送りって何だ、と大月さんが吠えた。犬かと思うぐらいに吠えた。

「何だって言われても困りますけど、とにかく見送りは見送りです」

「誰のだ！」

「いや、ですから世話になった先輩がいまして」

「名前は！」

「杉田さんていうんですけど……あの、ちょっとでいいから落着いてもらえませんか？

ちょっとでいいです。ちょっとだけ冷静になってもらわないと、話したくても話せません」

「おれは、冷静だ！」

冷静な人間が、職務中の一人称に〝おれ〟とは言わないと思う。それからしばらくぼくたちは口々に話を聞いてくれるよう頼んだ。

最初に自制心を取り戻したのは、名前もわからない女のお巡りさんの方だった。彼女がなだめる形で、ようやく大月さんが冷静さを取り戻したのだ。もしあそこで女のお巡りさんまで怒りだしていたら、とんでもないことになったと思う。

「どうしてこんなことをしたんだ？」

話せ、と大月さんが言った。ぼくらは誰が話すのかをお互いに譲りあっていたけど、結局のところそういうのはぼくの役目で、だからぼくが話すしかなかった。ぼくが話したのは、今年の春、ねーさんが学校に来なくなった時からの長い長い話だった。

15

「……そしたら電車が人身事故だか何だかで止まっちゃってて、当分復旧の見込みはないって駅員さんから聞いたんです」

「他に方法がなかったんです。電車がダメなら車で行くしかないって……言い出したのはぼくです。だからそれはぼくの責任です」

「それでお前がこの車を運転してきたってわけか？」

大月さんが魚まさと記されているドアのあたりを叩いた。いや、運転したのはこいつです、とぼくはわび助を指さした。

「……あなた、中学生じゃないの？」

女のお巡りさんが疑いの目でわび助を見た。高校生です、とわび助が答えた。

「そりゃ確かにわび助は免許を持っていないですけど」ぼくが話を引き取った。「車を運転することはできるんです。それで、春日部からここまで来たところで、ガソリンがなくなってしまって……」

「ここの料金所で降りた、と。そこを我々に見つかったというわけだな」

そうですそうです、とぼくたちは代わる代わるうなずいた。

「そんなにまでして、なんでさっきの女の子を空港に行かせたかったんだ？」

「だからさっきから言ってるじゃないですか」リョーイチが言った。「ねーさんには杉田さんっていう彼氏がいたんですよ。その杉田さんがハワイへ行くっていうんで、見送りに来たんです」

「今日じゃなきゃダメだったのか？」

「今日以外、時間はなかったんですよ」

ぼくが言った。しばらく黙っていた大月さんが、とにかく親に連絡だな、と言った。もうそれは仕方のないことなので、ぼくたちはそれぞれに親の連絡先を言った。

「無免許運転、道路交通法違反、公務執行妨害、とにかく簡単な処分で済むと思うなよ」

わかってます、とぼくたちはうなずいた。ぼくが考えていたのはわび助のことだった。わび助の父一徹は大変に厳格な人だ。特に息子には厳しい。

どうにかしてわび助が少しでも怒られない方法はないものかと考えていたのだ。もっとも、何の解決策も見つからなかったのだけれど。

「よし、とにかく移動だ。署まで戻るぞ。そこでもう一度取り調べだ」

大月さんが停められていたパトカーを指さした。ぼくらはぞろぞろとその中に乗り込んだ。柴田《しばた》くん、と大月さんが言った。どうやら女のお巡りさんの名前は柴田さんらしい。

「ここ、君一人で大丈夫か？」

「はい」

「なるべく早く戻るから」

運転席に乗り込んだ大月さんがエンジンをかけた。すぐに車が走り出し、ぼくたちは犯罪者として連行されることになったのだ。

16

「お前たち、何のためにこんな無茶なことをしたんだ？」

パトカーを走らせながら大月さんが言った。何のためにと言われても困る。他人にはわからないことなんて、世の中にはいくらでもあるだろう。

とにかく、ぼくたちはねーさんと杉田さんを会わせなきゃいけないと信じたからこそ、あんなことをした。そういうことだ。

「要するに、ぼくたちはねーさんと約束をしたんです。絶対に杉田さんと会わせるって。だからあんな無茶な真似をした……ってことになりますね」

「約束……か」

「別に口に出したりとか、そういうんじゃないんです。心と心の約束っていうか。そのへんのニュアンスって、わかりにくいとは思うんですけど」

「わからんね」大月さんが言った。「ちっともわからない」

当たり前だ。ぼくたち自身にもよくわかってないことを、簡単に他人にわかられたんじゃ困る。

「それで、お前たちのいうねーさんはどこへ行ったんだ？」

わかりません、とぼくたちは首を振った。

「杉田さんは第二ターミナルのカウンターで待つ、と言ってました。カウンターです。でも、ねーさんがそこまで行き着けたかどうか……」

ねーさんは確かにあの時、走っていた。だけど、成田の料金所から成田空港まではそう簡単に走って着くぐらいの距離ではない。途中でタクシーを捕まえなければ、空港まで行き着くことはできないだろう。それがうまくいったのかどうか、ぼくたちにはわからなかった。

「しょうがねえなあ、お前たちは」

大月さんがウインカーを出した。右方向へ曲がっていく。どこへ行くのだろうと思っているうちに、空港まであと二キロ、という標示板が見えた。

「どうせ、お前らのねーさんも一緒に署へ連れていかなきゃならないんだ」

大月さんがひとり言のように言った。

「空港に行くんですか？」

わび助が尋ねた。そうするしかないだろう、と苦笑いした大月さんが言った。

「お前たちの保護者の連絡先はわかってる。車も押さえているし、逃げても始まらないことはわかってるだろ?」

わかってます、とぼくたちはうなずいた。だったら、と大月さんがアクセルを踏んだ。

「お前たちにねーさんとやらを見つけてきてもらうのが一番手っとり早い」

なんとなくぼくはわかりはじめていた。さっき怒鳴りちらしていた大月さんも大月さんだし、空港に行こうとしている今の大月さんも大月さんだ。

単純に言えば、大月さんも事の顚末《てんまつ》を見届けたくなったのだろうとぼくには思えた。

パトカーがスピードを上げて空港に近づいていった。

17

五時五十分。空港の第二ターミナルについたところで、大月さんがぼくたちをパトカーから降ろした。

「お前たちのねーさんを捜してこい。三十分やる。連れて戻ってきたら、少しは反省していると認めてやってもいい。わかったか。それまでおれはここで待ってる」

「わかりました」

そう答えて、ぼくたちは外へ飛び出した。とにかくねーさんと杉田さんを捜そう。それしかない。ちゃんとあの二人が無事に会えたかどうかを確かめるのが、ぼくたちの最後の任務だ。

「あのお巡り、おれたちが逃げないと信じてるのかな」

リョーイチが言った。信じてるだろうさ、とぼくは答えた。

「親の連絡先とかも全部ホントのこと言っちゃったしな。それに、何より車を押さえられてる。どうしようもないよ」

「まあ、そりゃその通りなんだけどな……だけど、どうしてオレたちを野放しにしたのかね」

リョーイチの疑問はもっともだった。もちろん、大月さんが自分で言っていたように、ねーさんを捜すのはぼくたちの方が早いということもあるだろう。でもそれだけじゃない、とぼくは確信していた。

大月さんはぼくたちのことを信じた。ねーさんと杉田さんのこともだ。ねーさんと杉田さんがちゃんと会えたかどうかを知りたがっているぼくたちの気持ちを察して、一時解放してくれたのだ。

「そんなに悪い人じゃないと思うね」

「お巡りにしちゃ珍しいな」

そんなことを言いながら第二ターミナルの中へ入っていった。カウンターというものがいかに多いか、見てびっくりした。ＡＢＣＤＥＦＧ……。以下、どこまで続くかわからない。一応、待ち合わせのJカウンターに真っ先に向かってみたが、二人の姿はなかった。

「全員、ばらけよう」ぼくは言った。「これじゃ捜しようがない。ひとつひとつを四人で見回っていたんじゃ効率が悪すぎる」

「オレは奥の方から捜す」

「じゃあぼくは手前から見てくよ」

「ぼくはどうしたらいい？」

間抜けな発言をしたメタボンの尻を蹴飛ばして、真ん中から手前へ行け、と命じた。

「いいか、とにかくどっちかあるいは両方を見つけたら、それぞれの携帯に電話だ。いいな」

オーケー、とリョーイチが言った。

「捜すのはカウンターだけじゃないぞ。もし二人が会えていたとしたら、喫茶店とかに入っているかもしれない。どこにいるのかはわからないんだ。片っぱしから調べていくしかない」

「わかった」

わび助がうなずいた。

「よし、じゃあばらけよう」

了解、とメタボンが言った。ぼくたちはそれぞれの方向へと走り出した。

18

空港にはいろんなものがある。ありすぎるほどある。そして広すぎるほど広い。走り出したのはいいけれど、ぼくたちは目標を見失っていた。

ぼくの担当するカウンターの周辺に、ねーさんと杉田さんの姿はなかった。どこか他のカウンターにいるのだろうか。だけど誰からも電話はなかった。

ぼくはエスカレーターでひとつ上のフロアに上がった。そこには喫茶店や食堂、本屋とか電器屋とかいろんな店がたくさんあった。本屋とかはともかくとして、注文もしないのに喫茶店に入ったりするのはちょっと気が引けたけど、何しろ緊急事態なので仕方がない。店に走り込んでは二人の姿を捜したけど、どこにもいなかった。

走り回っていると、わび助と出くわした。どうだと聞くと、いない、という答えが返ってきた。

「店は見た？」

「だいたいはな」

「ぼくも見たつもりだ。だけど、どこにもいない」

「いったいどこにいる？」

「ねえ、もしかしたらぼくたち間違ったところを捜してるんじゃないのかな」

どういう意味だ、と尋ねた。ターミナルだよ、とわび助が言った。

「第二ターミナルじゃなくて、第一ターミナルって言ってたような気がしてきた」

どうだったただろう。そう言われてみると自信がなくなってきた。杉田さんからの電話を受けたのはぼくで、ぼくがみんなに第二ターミナルだと伝えた。でも、もし聞き違いだったら？　あるいは杉田さんの勘違いだったら？　本当にいるのは第一ターミナルだとしたら？

「待て、わび助。それで思い出した。ねーさんに電話してみればいいじゃんよ！」

「そうだ！　どうしてそれに気づかなかったんだろう」

それだけパニクっていたということだ、と言いながらぼくはケータイでねーさんの番号を呼び出した。ボタンを押すと、いきなりこんなメッセージが流れた。

『ただ今おかけになった電話は、電波の届かない場所にあるか、電源が入っていないため、かかりません』

「何考えてんだ、ねーさんは！」

「怒ったって仕方がないよ。捜すしかないんだ」

「そんなことはわかってる。だけど、この馬鹿みたいに広い空港の中で、どうやって捜せばいいっていうんだ？」

「諦めないことだよ。諦めたらそれで全部終わりだ。最後まで諦めず、捜してみよう」

大変ごもっともな意見だった。ぼくはわび助と別れて、また喫茶店やら食堂やらに入ってみることにした。二十軒ほどの店を調べ終えた時、ぼくのケータイが鳴った。

「もしもし」

「ぼく」

メタボンだった。どうした、と聞くと、いた、という答えが返ってきた。

「マジでか？」

「早くこいってば。ホントだから」

「どこにいるんだ？」

「どこって言われても……そうだ、中央にでっかい時刻表みたいなのがあるだろ？　あそこに行ってよ。ぼくもそっちへ移動する」

「わかった」

「わびちゃんとリョウくんにはぼくの方から連絡しておくから」

わかった、ともう一回言ってからぼくはエスカレーターを目指して走り出した。みんな、待ってろよ！

19

でっかい時刻表、というのは空港の中央にある電光掲示板のことだった。ぼくがそこへ走り込んでいくと、メタボンの大きな頭が見えた。見つけてくれたのがメタボンでよかったと思った。空港の中は混雑していて、誰がどこにいるのかもよくわからない状況だったからだ。

ほとんど同時にリョーイチとわび助が走ってきた。どこだ、とリョーイチが叫んだ。あそこ、とメタボンが指さした。

二人がいたのは、出国カウンターのすぐ横だった。二人は何も話さず、ただ見つめあっていた。

「さっきからずっとああなんだ」メタボンが言った。「黙って、ただじっと見つめあうだけで」

何か言えよ、とリョーイチがつぶやいた。もっともな意見だ。ここまでどんな苦労をしてやってきたと思っているのか。マジ、死ぬんじゃないかってことや、お巡りまでぶっちぎってぼくたちはやってきたのだ。ここは一発、決めてもらわないと話になんないって。

すると、ぼくたちの願いが通じたのか、杉田さんが何か話しかけているのがわかった。ねーさんは泣きそうな顔をしていた。おそらく、別れの挨拶をしているんだろう。「いったい何をしてるんだ、あのバカな先輩二人は」リョーイチが言った。「杉田さんも杉田さんだ。くだらねえ話してるんじゃなくて、ガッと抱きしめてワッとキスでも何でもしちまえばいいんだ」

黙ってろ、ボケ、とぼくが言った。何だとこの野郎とリョーイチが凄んだ。

「黙って見てろって言ってるんだ」

「だってさあ、じれったいと思わねえか？　オレなら絶対そうするね。それで最後に、日本に帰ってきたらまた会おうとか何とか言えば、それで全部オーケーさ」

「あの二人はそんなに器用じゃないんだよ」わび助が言った。「もしリョウくんの言う通りなら、もっと前に万事オーケーってことになってるはずだ」

それもそうだ。不器用を絵に描いたような二人だからこそ、こんなことになってしまったのだし、当然のことながらそんな二人がいきなり素直になるはずもなかった。

杉田さんが大きなバッグを肩にかついだ。いよいよお別れの時間ということらしい。そのまま右手をまっすぐ前に差し出した。別れの握手ということだろうか。

その時、ねーさんが杉田さんの頰を張った。離れているから聞こえるはずもなかったのだけれど、音が響いてくるほどにいい張り方だった。

「何で？」

メタボンが言った。それはわからない。何と言っていいのかわからないまま、ねーさんが突然叩いたとしか思えなかった。

ねーさんがはあはあと荒い息をついているのがわかった。叩かれた杉田さんが、にっこり微笑むのが見えた。それから、ねーさんが静かに泣き始めた。その右腕を強引につかんだ杉田さんが、何度も強く振った。ねーさんが左手をその手に重ねた。

どれぐらいその時間が続いていただろう。それが最後だった。もう一度バッグを肩にかつぎ直した杉田さんが、じゃあな、というように手を振って、出国カウンターの中へ入っていった。

20

ぼくたちは出国カウンターのところまでねーさんを迎えに行った。ねーさんの目は真っ赤だった。何も言葉を交わすことができないまま、メタボンがねーさんを背負って、みんなで空港の外に出た。パトカーが停まっていて、大月さんが車体によりかかるようにして立っていた。

「意外と早かったな」大月さんが言った。「二十五分か」

はい、とぼくたちはうなずいた。会えたのか、と大月さんが聞いた。はい、ともう一度ぼくたちはうなずいた。

「いいだろう。それなら全員パトカーに乗れ。これから長い説教タイムの始まりだ」

メタボンがここまで来た時と同じように助手席に乗り、ねーさんを含めたあとの四人が後部座席に座った。それから、パトカーはゆっくり走り始めた。

21

それからのことについて、あまり長く触れる必要はないと思う。

とにかく空港にある警察署まで行き、ぼくたちは保護者が来るのを待った。三時間もすると、ぼくのオフクロをはじめ、リョーイチ、メタボンの母親、わび助の父一徹がやってきた。ねーさんのお母さんだけは連絡が取れなかったのか、とにかく来なかった。

状況の説明をしたのは大月さんだった。公平に見て、大月さんはどちらかといえばぼくたちに味方するような発言をしてくれた。そして、結局、説諭《せつゆ》というらしいんだけど、処分はそれで終わった。

ひとつだけ意外だったのは、父一徹が怒らなかったことだ。怒らなかったというと正確ではないかもしれない。父一徹はわび助を怒るには怒ったのだ。ただ、ぼくたちの予想とは全然違う方向で。

つまり、父一徹が怒っていたのは、息子が無免許運転をしていたことでも、店の車を勝手に使ったことでもなく、なぜそんな緊急事態が起きた時、自分を呼ばなかったのか、ということだった。

「おれならお前の倍のスピードで、しかも安全に来ることができたのに」

父一徹が言ったのはそれだけだった。むしろ、ぼくとかメタボンの方が母親にどれだけ叱られたことか。これが男親と女親の違いというものなのだろうか。

それから二時間ほどいろんな手続きがあり、そしてぼくたちは解放された。わび助と父一徹はレッカーされていた車を引き取りに行き、ぼくたちは電車で家に帰った。まったく、信じられないほど疲れた一日だった。

22

「先輩」

草野の声がして、ぼくは顔を上げた。グラウンドを陸上部の部員たちが走っていた。

「何してるんですか。もう引退したはずでしょ」

気が付けば年が明け、春になり、ぼくは高校三年生になっていた。うちの高校は三年生になると基本的に部活から引退しなければならない。グラウンドにいたのは、四月の空があまりにも晴々としていたからだ。

「後輩の練習を見に来ただけだよ」

嘘ばっかり、と草野が言った。

「何、読んでたんですか？」

ぼくは折りたたんだ紙片を制服のポケットにしまった。それはねーさんから来た手紙だった。

ねーさんは今、ハワイにいる。高校を卒業したその足で、ねーさんはまっすぐ杉田さんのもとへと向かったのだ。

『イノケンへ。元気にしてますか？　してるよね。今、わたしはハワイのホノルルにいます。コンドミニアムを借りて、そこで暮らしているの。暮らしはとても快適です。いろんなことが全部うまく歯車が嚙み合っている感じです。ねえ、イノケン、あの時は迷惑かけちゃってごめんね。ずっと言おうと思ってたし、みんなが空港へ見送りに来てくれた時も言おうと思ってたんだけど、うまく言えずに今日になっちゃいました。ごめんね、そしてありがとう。本当にありがとう。みんながいてくれなかったら、多分今でもあたしは真っ暗な気持ちのままだったと思う。足を切らなければならなかったかわいそうな女の子みたいな顔して。でも、そうじゃないよね。ううん、足を切ったのは、すごく不幸なことだったけれど、そうなっちゃったものは仕方がない。どこかで割り切らないとね。今は、彼も一緒にいてくれて、毎日励ましてもらいながらリハビリをしています。イノケン、イノケンも何でもいいから頑張んなよ。頑張っていたら、きっといいことがあると思う。どんなことかはわからないけど、でもそう思う。六月になったら一度日本に帰るから、その時会おうね。じゃあ、元気で！

ＰＳ・新しい目標が見つかったの！　二〇一二年のロンドンパラリンピックに出場するんだ！　見ててね！』

この手紙は先週の日曜日に届いたものだった。ぼくは暗記するほど何度も繰り返し読んでいたのだけれど、何度読んでも飽きることはなかった。

「何なんですか、変な笑い方して」

「別に。何でもないよ」

ぼくは立ち上がった。ねーさんの言う通り、すべてが丸く収まっていた。ねーさんは杉田さんと暮らしながら、リハビリを行っている。本当にパラリンピックにも出ることになるだろう。何しろあのねーさんだ。目標に向かってまっしぐらといったところだろう。

ぼくたちはどうにか三年生になった。そして陸上部の後輩たちは熱心に練習をしている。

そうだ、他の三人のことも触れておかねばならない。リョーイチはあの後すぐに彼女を作った。一年後輩の木下《きのした》という女の子だ。メタボンは相変わらずというか、今まで以上に太りはじめている。最近はあまり顔を合わせる機会がないけど、会えば必ず何かを食べている。そしてわび助は五月になると十八歳の誕生日を迎えるので、その日に向けて車の運転の練習を毎日のようにしていた。親父がうるさいんだよ、というのが最近のわび助の口癖だ。

ぼく個人のことを言えば、何とかうまくやっている。ねーさんがいなくなってしまったのは淋しいけれど、まあそれがねーさんのためになることなのだから仕方がない。

「先輩」草野が言った。「走りたくなったりしませんか？」

「ああ？　うん、なるよ、時々ね」

そういえば一年前、ねーさんとこんな会話を交わしていたのを思い出した。だったらたまには一緒に走りましょうよ。ぼくは若干の期待を込めてそう言った。あっさり振られてしまったけれども。

「だったら、走りたくなったらいつでも言ってくださいね」草野が笑った。「いつでも、つきあってあげますから」

「気を遣わせて、悪いな」

「いいえ、どういたしまして」

ぼくはもう一度草野の表情を見た。冗談ぽく言っているけど、その目は真剣だった。

急にぼくは照れくさくなって、帰るわ、と言った。

「先輩、マジでいつでも呼んでくださいね」

「わかったよ。いつか頼むかもな」

絶対ですよ、と言いながら草野がグラウンドへ戻っていった。ちょっと予感がした。何かが起こりそうな、ちょっとした予感。

「先輩」

草野がくるりと向きを変えてぼくに向かって叫んだ。

「ダーッシュ！」

ぼくは手を振りながら、グラウンドを後にした。いつ草野を誘おうか。そんなことを考えながら。

解説

細谷正充（文芸評論家）

二〇一二年の妄想。八月から九月にかけて、あるニュースがテレビで流れる度に、本書の登場人物が出てくるのではないかと注視してしまった。そんなこと、あるはずないのに。でも、分かっていても、やってしまう。それがこの物語の力なのである。

本書『ダッシュ！』は、ポプラ社の小説誌「ａｓｔａ＊」二〇〇七年十一月号から〇九年四月号にかけて連載。その後、加筆修正の成された単行本が、二〇〇九年七月に刊行された。作者の五十嵐貴久は、二〇〇一年に第二回ホラーサスペンス大賞を受賞した『リカ』でデビューして以来、ミステリー、アクション、時代小説、恋愛小説、お仕事小説など、多彩な作品を発表している。その中でも重要な位置を占めるジャンルのひとつが青春小説だ。『１９８５年の奇跡』『２００５年のロケットボーイズ』『１９９５年のスモーク・オン・ザ・ウォーター』の青春三部作を上梓して、優れた青春小説の書き手であることを斯界に示したのである。本書は、その系譜に連なる物語といっていいだろう。なお作品の性質から、以後の文章はかなり内容に踏み込んだものになっている。まっさらな気持ちでストーリーを楽しみたい人は、注意していただきたい。

埼玉県の県立春日部学園高校には、県下のトップランナーといわれる陸上選手がいた。三年生の菅野桃子だ。学業も優秀で、スタイル抜群。おまけに気風もいい。そんな彼女を慕う同級生や下級生は多いが、特に熱心なのが四人の二年生だ。桃子を〝ねーさん〟と呼び、ファンクラブまで結成してしまった、彼らの横顔を簡単に紹介しておこう。

イノケンこと井上健一。本書の語り手。短距離走の選手。なんとなく四人の中では、リーダーのポジションにいる。

メタボンこと門倉猛。身長百七十センチ、体重百二十五キロのメタボリック体型。健康のために陸上部に入部させられた。鉄道オタク。

リョーイチこと結城遼一。元陸上部。押しが強い。両親の離婚で、少しすさんでいた時期がある。

わび助こと富田裕助。元陸上部。自意識過剰で、対人恐怖症気味。魚屋〝魚まさ〟の息子。一徹と呼ばれる父親は、昭和チックな頑固者。

以上四人は、ある騒動が切っかけで桃子と親しくなり、彼女に惚れ込んでいる。もっとも彼女にとっては、可愛い子分のようなものだ。さらに桃子には、重大な秘密があった。骨肉腫を患い、片足を切断しなければならなかったのだ。桃子の入院と病気を知り、動揺しながらも彼女を支えようとする四人。そんな彼らに桃子が、二歳上のかつて恋人だった杉田達也に、手術の前に会いたいと言い出す。杉田は高校を中退し、サーファーになるといって外国に行ってしまったという。携帯も持っていない杉田なので、たまに来る絵葉書だけが、行方を捜す手がかり。かくして伝手も金もない高校生四人組の奮闘が始まるのだった。

物語と現実の距離感は、作品内容によってさまざまである。たとえば異世界を舞台にしたヒロイック・ファンタジーや、宇宙を舞台にしたスペース・オペラなどは、現実と距離の遠い物語といえる。現実を舞台にしていても、ある種の冒険小説やミステリーは、やはり現実との距離が遠かったりするのだ。

その一方で、恋愛小説や青春小説は、物語と現実の距離が近いことが多い。誰もが経験のある普遍的なテーマであるだけに、現実的な方が、読者が感情移入しやすくなっているのだ。そのことは本書を読めば、納得していただけるだろう。

実際、本書の登場人物はリアルだ。語り手のイノケンを始め、メタボン、リョーイチ、わび助。春日部で暮らす高校二年生の彼らには、桃子を慕っていることを除けば、特筆すべき点がない。メタボンの〝テツ〟ぶりはちょっと凄いが、それだってこのレベルのオタクは幾らだって存在する。とにかく、どこにでもいる平凡な少年たちなのだ。また彼らが女神と崇める桃子の才色兼備ぶりも、ずば抜けているわけではない。たしかに魅力的ではあるが、リアルな範囲に収まっている。

だが、だからこそ本書は面白い。平凡な少年たちが、ただ〝ねーさん〟が好きだという想いだけで、どこまでも突っ走っていく。杉田の行方を捜す方法など、愚直で泥臭いのだが、それだけに現実的。高校二年生の出来る精一杯が、このストーリーに詰まっているのだ。彼らと同年代の人が本書を読めば、もしかしたら自分でも、これくらいの事は出来ると思うかもしれない。そうした、ちょっと手を伸ばせば届きそうな実行可能感が、読者をワクワクさせるのだ。いつの間にか、五人目の仲間になって、彼らと一緒に走っている気持ちになってしまうのである。

さらに、幾つもの体験を経て成長していく、イノケンたちの姿も読みどころになっている。恋する少年らしい単純な行動原理しか持たない彼らだが、世の中はもっと複雑だ。本書に登場する大人たちは彼らに好意的な人が多いが、だからといって現実の壁がなくなるわけではない。〝絶対〟なんて言葉は通用しない。良かれと思って言ったことで、好きな人に嫌われる。法律を破れば怒られる……。お姫様を守る四人の騎士を気取ってみても、小さな事しか出来ないのだ。でも、それでも一所懸命に頑張り続けたからこそ、人の心が動く。事態が変わる。イノケンたちが騒動の果てにつかむ、ささやかな勝利こそが、彼らの成長を証明しているのである。成長小説としての魅力も、抜群なのだ。

また、巧みなストーリー展開も見逃せない。桃子の骨肉腫が判明して、一気に動き出した物語は、さまざまな仕掛けと企みに満ちている。まずイノケンたちが、杉田の居場所を突き止めようとする場面。絨毯《じゅうたん》爆撃のように国際電話をかけまくって、居場所を絞り込んでいくところなど、ミステリーの面白さといっていい。おまけにユーモアも満載。最初の国際電話での、タヒチの人とのやりとりは、いかにも日本人らしい片言英語が炸裂して、抱腹絶倒してしまうのである。いや、笑った笑った。

続いて、ハワイにいた杉田と連絡が取れた後。すぐに日本に戻ると杉田はいうが、手術までの時間はあまりない。ここからタイムリミット・サスペンスが味わえるようになっているのだ。青春小説でありながら、エンターテインメントのあの手この手を使って読者の興味を離さない、作者の手腕が光っている。

ところが、こんなのはまだ序の口だった。以後、物語の行方は意外な方向に捻じれていく。「ええっ、いったいどうなっちゃうの」と驚いている間にもストーリーは進行し、これまた作者らしい仕掛けを経て、再びタイムリミット・サスペンスを伴った、イノケンたちの最後の大冒険へと繋がっていくのだ。息継ぐ暇もないとは、このことか。冒頭からラストまで〝ダッシュ〟しまくりの物語が、なんとも爽快なのである。

ところで本書を、桃子と杉田の物語として見ると、イノケンたちは脇役もいいところである。だがいつか、彼らも本当の主役になる日が来るはず。全体を通じて点描されるイノケンの部活動の場面が、それを予感させるのだ。前に進むことは、未来へ向かうこと。未来へと開かれたラストは、本書の締めくくりに相応しい。これからもダッシュし続けるであろう、イノケンたちの人生に思いを馳せ、どうにも嬉しくなってしまうのである。

本作品は二〇〇九年七月、ポプラ社より刊行されました。
作中に登場する人物、団体名はすべて架空のものです。

双葉文庫

い-38-05

ダッシュ!

2012年11月18日　第1刷発行

【著者】
五十嵐貴久《いがらしたかひさ》

【発行者】
赤坂了生
【発行所】
株式会社双葉社
〒162-8540 東京都新宿区東五軒町3番28号
［電話］03-5261-4818(営業)　03-5261-4840(編集)
www.futabasha.co.jp
(双葉社の書籍・コミックが買えます)
【印刷所】
大日本印刷株式会社
【製本所】
株式会社若林製本工場

【表紙・扉絵】南伸坊
【フォーマット・デザイン】日下潤一
【フォーマットデジタル印字】恒和プロセス

ISBN978-4-575-51534-3 C0193
Printed in Japan